Diogenes Taschenbuch 24242

de
te
be

Paulo Coelho

Aleph

Roman

Aus dem Brasilianischen von
Maralde Meyer-Minnemann

Diogenes

Titel der 2010 bei
Editora Sextante, Rio de Janeiro,
erschienenen Originalausgabe: ›O Aleph‹

Paulo Coelho: www.paulocoelho.com
Die deutsche Erstausgabe
erschien 2012 im Diogenes Verlag
Das Motto auf Seite 6 von Jorge Luís Borges
ist folgender Ausgabe entnommen:
Jorge Luís Borges, *Gesammelte Werke in zwölf Bänden. Band 5: Der Erzählungen erster Teil Universalgeschichte der Niedertracht. Fiktion. Das Aleph*
Herausgegeben von Gisbert Haefs und Fritz Arnold
Aus dem Spanischen von Karl August Horst,
Wolfgang Luchting und Gisbert Haefs

Veröffentlicht als Diogenes Taschenbuch, 2013

www.diogenes.ch
800/13/44/1
ISBN 978 3 257 24242 3

Für J., der dafür sorgt, dass ich nicht stehen bleibe.
Für S. J., die mich weiterhin beschützt.
Für Hilal, weil sie mir in der Kirche in Nowosibirsk vergeben hat.

Heilige Maria, ohne Sünden empfangen, bete für uns, die wir uns an dich wenden. Amen.

Ein Edler zog ferne in ein Land, dass er ein Reich einnähme und dann wiederkäme.

Lukas, 19:12

Im Durchmesser mochte das Aleph zwei oder drei Zentimeter groß sein, aber der kosmische Raum war darin, ohne Minderung seines Umfangs. Jedes Ding […] war eine Unendlichkeit von Dingen, weil ich sie aus allen Ecken des Universums deutlich sah.

Jorge Luís Borges, *Das Aleph*

Du weißt alles; ich kann nicht sehen.
ich hoffe, nicht vergeblich zu leben,
ich weiß, dass wir uns wiedersehen
In einer göttlichen Ewigkeit.

Oscar Wilde

Inhalt

König meines eigenen Reiches

Nein! Bloß kein neues Ritual! Nicht schon wieder eine rituelle Anrufung! Bloß nicht wieder unsichtbare Kräfte bitten, dass sie sich in der sichtbaren Welt manifestieren! Was hat das mit der Welt zu tun, in der wir heute leben? Junge Leute schließen ihr Studium ab und finden keine Arbeit. Die Alten gehen in Rente, und das Geld reicht hinten und vorn nicht. Und diejenigen, die arbeiten, haben keine Zeit zum Träumen – sie rackern sich von früh bis spät ab, um ihre Familie zu ernähren, die Ausbildung der Kinder zu bezahlen, im ständigen Kampf mit der sogenannten »harten Realität«.

Noch nie war die Welt so in Aufruhr wie heute: religiöse Kriege, Völkermord, fehlende Achtung vor unserem Planeten, Wirtschaftskrisen, Depression, Armut. Und für all diese Probleme – und für die eigenen – erwarten alle schnelle Lösungen. Wenn es darum geht, wenigstens ein paar der Probleme, die die Welt oder das eigene Leben betreffen, zu lösen, wollen alle gleich Ergebnisse sehen. Aber die Zukunft sieht immer düsterer aus.

Und ausgerechnet jetzt soll ich mich mit einer spirituellen Tradition auseinandersetzen, deren Ursprung in einer fernen Vergangenheit, weit weg von den Herausforderungen unserer Zeit zu finden ist?

Mit J., den ich meinen Meister nenne, obwohl ich an diesem Status langsam zu zweifeln beginne, gehe ich auf die heilige Eiche zu, die seit mehr als fünfhundert Jahren unbeeindruckt Zeuge der menschlichen Leiden ist; einzig bestrebt, im Herbst ihre Blätter abzuwerfen und sie im Frühjahr wieder wachsen zu lassen.

Ich mag nicht länger über mein Verhältnis zu J. schreiben, der mich in jene spirituelle Tradition eingeführt hat. Ich besitze zig Tagebücher voller Notizen zu unseren Gesprächen, die ich nie wieder lesen werde. Seit ich ihm 1982 in Amsterdam zum ersten Mal begegnet bin, habe ich etliche hundert Male verlernt zu leben und es wieder neu erlernt. Wenn mich J. etwas Neues lehrt, glaube ich jedes Mal, dass dies möglicherweise der letzte Schritt ist, um den Gipfel des Berges zu erreichen, die Note, die der Schlüssel zu einer ganzen Symphonie ist, das Wort, das ein ganzes Buch zusammenfasst. Die daraus folgende Euphorie klingt jedoch nach und nach ab. Einiges bleibt für immer, doch die meisten Übungen, Rituale, Lehren verschwinden irgendwann in einem schwarzen Loch. Jedenfalls kommt es mir so vor.

***

Der Boden ist nass, meine Turnschuhe, erst vor zwei Tagen gründlich gereinigt, werden gleich wieder voller Schlamm sein, egal, wie sehr ich mich in Acht nehme. Meine Suche nach Wissen, innerem Frieden und der Bewusstheit für die Wirklichkeit – die sichtbare wie unsichtbare – ist bereits zur Routine geworden und bringt mich nicht mehr weiter. Im Alter von zweiundzwanzig Jahren habe ich mich der

Magie verschrieben; es waren wichtige Jahre für mich, in denen ich viele Wege eingeschlagen habe. Zeitweise bewegte ich mich am Rande des Abgrunds, strauchelte, stürzte, war nahe daran aufzugeben und fing wieder von vorn an. Mit neunundfünfzig Jahren, so hatte ich mir immer vorgestellt, würde ich längst dem Paradies und jenem inneren Frieden nahe sein, wie ich ihn im Lächeln buddhistischer Mönche zu erkennen glaubte.

Tatsächlich scheine ich davon weiter entfernt zu sein denn je. Ich bin mit mir nicht im Reinen. Immer wieder hadere ich mit inneren Konflikten, manchmal über Monate hinweg. Wenn ich es schaffe, in eine magische Realität einzutauchen, dann gerade lange genug, um zu spüren, dass diese andere Welt existiert, und um frustriert zu sein, weil es mir nicht gelingt, alles in mir aufzunehmen, was ich dort erfahre.

Wir sind beim Baum angekommen.

Wenn das Ritual beendet ist, werde ich ernsthaft mit J. reden. Wir legen beide unsere Hände an den Stamm der heiligen Eiche.

***

J. spricht ein Sufi-Gebet:

»Allmächtiger Gott, wenn ich den Stimmen der Tiere, dem Rascheln des Laubs, dem Murmeln des Wassers, dem Zwitschern der Vögel, dem Brausen des Windes oder dem Grollen des Donners lausche, dann höre ich Dich in allem; ich spüre, dass Du die höchste Macht, die Allwissenheit, die höchste Weisheit, die höchste Gerechtigkeit bist.

Allmächtiger Gott, ich erkenne Dich in den Prüfungen, die ich durchstehe. Möge Deine Freude auch meine Freude sein. Gestatte, dass Deine Zufriedenheit auch meine Zufriedenheit sei. Lass mich Deine Freude sein, jene Freude, die ein Vater an seinem Kind hat. Und lass mich auch dann ruhig und entschlossen Deiner gedenken, wenn es mir schwerfällt, zu sagen, dass ich Dich liebe.

Normalerweise würde ich in einem solchen Moment sekundenlang jene Präsenz spüren, die Sonne und Erde bewegt und die Sterne an ihrem Platz hält. Aber heute möchte ich nicht mit dem Universum sprechen; heute möchte ich nur, dass der Mann an meiner Seite mir die Antworten gibt, die ich brauche.

***

J. nimmt die Hände vom Stamm der Eiche, und ich tue es auch. Er lächelt mich an, und ich erwidere sein Lächeln. Wir gehen schweigend und ohne Hast zu meinem Haus, setzen uns auf die Veranda und trinken einen Kaffee, immer noch schweigend.

Ich betrachte den riesigen Baum in der Mitte meines Gartens, um dessen Stamm ich aufgrund eines Traums ein Band gewunden habe. Wir befinden uns im Dorf Saint-Martin in den französischen Pyrenäen in einem Haus, dessen Kauf ich inzwischen bereue; da nicht ich das Haus, sondern das Haus mich besitzt. Es fordert meine Anwesenheit, wann immer möglich, denn damit es seine Energie bewahrt, muss sich jemand darum kümmern.

»Es gelingt mir nicht mehr, mich weiterzuentwickeln«,

sage ich zu J. und bin damit wie immer in die Falle getappt, stets als Erster das Wort ergreifen zu müssen. »Ich glaube, ich bin an meine Grenzen gelangt.«

»Seltsam. Ich habe mein Leben lang versucht herauszufinden, wo meine Grenzen sind, und habe sie bis heute nicht erreicht. Und dabei erweitert sich mein Horizont auch noch ständig und ist mir ganz und gar nicht dabei behilflich, mein persönliches Universum ganz kennenzulernen«, provoziert mich J.

Das war ironisch gemeint, aber ich fahre unbeeindruckt fort.

»Warum bist du heute hier? Du versuchst mich wie immer davon zu überzeugen, dass ich mich irre. Du kannst sagen, was du willst, aber Worte werden daran nichts ändern: Ich bin nicht glücklich.«

»Genau deswegen bin ich gekommen. Ich spüre das schon eine ganze Weile. Aber man muss den richtigen Augenblick zum Handeln abwarten«, sagt J., nimmt eine Birne vom Tisch und betrachtet sie von allen Seiten. »Hätten wir eher miteinander geredet, wärest du noch nicht reif dafür gewesen. Würden wir später reden, wärest du inzwischen verdorben.«

Er beißt in die Frucht. »Genau der richtige Zeitpunkt«, sagt er genießerisch.

Ich lasse nicht locker: »Ich habe viele Zweifel. Besonders an meinem Glauben.«

»Großartig. Der Zweifel treibt den Menschen an.«

Wie immer die passenden Antworten, die passenden Bilder, aber heute verfehlen sie ihre Wirkung.

»Ich werde dir sagen, was du fühlst«, fährt J. fort. »Dass

alles, was du gelernt hast, keine Wurzeln geschlagen hat, dass du zwar imstande bist, in das magische Universum einzutauchen, es dir aber nicht gelingt, dort zu verweilen. Dass dies alles möglicherweise nichts weiter als eine einzige Illusion ist, geschaffen vom Menschen, um sich der Angst vor dem Tode zu erwehren.«

Doch es ist schlimmer als das: Ich zweifle an meinem Glauben. Alles, was ich sicher weiß, ist, dass es ein paralleles spirituelles Universum gibt, das an die Welt, in der wir leben, anschließt. Der ganze Rest – heilige Bücher, spirituelle Führer, Handbücher, Zeremonien –, all das kommt mir absurd vor. Und, was noch schlimmer ist, sie scheinen keine bleibende Wirkung zu haben.

»Ich werde dir erzählen, wie es mir ergangen ist«, fährt J. fort. »Als junger Mann war ich von all den Dingen, die das Leben zu bieten hatte, vollkommen geblendet und habe gedacht, ich müsste nur danach greifen. Nach meiner Hochzeit musste ich mich für einen einzigen Weg entscheiden, um meine Frau, die ich liebe, und meine Kinder zu versorgen. Mit fünfundvierzig war ich ein sehr erfolgreicher Manager, die Kinder erwachsen und aus dem Haus, und ich hatte das Gefühl, als würde von nun an alles nur noch eine Wiederholung dessen sein, was ich bereits erlebt hatte.

Da begann meine spirituelle Suche. Ich bin ein disziplinierter Mensch und habe all meine Kraft darauf verwendet. Es gab Zeiten, da war ich voller Begeisterung, und Zeiten, in denen mich der Glaube verließ, und irgendwann kam ich an den Punkt, an dem ich mich so fühlte wie du heute.«

»Ja, trotz all meiner Bemühungen kann ich nicht behaupten, dass ich Gott und mir selber näher gekommen wäre«, sage ich mit kaum verhohlener Bitterkeit.

»Das kommt daher, dass du wie alle anderen Menschen auf diesem Planeten glaubst, die Zeit würde dich lehren, wie du dich Gott nähern kannst. Aber die Zeit lehrt nichts; sie bewirkt nur, dass wir uns erschöpft und alt fühlen.«

Die Eiche scheint mich jetzt anzusehen. Sie steht bestimmt seit mehr als fünfhundert Jahren dort, und das Einzige, was sie in dieser Zeit gelernt hat, ist, an einem Ort zu verharren.

»Warum haben wir an der Eiche ein Ritual abgehalten? Wie soll uns das helfen, zu besseren Menschen zu werden?«

»Ebendeshalb, weil die Menschen heute keine Rituale mehr an Eichen durchführen. Und weil durch scheinbar absurde Rituale etwas tief in der eigenen Seele berührt wird, im ältesten Teil deines Selbst, der dem Ursprung von allem am nächsten ist.«

Ich muss ihm recht geben. Ich habe eine Frage gestellt, auf die ich die Antwort bereits kenne. Ich sollte sinnvoller von J.s Gesellschaft Gebrauch machen.

»Zeit, von hier aufzubrechen«, sagt J. unvermittelt.

Ich schaue auf die Uhr und antworte ihm, dass der Flughafen ganz in der Nähe liegt und wir uns ruhig noch weiter unterhalten könnten.

»Das meine ich nicht. Als ich damals in deiner Situation war, habe ich die Lösung in etwas gefunden, das vor meiner Geburt geschehen war. Ich schlage vor, du versuchst das auch.«

Reinkarnation? Er hatte mir immer von Besuchen in meinen vergangenen Leben abgeraten.

»Ich war bereits in der Vergangenheit. Noch bevor ich

dich getroffen habe, habe ich gelernt, wie das geht. Ich habe dir von den zwei Inkarnationen erzählt: einer als französischer Schriftsteller im 19. Jahrhundert und einer –«

»Ja, ich weiß.«

»Ich habe Fehler gemacht, die ich jetzt nicht wiedergutmachen kann. Und du hast mir gesagt, dass ich von weiteren Reisen in die Vergangenheit absehen solle, weil ich mich nur noch schuldiger fühlen würde. In vergangene Leben zu reisen sei wie ein Loch in den Fußboden zu machen und zuzulassen, dass das Feuer im darunterliegenden Stockwerk auf das darüberliegende übergreift, die Vergangenheit auf die Gegenwart.«

J. überlässt die Überreste der Birne den Vögeln im Garten und sieht mich irritiert an.

»Wenn du nicht aufhörst, solchen Unsinn zu reden, glaube ich noch, dass du recht hast und in den vierundzwanzig Jahren, die wir uns kennen, nichts gelernt hast.«

Ich weiß, worauf er hinauswill. In der Magie – und im Leben – gibt es nur den Augenblick, das JETZT. Die Zeit lässt sich nicht wie die Entfernung zwischen zwei Punkten messen. »Zeit« vergeht nicht. Wir Menschen haben Mühe, uns auf die Gegenwart zu konzentrieren; wir denken ständig an das, was wir getan haben, daran, was wir hätten besser machen können, an die Folgen unseres Handelns. Oder aber wir beschäftigen uns mit der Zukunft, mit dem, was wir morgen tun werden, wie wir uns gegen die Gefahren wappnen können, die uns hinter der nächsten Ecke erwarten, wie wir verhindern, was wir nicht wollen, und das erreichen, wovon wir immer geträumt haben.

J. fährt fort:

»Hier und jetzt beginnst du dich zu fragen: Läuft da wirklich etwas verkehrt? Doch wenn du an diesem Punkt angelangt bist, begreifst du auch, dass du deine Zukunft ändern kannst, indem du die Vergangenheit in die Gegenwart bringst. Vergangenheit und Zukunft existieren nur in unserem Kopf.

Der Augenblick jedoch steht außerhalb der Zeit: Er ist die Ewigkeit. Die Inder benutzen dafür in Ermangelung eines besseren Begriffs das Wort ›Karma‹. Doch was Zeit wirklich bedeutet, kann kaum jemand erklären: Nicht, was du in der Vergangenheit getan hast, wird die Gegenwart beeinflussen. Was du in der Gegenwart tust, wird deine Handlungen in der Vergangenheit aufwiegen und im Gegenzug auch die Zukunft verändern.«

»Und das heißt ...?«

J. hält inne. Der Ärger darüber, dass ich einfach nicht begreife, was er mir erklärt, ist ihm immer deutlicher anzusehen.

»Es bringt nichts, einfach nur hier zu sitzen und zu reden. Tu etwas. Probier dich aus. Es ist Zeit, dass du von hier aufbrichst. Du musst dein Reich, in dem jetzt Routine herrscht, zurückerobern. Hör auf damit, ständig dieselbe Lektion zu wiederholen, dabei wirst du ohnehin nichts Neues lernen.«

»Routine ist nicht das Problem. Ich bin unglücklich.«

»Genau das meine ich mit Routine. Du spürst dich nur noch, wenn du unglücklich bist. Andere Menschen scheinen geradezu für ihre Probleme zu leben und reden von nichts anderem: Probleme mit den Kindern, dem Ehepartner, mit der Schule, mit der Arbeit, mit Freunden. Sie halten nie inne, um sich klarzumachen: Ich lebe hier und jetzt. Ich bin das Ergebnis von allem, was geschehen ist oder geschehen wird, aber ich lebe hier und jetzt. Wenn ich etwas Falsches getan habe, kann ich es wiedergutmachen oder wenigstens um Vergebung bitten. Wenn es das Richtige war, werde ich dadurch glücklicher und bin fester mit dem Jetzt verbunden.«

J. atmet tief durch, bevor er weiterspricht:

»Du lebst schon lange nicht mehr im Hier und Jetzt. Es ist Zeit, aufzubrechen und wieder in die Gegenwart zurückzukommen.«

***

Genau das hatte ich befürchtet. Schon seit einer Weile hatte J. mir zu verstehen gegeben, dass es Zeit sei, mich auf den dritten heiligen Weg zu machen. Aber mein Leben hatte sich seit dem fernen Jahr 1986 verändert. Damals hatte die Pilgerfahrt nach Santiago de Compostela mich dazu gebracht, mich meinem Schicksal und dem, was Gott mit mir vorhatte, zu stellen.

Drei Jahre danach war ich in der Region, in der wir uns im Augenblick befanden, den sogenannten »Römischen Weg« gegangen: siebzig schmerzvolle, ermüdende Tage, während denen ich all die absurden Dinge in die Tat umsetzen musste, die ich in der vorangegangenen Nacht geträumt hatte. (Dazu gehörte auch, vier Stunden an einer Bushaltestellte zu warten, ohne dass irgendetwas Nennenswertes geschah.)

Seither hatte ich mich ganz meiner Arbeit gewidmet. Es war das, was ich wollte, und es war gut so. Außerdem fing ich an, wie ein Wahnsinniger zu reisen. Und lernte dabei die wichtigsten Lektionen meines Lebens.

Im Grunde genommen bin ich schon immer wie ein Wahnsinniger gereist, seit meiner Jugend. Aber in letzter Zeit scheine ich nur noch auf Flughäfen und in Hotels zu leben – und das Gefühl, Abenteuer zu erleben, ist schnell einem gewissen Überdruss gewichen. Wenn ich mich darüber beschwere, dass ich nie länger an einem Ort bleiben kann, wundern sich die Leute: ›Aber reisen ist doch so schön! Schade, dass ich nicht das Geld dafür habe!‹

Doch Reisen ist niemals eine Frage des Geldes, sondern des Mutes. Wie viel Geld hatte ich schon als junger Hippie? Gerade genug, um das Ticket zu bezahlen, dennoch waren es die besten Jahre meiner Jugend – ich aß schlecht, übernachtete auf Bahnhöfen, konnte mich oft nicht einmal verständigen, weil ich der Sprache nicht mächtig war. Allein um eine Unterkunft für die Nacht zu finden, musste ich mich von anderen abhängig machen.

Wenn man lange unterwegs ist, eine Sprache im Ohr hat, die man nicht versteht, Geld in den Händen, dessen Wert man nicht kennt, unterwegs auf unbekannten Straßen, durch die man noch nie gekommen ist, dann entdeckt man, dass das alte Ich mit all seinen Erfahrungen angesichts dieser neuen Herausforderungen vollkommen nutzlos ist. Man erkennt, dass es tief in uns jemanden sehr viel Interessanteren, Abenteuerlustigeren gibt, der offen für die Welt und neue Erfahrungen ist.

Irgendwann aber kommt der Tag, an dem man genug vom Reisen hat, an dem auch das Reisen zur langweiligen Routine geworden ist.

»Nein, es ist niemals genug. Es wird niemals genug sein«, widerspricht mir J. »Unser Leben ist eine einzige Reise, von der Geburt bis zum Tod. Die Landschaft verändert sich, die Menschen verändern sich, unsere Bedürfnisse wandeln sich, aber der Zug fährt immer weiter. Das Leben ist dieser Zug, nicht der Bahnhof. Und was du im Moment tust, hat nichts mit Reisen zu tun. Du wechselst lediglich die Landschaft, und das ist etwas vollkommen anderes.«

Ich schüttele den Kopf.

»Nein, das hilft mir nicht weiter. Wenn ich einen Fehler aus einem früheren Leben wiedergutmachen will, und ich weiß genau, um welchen Fehler es geht, kann ich das genauso gut hier tun. Ich fühle mich wie in einem Gefängnis, in dem ich jemandes Anordnungen gehorche, der Gottes Willen kennt: dir. Außerdem habe ich inzwischen mindestens vier Menschen um Vergebung gebeten.«

»Aber du hast nicht herausgefunden, mit welchem Fluch du belegt worden bist.«

»Du wurdest doch auch verflucht. Und hast du denn etwas herausgefunden?«

»Ja, das habe ich. Und ich kann dir versichern, der Fluch war schlimmer als deiner. Du warst einmal feige, während ich viele Male ungerecht war. Doch als ich das erkannt hatte, war ich frei.«

»Wenn ich eine Zeitreise machen soll, warum muss ich dann von hier weggehen?«

J. lacht.

»Weil es für uns alle eine Möglichkeit der Erlösung gibt, aber dafür müssen wir die Menschen finden, denen wir weh getan haben, und sie um Vergebung bitten.«

»Und wohin soll ich gehen? Nach Jerusalem?«

»Ich weiß es nicht. Wohin auch immer du musst. Finde heraus, was du unvollendet gelassen hast, und beende es. Gott wird dich führen, denn im Hier und Jetzt ist alles enthalten, was du erfahren hast und erfahren wirst. Die Welt wird in diesem Augenblick zugleich geschaffen und zerstört. Wen auch immer du getroffen hast, wird wieder auftauchen, wen auch immer du verloren hast, wird zurückkommen. Erweise dich der Gnade würdig, die dir zuteilwurde. Erkenne, was in dir vorgeht, und du wirst wissen, was in allen anderen vorgeht. Nur glaube nicht, dass ich gekommen bin, um dir Frieden zu bringen. Ich bin gekommen, um dir ein Schwert zu reichen.«

Es regnet, ich zittere vor Kälte, und mein erster Gedanke ist: »Ich werde mich erkälten.« Aber dann tröste ich mich mit dem Gedanken, dass mir bisher jeder Arzt versichert hat, Erkältungen würden von einem Virus hervorgerufen, nicht von Wassertropfen.

Es gelingt mir nicht, im Hier und Jetzt zu sein; in meinem Kopf dreht sich alles: Wohin soll ich gehen? Und was ist, wenn ich die Menschen aus meiner Vergangenheit auf meinem Weg nicht erkenne? Es wäre nicht das erste und sicher auch nicht das letzte Mal. Das ist schon ein paar Mal passiert und wird wieder passieren – sonst hätte meine Seele schon ihren Frieden.

Nach neunundfünfzig Jahren kenne ich mich mittlerweile ganz gut. Als ich J. das erste Mal traf, schien seinen Worten ein Leuchten anzuhaften, viel strahlender, als es seine Person war. Ich akzeptierte alles, was er tat und sagte, ohne es zu hinterfragen, ging Schritt um Schritt ohne Angst und bereute es niemals. Doch die Zeit verging, und mit zunehmender Vertrautheit kam die Routine. Obwohl J. mich nie enttäuscht hat, konnte ich ihn einfach nicht mehr mit den gleichen Augen sehen wie zu Anfang. Obwohl ich seinen Worten noch immer Glauben schenke, tue ich es jetzt nicht mehr (wie noch 1992, zehn Jahre nach unserer Begegnung) mit Freuden, sondern aus Pflichtgefühl und längst nicht mehr mit der gleichen Überzeugung.

Doch das ist meine Schuld. Schließlich war es meine Entscheidung, mich dieser magischen Tradition zu verschreiben. Welchen Sinn hat es also, sie jetzt in Frage zu stellen? Es steht mir jederzeit frei, all das aufzugeben, aber irgendetwas treibt mich voran. J. hat zweifellos recht, aber ich habe mich nun mal an das Leben, das ich führe, gewöhnt und brauche keine weiteren Herausforderungen. Nur Frieden.

Eigentlich sollte ich glücklich sein: Ich bin erfolgreich in einem sehr unsicheren Beruf, in dem ein hoher Konkurrenzdruck herrscht; bin seit siebenundzwanzig Jahren mit der Frau, die ich liebe, verheiratet; erfreue mich bester Gesundheit; bin von Menschen umgeben, denen ich vertrauen kann, und werde von meinen Lesern freudig begrüßt, wenn ich ihnen auf der Straße begegne. Es gab Zeiten, in denen mir das genügte, aber in den letzten zwei Jahren genügte es mir immer weniger.

Ob das nur eine vorübergehende Krise ist? Reicht es nicht, die gewohnten Gebete zu sprechen, die Natur als Gottes Werk zu achten und all die Schönheit um mich herum in mir aufzunehmen? Warum also soll ich mich weiter bemühen, wenn ich doch überzeugt bin, an meine Grenzen gelangt zu sein?

Warum kann ich nicht sein wie meine Freunde?

Es regnet immer stärker, und ich höre nur noch das Rauschen des Wassers. Ich bin vollkommen durchnässt, aber unfähig, mich von der Stelle zu bewegen. Ich will nicht von hier weg, weil ich nicht weiß, wohin. J. hat recht. Ich bin verloren. Wenn ich tatsächlich an meine Grenzen gelangt wäre, gäbe es dieses Gefühl von Schuld und Frustration nicht mehr. Aber ich fühle weiterhin beides. Furcht und Zittern. Doch unzufrieden lässt Gott uns nur aus einem einzigen Grunde sein: Alles muss sich ändern, man muss sich wieder auf den Weg machen.

Ähnliches habe ich früher schon erlebt. Immer wenn ich mich weigerte, meinem Schicksal zu folgen, passierte in meinem Leben etwas Schlimmes. Und genau davor fürchte ich mich in diesem Augenblick: vor einem Unglück. Ein Unglück löst in unserem Leben radikale Veränderungen aus, Veränderungen, die alle eines gemeinsam haben: Verlust. Wenn wir einen Verlust erleiden, bringt es nichts, uns das Verlorene zurückzuwünschen, es ist besser, den großen, frei gewordenen Raum zu nutzen und ihn mit etwas Neuem zu füllen. In der Theorie hat jeder Verlust auch etwas Gutes; aber in der Praxis lässt er uns an Gottes Existenz zweifeln und uns fragen: Wie habe ich das verdient?

Herr, bewahre mich vor dem Unglück, und ich werde Deinen Ratschlüssen folgen.

Kaum habe ich das gedacht, kracht ein Donnerschlag, und schon wird der Himmel von einem Blitz erleuchtet.

Wieder Furcht und Zittern. Ein Zeichen. Da versuche ich, mir einzureden, dass ich immer mein Bestes gebe, doch die Natur belehrt mich des Gegenteils: Wer wirklich lebt, bleibt niemals stehen. Himmel und Erde treffen in diesem Augenblick in einem Gewittersturm aufeinander. Ist er erst einmal vorbei, wird die Luft reiner sein und die Felder fruchtbarer. Aber bis dahin wird der Sturm Häuser zerstören, jahrhundertealte Bäume entwurzeln, paradiesische Flecken überschwemmen.

Eine gelbe Gestalt nähert sich.

Ich überlasse mich dem Regen. Weitere Blitze gehen nieder, aber das Gefühl der Hilflosigkeit wandelt sich allmählich in etwas Positives – als würde das Regenwasser meine Seele rein waschen.

›Segne, und du wirst gesegnet werden.‹

Die Worte kommen mir ganz selbstverständlich in den Sinn, eine Weisheit, die nicht meine ist, aber hin und wieder auftaucht. In diesen Momenten kann ich aufhören, alles in Frage zu stellen, was ich über die Jahre gelernt habe.

Das Problem ist nur: Sobald diese Momente vorbei sind, beginne ich wieder zu zweifeln.

Die gelbe Gestalt steht jetzt direkt vor mir. Es ist meine Frau, die einen dieser grellgelben Umhänge anhat, die wir auf unseren Gebirgswanderungen tragen. Wenn wir uns verlaufen würden, wären wir leicht zu finden.

»Hast du vergessen, dass wir heute Abend zum Essen eingeladen sind?«

Nein, ich habe es nicht vergessen. Ich verlasse die Welt der Metaphysik, in der Donner die Stimme der Götter ist, und kehre in die Realität einer kleinen französischen Provinzstadt zurück, zu gutem Wein, Lammbraten und angeregter Unterhaltung mit guten Freunden, die uns von ihrer abenteuerlichen Harley-Davidson-Reise erzählen wollen. Zurück im Haus, wo ich mich umziehe, fasse ich das Gespräch mit J. in ein paar Sätzen zusammen.

»Hat er gesagt, wohin du gehen sollst?«, fragt meine Frau.

»Er hat gesagt, ich muss mich einlassen.«

»Und ist das so schwer? Sei doch nicht so störrisch. Du benimmst dich wie ein alter Mann.«

Hervé und Véronique haben noch ein französisches Ehepaar mittleren Alters dazu geladen. Der Mann wird mir als »Seher« vorgestellt, den sie in Marokko kennengelernt haben.

Er wirkt weder besonders sympathisch noch unsympathisch, sondern einfach nur abwesend. Doch plötzlich, während des Abendessens, wendet er sich wie in Trance an Véronique:

»Seien Sie vorsichtig beim Autofahren. Sie werden einen Unfall haben.«

Ich finde die Bemerkung mehr als unangebracht. Falls Véronique die Prophezeiung ernst nimmt, wird ihre Angst negative Energie erzeugen, und es könnte ihr tatsächlich etwas zustoßen.

»Sehr interessant!«, sage ich, bevor jemand anders reagieren kann. »Dann haben Sie also die Fähigkeit, sich in der Zeit zu bewegen, zurück in die Vergangenheit oder vorwärts in die Zukunft. Ich habe gerade erst heute Nachmittag mit einem Freund darüber gesprochen.«

»Wenn Gott es erlaubt, habe ich seherische Fähigkeiten. Ich weiß, wer jeder, der hier am Tisch sitzt, war, ist und sein wird. Ich weiß nicht, wie es kommt, dass ich diese Gabe habe, aber ich habe vor langer Zeit gelernt, sie zu akzeptieren.«

Eigentlich hatten die Gastgeber ja von ihrer Sizilienreise erzählen wollen, auf der sie mit Freunden ihre Leidenschaft für klassische Harley-Davidsons ausgelebt haben, aber auf einmal nimmt das Gespräch eine Wendung, die mir unangenehm ist. Wie sich die Dinge halt manchmal fügen.

Alle sind gespannt, was ich darauf antworten werde.

»Dann wissen Sie auch, dass Gott uns solche Dinge nur dann sehen lässt, wenn er eine Veränderung wünscht.«

Und zu Véronique gewandt, füge ich hinzu:

»Sei einfach vorsichtig. Wenn etwas aus der astralen Ebene auf diese Ebene verschoben wird, verliert es einen großen Teil seiner Kraft. Was ich sagen will: Ich bin mir fast sicher, dass es keinen Unfall geben wird.«

Véronique schenkt Wein nach. Sie glaubt, der Seher aus Marokko und ich würden auf einen Streit zusteuern. Doch das stimmt nicht. Er erschreckt mich nur, weil er tatsächlich »sehen« kann. Ich nehme mir vor, später Hervé darauf anzusprechen.

Der Mann schaut mich kaum an – er wirkt immer noch abwesend, wie jemand, der unwillentlich in eine andere Dimension eingetreten ist, und sich nun verpflichtet fühlt, seine Erfahrungen zu teilen. Er will mir etwas sagen, zieht es aber vor, sich an meine Frau zu wenden:

»Die Seele der Türkei wird Ihrem Mann all ihre Liebe schenken. Aber sie wird sein Blut vergießen, bevor sie enthüllt, was er sucht.«

Ein weiterer Beweis, dass es der falsche Moment für mich wäre zu reisen, denke ich, wohl wissend, dass wir die Dinge immer unseren Wünschen entsprechend interpretieren und nicht so, wie sie wirklich sind.

Der chinesische Bambus

Es ist ein Segen, in diesem Zug zu sitzen, auf dem Weg von Paris zur Buchmesse nach London. Jedes Mal, wenn ich nach England komme, erinnere ich mich an das Jahr 1977, als ich meinen Job bei einer internationalen Schallplattenfirma in Brasilien aufgegeben und beschlossen hatte, den Rest meines Lebens vom Schreiben zu leben. Ich mietete eine Wohnung in der Basset Road in London, hatte viele Freunde, studierte Vampirologie, erkundete die Stadt zu Fuß, war verliebt, ging in jeden Film, der gezeigt wurde, und bevor ich mich's versah, war ein Jahr vergangen und ich zurück in Rio de Janeiro, ohne auch nur eine einzige Zeile geschrieben zu haben.

Diesmal würde ich nur drei Tage in London bleiben. Eine Signierstunde, Abendessen in indischen und libanesischen Restaurants, Gespräche über Bücher, Verlage und andere Autoren in der Hotellobby. Wenigstens bis zum Jahresende werde ich nicht in mein Haus in Saint-Martin zurückkehren. Von London aus werde ich nach Rio de Janeiro fliegen, wo ich endlich wieder einmal meine Muttersprache auf den Straßen hören, jeden Abend Açaí-Saft trinken und von meinem Fenster aus stundenlang die schönste Aussicht der Welt genießen kann: den Blick auf den Strand von Copacabana.

Kurz vor der Ankunft in London betritt ein junger Mann mit einem Strauß Rosen den Waggon und schaut sich um. Eigenartig, denke ich, im Eurostar habe ich noch nie Blumenverkäufer gesehen.

»Ich brauche zwölf Freiwillige«, ruft er. »Die Frau meines Lebens wartet auf mich. Ich möchte ihr einen Heiratsantrag machen. Jeder von Ihnen soll ihr bei der Ankunft eine Rose übergeben.«

Auch ich melde mich, neben einigen anderen, werde aber nicht ausgewählt. Als der Zug hält, folge ich der Gruppe dennoch. Der junge Mann zeigt auf ein Mädchen auf dem Bahnsteig. Die Fahrgäste überreichen ihr, einer nach dem anderen, eine Rose. Am Ende gesteht er ihr seine Liebe, alle applaudieren, und das junge Mädchen wird vor Verlegenheit ganz rot. Sie küssen sich und gehen Arm in Arm davon.

Ein Zugbegleiter meint:

»Das ist das Romantischste, was ich in meinem ganzen Arbeitsleben gesehen habe.«

***

Das Signieren hat fast fünf Stunden gedauert, mich aber trotzdem mit positiver Energie aufgeladen, und ich frage mich, warum ich in den letzten Monaten so durcheinander war. Selbst wenn ich in meiner spirituellen Entwicklung im Moment blockiert bin, sollte ich vielleicht einfach etwas Geduld haben. Schließlich war es mir vergönnt gewesen, Dinge zu sehen und zu erleben, die nur wenigen anderen Menschen zuteilwurden.

Bevor ich nach London fuhr, war ich in eine kleine Kapelle in Barbazan-Debat gegangen. Dort habe ich die Heilige Jungfrau gebeten, mir mit ihrer Liebe den Weg zu weisen und mir zu helfen, die Zeichen zu erkennen, die mich zu mir selber zurückführen. Ich weiß, dass ich ein Teil der Menschen bin, die mich umgeben, und dass sie ein Teil von mir sind.

Gemeinsam schreiben wir am Buch des Lebens, zusammengeführt nur durch das Schicksal, aber vereint im Glauben, die Welt verändern zu können. Jeder trägt mit einem Wort, einem Satz, einer Idee dazu bei, aber am Ende ergibt alles ein Ganzes: Das Glück jedes Einzelnen wird zum Glück aller.

Unsere Fragen werden immer dieselben sein. Wir werden demütig hinnehmen müssen, dass nur unser Herz den Grund für unser Dasein kennt. Ja, es ist schwierig, zu seinem Herzen zu sprechen, aber vielleicht ist das nicht einmal notwendig. Es reicht, Vertrauen zu haben, den Zeichen zu folgen, seinen Traum zu leben, und früher oder später erkennen wir, dass wir an etwas Umfassenderem teilhaben, auch wenn wir dieses Etwas mit unserer Vernunft nicht erfassen können. Man sagt, dass jeder in der Sekunde vor seinem Tod den wahren Grund für seine Existenz erfährt. Und dieser Augenblick entscheidet zwischen Hölle oder Paradies.

Die Hölle wird es sein, wenn wir in diesem Bruchteil einer Sekunde erkennen, dass wir die Gelegenheit versäumt haben, das Wunder des Lebens zu würdigen. Das Paradies jedoch, wenn wir dann sagen können: ›Ich habe wohl Fehler gemacht, aber ich war kein Feigling. Ich habe mein Leben gelebt und mein Bestes gegeben.‹

Wie auch immer, es gibt keinen Grund, meine persönliche

Hölle vorwegzunehmen und mir wieder und wieder den Kopf darüber zu zerbrechen, dass ich bei meiner spirituellen Suche nicht weiterkomme. Ich darf einfach nicht aufgeben. Selbst jenen, die nicht ihr Bestes versucht haben, wurde bereits vergeben. Das Leben selbst war ihre Strafe, wenn sie unglücklich waren, wo sie doch in Frieden und im Einklang mit sich selbst hätten leben können. Wir sind alle erlöst, frei, dem Weg zu folgen, der nirgendwo seinen Anfang genommen hat und kein Ende haben wird.

***

Ich habe kein Buch dabei. Während ich darauf warte, mich mit meinen russischen Verlegern zum Abendessen zu treffen, blättere ich in einem dieser Magazine, die immer in Hotelzimmern ausliegen. Ich lese ohne übermäßiges Interesse einen Artikel über den chinesischen Bambus. Nachdem der Samen gepflanzt wurde, steht dort, sieht man knapp fünf Jahre lang nichts bis auf einen winzigen Spross. Unter der Erde jedoch entsteht in dieser Zeit eine komplexe, sich vertikal und horizontal ausbreitende Wurzelstruktur. Doch am Ende des fünften Jahrs schießt der chinesische Bambus in kürzester Zeit bis zu einer Höhe von 25 Metern auf.

Ich hätte als Zeitvertreib keine langweiligere Lektüre finden können. Ich beschließe, hinunterzugehen und das Kommen und Gehen in der Lobby zu beobachten.

***

Während ich warte, trinke ich einen Kaffee. Mônica, meine Agentin und meine beste Freundin, leistet mir Gesellschaft. Wir sprechen über dies und das. Ich sehe, dass sie müde ist, nachdem sie den ganzen Tag mit Leuten aus der Verlagsbranche verhandelt und schließlich noch meine englische Verlegerin am Telefon über die Signierstunde auf dem Laufenden gehalten hat.

Unsere Zusammenarbeit begann, als Mônica gerade erst zwanzig war. Sie war eine begeisterte Leserin meiner Bücher und überzeugt davon, dass ein brasilianischer Autor auch außerhalb seines Landes übersetzt und erfolgreich veröffentlicht werden könnte. Sie gab ihr Chemieingenieurstudium in Rio de Janeiro auf, zog mit ihrem Freund nach Spanien, wo sie an Verlagstüren klopfte und engagierte Briefe schrieb mit dem Ziel, spanische Verleger für meine Bücher zu begeistern.

Als jedoch all ihre Bemühungen keinen Erfolg zeitigten, bin ich in die kleine Stadt in Katalonien gefahren, in der sie lebte, habe sie zu einem Kaffee eingeladen und ihr geraten, das Handtuch zu werfen und sich ihrem eigenen Leben und ihrer Zukunft zu widmen. Sie weigerte sich und sagte, sie könne nicht mit einer Niederlage nach Brasilien zurückkehren. Ich versuchte, sie davon zu überzeugen, dass sie keineswegs gescheitert sei, immerhin hatte sie gezeigt, dass sie überleben konnte (indem sie Flyer verteilte und als Kellnerin arbeitete), und außerdem die einzigartige Erfahrung gemacht, im Ausland zu leben. Mônica blieb stur. Ich verließ das Café mit dem sicheren Gefühl, dass sie ihr Leben wegwarf, ich sie aber nie würde umstimmen können, dickköpfig, wie sie war. Sechs Monate später sollte alles vollkommen anders sein, und nach weiteren sechs Monaten hatte sie genug Geld, um sich eine Wohnung zu kaufen.

Sie hatte an das Unmögliche geglaubt und so eine Schlacht gewonnen, die alle – mich eingeschlossen – verloren gegeben hatten. Das ist es, wodurch sich ein Krieger auszeichnet: Er erkennt, dass Wille und Mut nicht ein und dasselbe sind. Mut kann Angst machen und Bewunderung auslösen, aber einen starken Willen zu haben verlangt Geduld und Engagement. Männer und Frauen mit großer Willenskraft sind häufig Einzelgänger und strahlen eine gewisse Reserviertheit aus. Viele empfinden Mônica als kühl, aber sie täuschen sich sehr: In ihrem Herzen brennt ein verborgenes Feuer, noch heute so intensiv wie damals in jenem katalonischen Café. Trotz allem, was sie erreicht hat, hat ihre Begeisterung um nichts nachgelassen.

Gerade als ich ihr von meinem kürzlich mit J. geführten Gespräch erzählen will, betreten meine beiden bulgarischen Verlegerinnen die Lobby, die im selben Hotel untergebracht sind – nicht ungewöhnlich während der Buchmesse. Wir machen Small Talk, dann stellt mir eine der beiden die stets wiederkehrende Frage:

»Wann besuchen Sie unser Land?«

»Nächste Woche, wenn Sie das organisieren können. Meine einzige Bedingung ist eine Party nach der Signierstunde.«

Die beiden starren mich ungläubig an.

Der chinesische Bambus!

Auch Mônica ist entgeistert:

»Dazu muss ich erst einmal in den Terminkalender schauen.«

»Aber ich bin sicher, dass ich nächste Woche in Sofia sein kann«, unterbreche ich Mônica.

Und auf Portugiesisch füge ich hinzu:

»Ich erkläre es dir später.«

Mônica merkt, dass ich es ernst meine, doch die Verlegerinnen sind sich noch nicht so sicher. Sie fragen, ob ich nicht noch warten möchte, damit sie entsprechende Werbung machen können.

»Nächste Woche«, wiederhole ich. »Oder aber wir müssen es auf unbestimmte Zeit verschieben.«

Erst jetzt verstehen sie, dass ich keinen Witz gemacht habe. Sie schauen Mônica an und warten auf ihre Reaktion. Genau in diesem Augenblick kommt mein spanischer Verleger an den Tisch. Wir unterbrechen unser Gespräch, ich stelle alle einander vor, und schon heißt es wieder:

»Und wann kommen Sie wieder nach Spanien?«

»Gleich im Anschluss an meinen Besuch in Bulgarien.«

»Und wann wird das sein?«

»In zwei Wochen. Wir können eine Signierstunde in Santiago de Compostela und eine weitere im Baskenland planen. Mit anschließenden Partys, zu denen wir auch ein paar Leser einladen werden.«

Die bulgarischen Verlegerinnen trauen der ganzen Sache immer noch nicht, und Mônica lächelt schief.

»Lass dich ein«, hatte J. gesagt.

Die Bar füllt sich allmählich. Bei den meisten großen Messen, egal in welcher Branche, logieren die Fachbesucher in zwei oder drei Hotels, und ein großer Teil der Geschäfte wird in der Lobby oder bei Abendessen wie jenem abgeschlossen, das an diesem Abend stattfinden soll. Ich begrüße alle meine Verleger und nehme jede Einladung in ihr jeweiliges Land dankend an. Damit Mônica mich nicht fragen kann, was in mich gefahren sei, versuche ich, die Gespräche so lange wie möglich am Laufen zu halten. Ihr bleibt nur noch, alle Termine, die ich abmache, in ihren Kalender einzutragen.

Irgendwann unterbreche ich das Gespräch mit dem arabischen Verleger, um zu hören, wie viele Besuche ich inzwischen zugesagt habe.

»Du bringst mich in eine unmögliche Lage«, antwortet Mônica ärgerlich auf Portugiesisch. »Sechs Länder, fünf Wochen. Du weißt doch, dass diese Messe eine für Verleger und keine für Schriftsteller ist! Du brauchst überhaupt keine Einladung anzunehmen, ich übernehme das!«

Der portugiesische Verleger tritt auf uns zu, und wir können nicht auf bewährte Weise weiterreden. Als er außer den üblichen Begrüßungsfloskeln nichts mehr sagt, ergreife ich die Initiative:

»Wollen Sie mich nicht nach Portugal einladen?«

Er gesteht, dass er in der Nähe gestanden und unfreiwillig das Gespräch zwischen mir und Mônica mitbekommen hat.

»Es ist mir Ernst. Ich würde gern in Guimarães und in Fátima Bücher signieren.«

»Solange Sie nicht in letzter Minute absagen …«

»Ich werde nicht absagen. Versprochen.«

Er ist einverstanden, und Mônica schreibt »Portugal« in den Kalender: weitere fünf Tage. Schließlich gesellen sich meine russischen Verleger – ein Ehepaar – zu uns und begrüßen uns. Mônica ist erleichtert, denn jetzt kann sie mich endlich von hier weglotsen und ins Restaurant bringen.

Während wir auf das Taxi warten, zieht sie mich zur Seite.

»Bist du verrückt geworden?«

»Das bin ich doch schon vor vielen Jahren«, sage ich lachend. Und dann erzähle ich ihr die Geschichte vom chinesischen Bambus.

»Und was hat das mit dem zu tun, was du hier gerade abgezogen hast?«

»Vor einem Monat hatte ich ein Gespräch mit J., ich werde dir später ausführlich darüber berichten. Im Moment ist nur wichtig, dass es mir genauso ging wie dem Bambus: Ich hatte Arbeit, Zeit und Mühe investiert; hatte mit Liebe und Hingabe versucht, innerlich zu wachsen, und nichts passierte. Jahrelang ist nichts passiert.«

»Was soll das heißen, es ist nichts passiert? Hast du vergessen, wer du bist?«

Das Taxi kommt. Der russische Verleger hält Mônica die Tür auf.

»Es geht um meine spirituelle Seite. Ich glaube, ich bin wie dieser chinesische Bambus und dass gerade mein fünftes Jahr begonnen hat. Der Zeitpunkt, wieder zu wachsen. Du hast mich gefragt, ob ich verrückt geworden sei, und ich habe dir flapsig darauf geantwortet. Die Wahrheit aber ist, dass ich tatsächlich dabei war, verrückt zu werden. Ich begann zu glauben, dass alles, was ich gelernt hatte, keine Wurzeln schlug.«

Für den Bruchteil einer Sekunde hatte ich vorhin im Hotel J.s Anwesenheit gespürt, und auf einmal verstand ich seine Worte – auch wenn es erst klick gemacht hatte, als ich gelangweilt ein Gartenmagazin durchblätterte. Mein selbstauferlegtes Exil in meinem Haus in Frankreich hatte mir zwar auf der einen Seite viele wichtige Dinge über mich selbst offenbart, aber es gab auch ernsthafte Nebenwirkungen: das Laster der Einsamkeit. Mein Universum hatte sich auf wenige Freunde in der Nachbarschaft reduziert, auf die Beantwortung von Briefen und E-Mails und auf die Illusion, dass der Rest meiner Zeit mir allein gehörte. Kurz gesagt, lebte ich ein Leben ohne die ganz normalen Probleme, die aus dem Kontakt und dem Zusammenleben mit anderen Menschen entstehen.

Aber war es das, was ich suche? Ein Leben ohne Herausforderungen? Und worin besteht der Reiz, Gott außerhalb der Menschen zu suchen?

Ich kenne viele Menschen, die genau das getan haben. Einmal unterhielt ich mich mit einer buddhistischen Nonne, die zwanzig Jahre lang allein in einer Höhle in Nepal verbracht hatte. Es war sehr ernsthaft und zugleich komisch: Ich fragte sie, was sie dadurch erreicht habe. ›Einen spirituellen Orgasmus‹, hatte sie geantwortet. Darauf antwortete ich ihr, dass es wohl einfachere Methoden gebe, um zu einem Orgasmus zu kommen.

Das wäre kein Weg für mich – ich könnte nicht den Rest meines Lebens damit verbringen, spirituelle Orgasmen zu suchen oder die Eiche im Garten meines Hauses zu betrachten und darauf zu warten, dass sich Weisheit auf mich herabsenkt. J. weiß das und hat mich ermutigt, diese Reise zu machen, damit ich begreife, dass mein Weg der ist, der sich im Blick der anderen spiegelt. Wenn ich mich selbst finden will, ist dies die Landkarte, die ich brauche.

Ich erkläre meinen russischen Verlegern, dass ich ein Gespräch mit Mônica auf Portugiesisch beenden müsse, und beginne mit einer Geschichte:

»Ein Mann stolperte und fiel in ein Loch. Ein Priester kam vorbei, und der Mann bat ihn, ihm herauszuhelfen. Der Priester segnete ihn und ging weiter. Stunden später kam ein Arzt vorbei. Der Mann bat um Hilfe, doch der Arzt schaute sich nur von weitem seine Verletzungen an, schrieb ein Rezept und sagte ihm, er solle die Medikamente in der nächstgelegenen Apotheke kaufen. Schließlich kam jemand, den er noch nie zuvor gesehen hatte. Wieder bat er um Hilfe, und der Fremde sprang zu ihm in das Loch. ›Und nun? Jetzt sitzen wir beide hier fest!‹ Darauf antwortete der Fremde: ›Das stimmt nicht. Ich bin aus der Gegend und weiß, wie man hier wieder rauskommt.‹«

»Und das bedeutet was?«, fragt Mônica.

»Dass ich solche Fremden brauche«, erkläre ich. »Meine Wurzeln sind stark genug, aber ich werde es nur mit der Hilfe anderer schaffen zu wachsen. Nicht nur mit deiner und mit J.s Hilfe oder der meiner Frau, sondern mit der Hilfe von Menschen, die ich noch nie zuvor gesehen habe. Da bin ich mir sicher. Deshalb habe ich darum gebeten, dass es nach der Signierstunde immer eine Party geben soll.«

»Du bist nie zufrieden«, klagt Mônica.

»Und genau aus dem Grunde magst du mich so«, erwidere ich lächelnd.

***

Im Restaurant reden wir über dies und das, feiern ein paar Erfolge und versuchen, einige Vertragsdetails festzuzurren.

Ich muss mich beherrschen, um mich nicht ständig einzumischen, denn Mônica kümmert sich um alles, was die Publikation meiner Werke betrifft. Aber irgendwann taucht die Frage wieder auf – diesmal an sie gerichtet:

»Und wann dürfen wir Paulo in Russland begrüßen?«

Mônica fängt an zu erklären, dass mein Terminkalender schon vollgestopft sei, doch ich unterbreche sie.

»Ich habe schon lange einen Traum. Zweimal habe ich versucht, ihn zu verwirklichen, und bin gescheitert. Wenn Sie mir helfen, ihn zu verwirklichen, komme ich nach Russland.«

»Was ist das für ein Traum?«

»Das Land mit dem Zug von West nach Ost bis zum Pazifischen Ozean zu durchqueren. Wir könnten unterwegs an einigen Orten halten und Signierstunden veranstalten. So würden wir auch diejenigen Leser erreichen, die niemals die Gelegenheit haben, nach Moskau zu fahren.«

Die Augen meines Verlegers leuchten vor Freude. Er hatte mir gerade von den wachsenden Schwierigkeiten der Vermarktung in einem Land wie Russland erzählt, das so groß ist, dass es neun Zeitzonen hat.

»Das ist eine romantische Idee, viel chinesischer Bambus, aber schwierig umzusetzen«, antwortet Mônica lachend. »Du weißt, dass ich dich nicht begleiten kann, ich muss mich um meinen Sohn kümmern.«

Der Verleger hingegen ist begeistert. Er bestellt seinen fünften Kaffee an diesem Abend und verspricht, er werde sich um alles kümmern, Mônica könnte sich von einer ihrer Mitarbeiterinnen vertreten lassen, sie müsse sich keine Sorgen machen: Alles werde gut laufen.

Auf diese Weise habe ich meinen Kalender zwei Monate

lang mit Reiseterminen gefüllt. Damit mache ich eine Reihe von Menschen glücklich und verursache ihnen gleichzeitig eine Menge Stress, da sie in kürzester Zeit sehr viel organisieren müssen. Meine Agentin und Freundin ist mir wieder wohlgesinnt. Auch wenn mein Meister nicht anwesend ist, weiß er bestimmt, dass ich mich jetzt auf etwas eingelassen habe, obwohl ich es damals, als er davon sprach, nicht begriffen hatte. Die Nacht ist kalt, trotzdem ziehe ich es vor, allein und zu Fuß zum Hotel zurückzukehren. Ich bin über mich selber erschrocken, aber glücklich, denn ich kann jetzt nicht mehr zurück.

Und genau das wollte ich. Mein Glaube an den Sieg würde meinen Sieg möglich machen. Kein Leben ist vollständig ohne ein bisschen Verrücktheit. Oder mit J.s Worten: Ich musste mein eigenes Reich wiedererobern. Wenn ich begreifen könnte, was in der Welt geschieht, wäre ich imstande zu verstehen, was mit mir geschieht.

***

Im Hotel erwartet mich eine Nachricht meiner Frau: Sie habe mich nicht erreichen können und bittet so schnell wie möglich um Rückruf. Ich bekomme Herzklopfen, denn sie ruft mich nur selten an, wenn ich auf Reisen bin. Ich wähle sofort ihre Nummer. Es vergeht eine Ewigkeit, während deren das Freizeichen ertönt.

Endlich nimmt sie ab.

»Véronique hat einen schlimmen Autounfall gehabt, aber sie ist nicht in Lebensgefahr«, höre ich ihre aufgeregte Stimme.

Ich frage, ob ich Véronique jetzt erreichen kann, doch die Antwort ist, nein, sie liege noch im Krankenhaus.

»Erinnerst du dich an den Seher?«

Ja, allerdings! Er hatte auch für mich eine Prophezeiung gehabt. Wir beenden das Gespräch, und ich rufe sofort Mônica auf ihrem Zimmer an. Ob zufällig auch die Türkei auf meinem Reiseplan steht, will ich von ihr wissen.

»Erinnerst du dich nicht mehr, wem du alles zugesagt hast?«

Nein, sage ich, und dass ich wie berauscht gewesen sei, als ich all die Einladungen annahm.

»Aber du erinnerst dich an die Verpflichtungen, die du eingegangen bist? Du kannst immer noch absagen.«

Ich erkläre ihr, ich sei vollkommen zufrieden mit den Absprachen und dass ich nichts ändern wolle. Es ist zu spät, um ihr die Geschichte mit dem Seher, der Vorhersage und Véroniques Unfall zu erzählen. Ich frage noch einmal nach, ob ich eine Veranstaltung in der Türkei zugesagt hätte.

»Nein«, antwortet sie. »Die türkischen Verleger sind in einem anderen Hotel untergebracht. Andernfalls ...«

Wir lachen beide.

Jetzt kann ich ruhig schlafen.

Die Laterne des Fremden

Fast zwei Monate bin ich nun schon unterwegs – eine Art Pilgerreise. Etwas von meiner Lebensfreude ist zurückgekehrt, aber ich liege nächtelang wach und frage mich, ob sie mir nicht wieder abhandenkommt, wenn ich wieder zu Hause bin. Tue ich wirklich das Richtige, damit der chinesische Bambus wächst? Sieben Länder habe ich bereits besucht, habe meine Leser getroffen, Spaß gehabt und zeitweise sogar die Depression verscheucht, die mich zu ersticken drohte, aber mein Reich zurückerobert habe ich wohl noch nicht. Bisher unterschied sich meine Reise nur wenig von meinen früheren Reisen.

Jetzt fehlt nur noch Russland. Und was mache ich danach? Weitere Verpflichtungen eingehen oder innehalten und die Ergebnisse begutachten?

Ich bin noch zu keinem Schluss gekommen. Ich weiß nur, dass ein Leben, in dem es um nichts geht, ein Leben ist, von dem nichts bleiben wird. Und ich darf nicht zulassen, dass mir das passiert. Wenn nötig, werde ich den Rest des Jahres mit Reisen verbringen.

Im Moment bin ich in Tunis, der Saal, in dem die Signierstunde abgehalten werden soll, ist rappelvoll. Es ist vorgesehen, dass zwei tunesische Intellektuelle mich vorstellen. Als wir uns vorab kurz treffen, zeigt mir der eine eine zweiminütige Ansprache; der andere hat eine mindestens halbstündige Abhandlung über meine Arbeit geschrieben.

Der Organisator versucht ihm schonend beizubringen, dass er seinen Text unmöglich vollständig vortragen kann, da die Veranstaltung insgesamt höchstens fünfzig Minuten dauern soll. Ich stelle mir vor, wie viel Arbeit er in den Text gesteckt haben muss, aber der Organisator hat recht, ich bin nach Tunis gekommen, um meine Leser zu treffen. Nach kurzem Hin und Her sagt er seine Teilnahme ab und verlässt den Raum.

Die Veranstaltung beginnt. Das Vorstellen und gegenseitige Danksagen nimmt nicht mehr als fünf Minuten in Anspruch, der Rest der Zeit steht für einen offenen Gedankenaustausch zur Verfügung. Ich erkläre den Zuhörern, ich sei nicht hergekommen, um irgendwelche Statements abzugeben, sondern dass mir im Gegenteil daran gelegen sei, mit meinen Lesern ins Gespräch zu kommen.

Eine junge Frau stellt die erste Frage: Was es mit den Zeichen auf sich habe, von denen in meinen Büchern so häufig die Rede sei? Wie man sie erkennen könne? Ich erkläre, dass sie eine sehr persönliche Sprache sind, die wir im Laufe eines Lebens nach dem Prinzip von Versuch und Irrtum erlernen, bis wir begreifen, dass Gott uns führt. Jemand anders will wissen, ob mich ein Zeichen nach Tunesien gebracht hat. Ich sage ja, gehe aber nicht weiter ins Detail.

Weitere Fragen folgen, die Zeit vergeht wie im Flug, und die Veranstaltung neigt sich ihrem Ende zu. Ich wähle für die letzte Frage unter den sechshundert Menschen im Publikum einen Mann mittleren Alters mit einem dicken Schnurrbart aus.

»Ich möchte keine Frage stellen«, sagt er. »Ich möchte nur einen Namen nennen.«

Und er nennt den Namen einer kleinen Kapelle in Barbazan-Debat, die Tausende von Kilometern von dem Ort entfernt liegt, an dem ich mich jetzt befinde. In dieser Kapelle habe ich einmal zum Dank für ein Wunder eine kleine Tafel angebracht. In diese Kapelle bin ich vor dieser »Pilgerreise« gegangen, um die Heilige Jungfrau zu bitten, meine Schritte zu beschützen.

Ich weiß nicht mehr, wie ich reagiert habe. Einer der Veranstalter des Abends hat es mir nachträglich beschrieben:

Plötzlich schien das Universum stillzustehen. Ich sah Ihre Tränen. Und ich sah die Tränen Ihrer sanften Frau, als jener anonyme Leser den Namen einer weit entfernten einsamen Kapelle aussprach.

Ihre Stimme versagte. Ihr eben noch lächelndes Gesicht wurde ernst. Ihre Augen füllten sich mit Tränen, die Sie verlegen wegwischten.

Ich selber spürte unwillkürlich auch einen Kloß im Hals. Ich blickte mich suchend nach meiner Frau und meiner Tochter um, wie immer, wenn ich mit einer Situation konfrontiert bin, in der ich mich hilflos fühle. Sie saßen im Publikum, den Blick fest auf Sie gerichtet, als wollten sie Ihnen mit ihren Blicken beistehen.

Daraufhin sah ich hilfesuchend zu Christina hinüber in der Hoffnung auf einen Hinweis, wie ich diese nicht enden wollende Stille beenden könnte. Da sah ich, dass auch sie leise weinte, und mir schien, als wären Sie beide Töne derselben Melodie und einander ganz nah, obwohl Sie so weit auseinandersaßen.

Für Sekunden, die mir wie eine Ewigkeit vorkamen, war es, als gäbe es außer Ihnen beiden niemanden mehr im Saal… Sie und Ihre Frau waren plötzlich an einem Ort, an den Ihnen niemand folgen konnte. Was blieb, war reine Lebensfreude, spürbar in der Stille und Bewegtheit aller Anwesenden.

Worte sind Tränen, die zu Papier gebracht wurden. Tränen sind Worte, die sich ausdrücken wollen. Ohne sie hat Freude keinen Glanz, Traurigkeit kein Ende. Haben Sie deshalb Dank für Ihre Tränen.

Ich hätte der jungen Frau, die mir die Frage nach den Zeichen gestellt hatte, noch erklären sollen, dass *dieses* eines sei. Ein Zeichen, das mir sagt, dass ich mich zur rechten Zeit am rechten Ort befinde, obwohl ich nicht genau begriffen habe, was mich hierhergeführt hat.

Aber ich glaube, das erübrigte sich: Sie wird es vermutlich verstanden haben.*

***

Meine Frau und ich gehen Hand in Hand über den Basar von Tunis, fünfzehn Kilometer von den Ruinen Karthagos entfernt, das in ferner Vergangenheit das mächtige Rom herausgefordert hatte. Wir unterhalten uns über die Heldentaten von Hannibal, dem legendären Feldherrn. Die Römer hatten eine Seeschlacht erwartet, schließlich waren Karthago

* Anmerkung des Autors: Ich habe den Mann mit dem Schnurrbart gleich nach der Veranstaltung angesprochen. Sein Name war Christian Dhellemmes. Wir haben nach diesem Vorkommnis einige E-Mails gewechselt, sind einander aber nie wieder begegnet. Er starb am 19. Juli 2009 in Tarbes.

und Rom nur durch ein paar hundert Kilometer Meer voneinander getrennt. Aber Hannibal zog mit seinem riesigen Heer durch die Wüste, passierte die Meerenge von Gibraltar, durchquerte Spanien und Frankreich, überwand mit Soldaten und Elefanten die Alpen und griff das Imperium von Norden aus an – die Schlacht ging als einer der beeindruckendsten militärischen Erfolge in die Geschichte ein.

Er besiegte jeden, der sich ihm in den Weg stellte, zögerte dann jedoch – bis heute weiß niemand genau, warum –, Rom anzugreifen, und verpasste so den richtigen Moment, die Stadt einzunehmen. Das Ergebnis dieser Unentschlossenheit: Karthago wurde von römischen Legionen von der Landkarte ausradiert.

»Hannibal hielt inne und wurde besiegt«, denke ich laut. »Ich bin dankbar, dass ich es geschafft habe, mich wieder in Bewegung zu setzen, auch wenn der Anfang schwer war. Langsam gewöhne ich mich an das Unterwegssein.«

Meine Frau tut so, als hätte sie mich nicht gehört, denn ihr ist klar, dass ich versuche, mich selbst davon zu überzeugen. Wir sind auf dem Weg in ein Café, um dort einen Leser zu treffen, Samil, den wir auf der Party nach der Veranstaltung kennengelernt haben. Ich hatte ihn gebeten, alle touristischen Sehenswürdigkeiten zu meiden und uns dorthin zu bringen, wo sich das wahre Leben der Stadt abspielt.

Er führt uns zu einem schönen Gebäude, in dem im Jahr 1754 ein Mann seinen Bruder getötet hatte. Der Vater der beiden beschloss, diesen Palast zu bauen, um dort eine Schule einzurichten und so die Erinnerung an den ermordeten Sohn lebendig zu halten. Ich bemerke, dass man sich so auch an den Mörder erinnert.

»So darf man das nicht sehen«, sagt Samil. »In unserer Kultur sind auch diejenigen mitschuldig, die das Verbrechen ermöglicht haben. Wenn ein Mann ermordet wird, muss sich derjenige, der die Waffe dafür verkauft hat, ebenfalls vor Gott verantworten. Der einzige Weg, der dem Vater blieb, um wiedergutzumachen, was er für seinen eigenen Fehler hielt, war, das Unglück in etwas zu verwandeln, woraus andere einen Nutzen ziehen konnten.«

Plötzlich verschwindet alles vor meinen Augen – die Fassade des Gebäudes, die Straße, die Stadt, Afrika. Ich mache einen gewaltigen Satz ins Dunkle und finde mich in einem Tunnel wieder, der in einen feuchten Keller mündet. Ich stehe J. gegenüber, in einem meiner vielen früheren Leben, zweihundert Jahre bevor das Verbrechen in jenem Haus begangen wurde. Er sieht mich mahnend an.

Ebenso schnell kehre ich in die Gegenwart zurück, das alles hat nicht mehr als den Bruchteil einer Sekunde gedauert. Das Haus, Samil, meine Frau und das Stimmengewirr der Straßen von Tunis sind wieder da. Wozu dieser Ausflug in die Vergangenheit? Warum hören die Wurzeln des chinesischen Bambus nicht auf, die Pflanze zu vergiften? Jenes Leben wurde bereits gelebt, der Preis bezahlt.

»Du bist ein Mal feige gewesen, während ich viele Male ungerecht war. Aber diese Erkenntnis hat mich befreit«, hatte J. in Saint-Martin gesagt. Ausgerechnet er, der mich nie dazu ermutigt hatte, in die Vergangenheit zurückzukehren, und der unermüdlich gegen alle Bücher und Übungen wetterte, die dies lehrten.

»Anstatt Rache zu üben, was nur eine einmalige Bestrafung bedeutet hätte, gründete er eine Schule, in der nun seit mehr als zweihundert Jahren Wissen weitergegeben werden konnte«, schließt Samil.

Ich habe jedes Wort mitbekommen, das Samil gesagt hat, und dennoch einen riesigen Sprung in die Vergangenheit gemacht.

»Das ist es.«

»Was ist es?«, fragt meine Frau.

»Ich bin auf dem richtigen Weg. Ich beginne zu begreifen. Es ergibt alles einen Sinn.«

Ich bin ganz euphorisch; Samil ist vollkommen verwirrt.

»Wie steht der Islam zum Thema Reinkarnation?«, frage ich.

Samil schaut mich überrascht an.

»Ich habe keine Ahnung, ich bin kein Gelehrter«, sagt er.

Ich bitte ihn, es herauszufinden. Samil nimmt sein Handy und macht ein paar Telefonate. Meine Frau und ich gehen inzwischen an die Bar und bestellen zwei Tassen extrastarken schwarzen Kaffee. Wir sind beide müde, aber uns steht noch ein Abendessen bevor, und so widerstehen wir der Versuchung, einen Snack zu uns zu nehmen.

»Ich hatte gerade ein Déjà-vu«, erkläre ich.

»Das haben doch alle hin und wieder. Dazu muss man kein Magier sein«, spottet Christina.

Selbstverständlich nicht. Aber ein Déjà-vu ist mehr als dieser flüchtige überraschende Moment, den wir schnell wieder vergessen, weil er keinen Sinn ergibt. Ein Déjà-vu zeigt uns, dass die Zeit nicht vergeht. Man wird dabei in eine Situation versetzt, die man schon einmal erlebt hat und die sich in diesem Augenblick wiederholt.

Samil ist verschwunden.

»Während der junge Mann die Geschichte des Hauses erzählt hat, wurde ich für eine Millisekunde in die Vergangenheit versetzt. Ich bin sicher, dass dies in dem Augenblick passiert ist, als er sagte, die Verantwortung liege nicht allein beim Mörder, sondern auch bei allen, die die Voraussetzungen für das Verbrechen geschaffen haben. Als ich J. 1982 zum ersten Mal traf, erwähnte er etwas von einer Verbindung zwischen mir und seinem Vater. Später ist er nie wieder darauf zurückgekommen, und auch ich hatte es vergessen. Aber vor ein paar Augenblicken habe ich seinen Vater gesehen. Und jetzt ist mir klar, was J. damals gemeint hat.«

»In jenem Leben, von dem du mir erzählt hast…«

»Genau. In jenem Leben. Während der spanischen Inquisition.«

»Das ist vorbei. Es bringt nichts, sich wegen etwas zu quälen, was in ferner Vergangenheit geschehen ist.«

»Ich quäle mich nicht. Ich habe schon vor vielen Jahren gelernt, dass ich meine Wunden nur heilen kann, wenn ich mich dem stelle, was sie verursacht hat. Ich habe auch gelernt, mir selber zu vergeben, meine Fehler wiedergutzumachen. Aber seit ich zu dieser Reise aufgebrochen bin, kommt es mir so vor, als stünde ich vor einem riesigen Puzzle, dessen Teile ich eines nach dem anderen aufdecke: Liebe, Hass, Opfer, Vergebung, Freude, Leid. Und deshalb bin ich jetzt mit dir hier. Ich fühle mich sehr viel besser, so, als wäre ich tatsächlich auf der Suche nach meiner Seele, nach meinem eigenen Reich, anstatt ständig darüber zu klagen, dass ich es nicht schaffe, mit dem, was ich gelernt habe, etwas anzufangen. Das kommt daher, dass ich es nicht recht verstehe. Aber wenn ich es irgendwann verstehe, wird mich die Wahrheit befreien.«

***

Samil ist zurück und hat ein Buch mitgebracht. Er setzt sich zu uns, wirft einen Blick in seine Notizen und blättert behutsam in dem Buch, arabische Worte murmelnd.

»Ich habe mit drei Gelehrten gesprochen«, sagt er schließlich. »Zwei von ihnen erklärten, dass die Gerechten nach dem Tode ins Paradies kommen. Der dritte empfahl mir jedoch, einige Suren des Korans nachzulesen.«

Samil wirkt ganz aufgeregt.

»Hier ist die erste: 2:28 ›*Allah wird dich sterben lassen und dann wieder zum Leben erwecken, und du wirst wieder zu ihm zurückkehren.*‹ Meine Übersetzung ist nicht die beste, aber das heißt es sinngemäß.«

Hektisch blättert er weiter und übersetzt die zweite Sure, 2:154: »*Und sag nicht über jene, die im Namen Allahs ihr Leben verloren: ›Sie sind tot.‹ Denn sie leben, auch wenn du sie nicht sehen kannst.*«

»Genau!«

»Es gibt noch weitere Suren. Aber mir ist, ehrlich gesagt, nicht ganz wohl dabei, jetzt darüber zu reden. Ich möchte lieber über Tunis sprechen.«

»Du hast mir gesagt, was ich wissen wollte. Die Menschen verlassen uns nie ganz, und wenn wir hier sind, sind wir immer auch in unseren vergangenen und zukünftigen Leben. Dieses Thema taucht auch in der Bibel auf. Ich erinnere mich an eine Stelle, an der Jesus von Johannes dem Täufer als von der Präfiguration des Propheten Elias spricht: ›Und wenn ihr es annehmen wollt, ist Johannes der Elias, der kommen wird.‹ Ich erinnere mich an einige solcher Stellen.«

Samil beginnt, einige Legenden über die Entstehung der Stadt zu erzählen. Und ich verstehe, dass es Zeit ist, unseren Stadtrundgang fortzusetzen.

***

Über einem der Tore in der alten Stadtmauer hängt eine Laterne, und Samil erklärt uns, was es damit auf sich hat:

»Auf diese Laterne geht eines der berühmtesten arabischen Sprichworte zurück: ›Das Licht fällt nur auf den Fremden.‹«

Samil fühlt sich durch das Sprichwort angesprochen, denn er kämpft darum, als Schriftsteller in seinem eigenen Land anerkannt zu werden, während mich, einen Fremden aus Brasilien, hier schon alle kennen.

Ich sage, dass wir ein ähnliches Sprichwort haben: ›Ein Prophet gilt nichts in seinem eigenen Land.‹ Wir neigen dazu, nur das wertzuschätzen, was aus der Ferne kommt, ohne einen Blick zu haben für die Schönheit, die uns umgibt. »Aber«, fahre ich fort, »hin und wieder müssen wir uns betrachten, als wären wir Fremde, dann wird das in unserer Seele verborgene Licht erhellen, was wir sonst nicht sehen.«

Ich hatte den Eindruck, dass meine Frau das Gespräch nicht verfolgt. Doch dann wendet sie sich plötzlich an mich:

»Diese Laterne hat mich auf etwas gebracht, ich kann es noch nicht genau erklären, aber es hat etwas mit deiner jetzigen Situation zu tun. Ich sage es dir, wenn ich es weiß.«

Wir schlafen ein wenig, essen mit Freunden zu Abend und bummeln dann wieder durch die Stadt. Erst da gelingt es meiner Frau, ihr Gefühl vom Nachmittag in Worte zu fassen.

»Du bist auf Reisen, aber eigentlich hast du dein Haus nicht verlassen. Und solange wir zusammen sind, wird das auch so bleiben, denn du hast jemanden an deiner Seite, der dich kennt, und dies gibt dir das trügerische Gefühl von Vertrautheit. Es ist Zeit, dass du allein weiterreist. Möglicherweise wirst du anfangs einsam sein, aber das wird sich ändern, je mehr du Kontakt mit anderen Menschen hast.«

Nach einer kurzen Pause fügt sie hinzu:

»Ich habe irgendwo einmal gelesen, dass es in einem Wald von hunderttausend Bäumen kein Blatt gibt, das dem anderen gleicht. So werden sich auch keine zwei Reisen gleichen, selbst wenn sie denselben Weg entlangführen. Wenn wir zusammenbleiben und versuchen, die Dinge aus unserer gemeinsamen Perspektive zu betrachten, wird keiner von uns beiden davon profitieren. Du hast für diese Reise meinen Segen: Wir sehen uns beim ersten Spiel der Fußballweltmeisterschaft in Deutschland.«

Wenn ein kalter Wind weht

Als ich in Moskau mit meinem Verleger und meiner Lektorin am Hotel ankomme, wartet dort eine junge Frau auf mich. Sie tritt auf mich zu und ergreift meine Hände.

»Ich muss mit Ihnen sprechen. Ich bin extra aus Jekaterinburg gekommen.«

Ich bin müde. Ich bin früher aufgewacht als sonst und musste zudem noch in Paris umsteigen, weil es keinen Direktflug gab. Jedes Mal, wenn ich im Flugzeug einnickte, setzte sich der gleiche unerfreuliche Traum fort.

Mein Verleger erklärt ihr, dass ich am nächsten Tag Bücher signieren und in drei Tagen in Jekaterinburg sein werde, dem ersten Halt auf der Zugreise. Als ich mich verabschiede, bemerke ich, dass die Hände der jungen Frau sehr kalt sind.

»Warum haben Sie nicht drinnen im Hotel auf mich gewartet?«

Was mich eigentlich interessiert, ist, wie sie den Namen meines Hotels herausbekommen hat. Aber das ist wahrscheinlich nicht so schwierig, schließlich ist es nicht das erste Mal, dass so etwas passiert.

»Ich habe neulich Ihren Blog gelesen und das Gefühl gehabt, dass Sie nur für mich schreiben.«

Ich hatte angefangen, meine Gedanken über die Reise in einem Blog festzuhalten. Das Ganze war noch ein Experiment, und da ich die Texte zum Teil auf Vorrat verfasse und tageweise einstelle, weiß ich nicht genau, auf welchen sie sich bezieht. Dennoch gibt es sicher nirgendwo einen Bezug zu dieser jungen Frau, die ich gerade erst kennengelernt habe.

Sie zieht ein Blatt Papier hervor. Ich kenne den Text auswendig, obwohl ich mich nicht mehr erinnern kann, wer mir diese Geschichte erzählt hat. Es geht um einen Mann namens Ali, der dringend Geld braucht und seinen Chef um Hilfe bittet. Der stellt ihn vor die Wahl: Wenn er es schafft, die ganze Nacht auf dem Gipfel eines Berges zu verbringen, so soll er eine große Belohnung erhalten, wenn nicht, muss er fortan ohne Bezahlung für ihn arbeiten. Die Geschichte geht wie folgt weiter: *Als Ali den Laden verließ, stellte er fest, dass ein eisiger Wind wehte. Er bekam Angst und beschloss, seinen besten Freund, Aydi, um Rat zu fragen. Aydi überlegte eine Weile und sagte dann: »Ich werde dir helfen. Morgen, wenn du auf dem Berggipfel bist, schaue auf den Gipfel des benachbarten Berges. Dort werde ich sein und die ganze Nacht lang ein Feuer für dich brennen lassen. Schau zum Feuer hinüber, und denke an unsere Freundschaft, das wird dich wärmen. Du wirst es schaffen, und dann werde ich dich um eine Gegenleistung bitten.« Ali bestand die Probe, nahm das Geld entgegen und machte sich sogleich zum Haus seines Freundes auf: »Du hast gesagt, du wolltest eine Gegenleistung.« Aydi packte ihn bei den Schultern: »Das schon, aber kein Geld. Versprich mir, dass, wenn eines Tages ein kalter Wind durch mein Leben weht, du für mich dann auch das Feuer der Freundschaft anzünden wirst.«*

Ich bedanke mich bei der jungen Frau für ihre Freundlichkeit, sage ihr, dass ich gerade sehr beschäftigt sei, jedoch mit größtem Vergnügen eines meiner Bücher für sie signieren würde, wenn sie morgen zur Signierstunde käme.

»Deswegen bin ich nicht hergekommen. Ich weiß, dass Sie mit dem Zug durch ganz Russland reisen werden, und ich werde mit Ihnen fahren. Als ich Ihr erstes Buch gelesen habe, sagte mir eine Stimme, dass Sie ein heiliges Feuer für mich entzündet haben und dass ich mich eines Tages dafür erkenntlich zeigen müsse. Ich habe Nacht für Nacht von diesem Feuer geträumt und war sogar fast so weit, nach Brasilien zu fahren und Sie zu suchen. Ich weiß, dass Sie Hilfe brauchen. Deswegen bin ich hier.«

Die Leute um mich herum amüsieren sich. Ich versuche, freundlich zu sein, und sage, wir würden uns am nächsten Tag sehen. Mein Verleger weist darauf hin, dass ich erwartet werde, und ich nutze diesen Vorwand und verabschiede mich.

»Mein Name ist Hilal«, sagt sie, bevor sie geht.

Zehn Minuten später bin ich in meinem Zimmer und habe die junge Frau beinahe vergessen. Ich erinnere mich schon nicht einmal mehr an ihren Namen und würde sie wahrscheinlich auch nicht erkennen, sollte ich sie jemals wiedersehen. Und trotzdem fühle ich mich seltsam unwohl: Ich habe in ihren Augen sowohl Liebe als auch den Tod gesehen.

Ich ziehe mich aus, drehe die Dusche auf und stelle mich unter das Wasser – eines meiner Lieblingsrituale.

Ich halte den Kopf so, dass ich nur das Rauschen des Wassers in meinen Ohren hören kann. Das Geräusch macht mich frei von allem und trägt mich weg in eine andere Welt. Wie ein Dirigent, der jedes Instrument in seinem Orchester wahrnimmt, kann ich einzelne Klänge unterscheiden, die sich zu Worten formen. Ich verstehe diese Worte nicht, aber ich weiß, sie sind da.

Die vielen Länder, die während dieser Reise schon aufeinandergefolgt waren, haben mich müde, unruhig und orientierungslos gemacht – all das verschwindet langsam. Mit jedem Tag, der vergeht, spüre ich mehr, dass das alles tatsächlich den erwünschten Effekt hat. J. hat recht gehabt, ich hatte mich langsam von der Routine vergiften lassen: Eine Dusche diente nur noch dazu, meine Haut zu reinigen, Mahlzeiten dazu, meinen Körper zu ernähren, und Wanderungen hatten keinen anderen Zweck mehr, als zukünftig Herzprobleme zu vermeiden.

Doch diese Dinge beginnen nun, sich zu verändern, unmerklich zwar, aber sie verändern sich. Mahlzeiten sind jetzt Augenblicke, in denen ich die Gegenwart meiner Freunde und das, was sie mir zu erzählen haben, schätzen kann. Wanderungen sind wieder eine Meditation über den Augenblick, und das Rauschen des Wassers in meinen Ohren bringt meine Gedanken zum Schweigen, beruhigt mich und lässt mich aufs Neue lernen, dass uns die kleinen alltäglichen Dinge Gott näher bringen – sofern ich jedem einzelnen den Wert beimesse, den es verdient.

Als J. zu mir sagte: »Gib dein bequemes Leben auf, und mach dich auf die Suche nach deinem Reich«, fühlte ich mich betrogen, verwirrt und alleingelassen. Ich hatte darauf gehofft, dass er meine Zweifel zerstreuen könnte oder Antwort auf meine Fragen wüsste, auf etwas gehofft, das mich tröstete und mir meinen Seelenfrieden wiedergab.

Alle, die sich auf eine solche Suche nach ihrem Reich begeben, wissen jedoch, dass sie nichts dergleichen finden werden – nur Herausforderungen und lange Perioden des Wartens, die sich mit unerwarteten Wendungen abwechseln, oder, was noch schlimmer ist: Sie finden womöglich überhaupt nichts.

Doch ich übertreibe. Das, was wir suchen, sucht immer auch uns.

Dennoch muss man auf alles gefasst sein. In diesem Augenblick treffe ich eine Entscheidung, die schon lange fällig war: Wenn ich auf dieser Zugreise nichts finde, werde ich trotzdem nicht aufgeben – denn seit jenem Moment im Hotel in London, der mir die Augen geöffnet hat, weiß ich, dass, obwohl meine Wurzeln bereit waren, meine Seele ganz allmählich an etwas starb, das schwer zu diagnostizieren und noch viel schwieriger zu heilen ist.

Routine.

Routine hat nichts mit Wiederholung zu tun. Um in einer

Sache wirklich gut zu sein, egal wobei, muss man üben und wiederholen, üben und wiederholen, bis man die Technik intuitiv beherrscht. Das habe ich bereits als Kind gelernt, in einem Städtchen im ländlichen Brasilien, wo meine Familie im Sommer die Ferien verbrachte. Ganz in der Nähe wohnte damals ein Schmied. Ich konnte stundenlang danebensitzen, wenn sein Hammer wieder und wieder auf das heiße Eisen niederging und ringsum Funken sprühten wie Feuerwerk. Einmal sagte er zu mir:

»Du denkst wahrscheinlich, dass ich immer das Gleiche mache?«

»Ja«, antwortete ich.

»Du irrst dich. Jeder Schlag mit dem Hammer ist unterschiedlich stark, manchmal härter, manchmal sanfter. Wie viel Kraft es jeweils braucht, konnte ich erst einschätzen, nachdem ich diese Bewegung viele Jahre lang wiederholt hatte. Bis der Punkt kam, an dem ich nicht mehr darüber nachzudenken brauchte. Ich lasse einfach meine Hand den Hammer führen.«

Diesen Satz habe ich nie wieder vergessen.

Seelen miteinander teilen

Bei den Signierstunden sehe ich jedem meiner Leser in die Augen, gebe ihm die Hand und danke ihm dafür, dass er gekommen ist. Mein Körper mag allein auf einer Pilgerreise sein, aber wenn meine Seele von einem Ort zum anderen fliegt, bin ich nie allein: Ich finde mich wieder in all den vielen Menschen, denen ich begegne und die durch meine Bücher meine Seele verstanden haben. Ich bin kein Fremder hier in Moskau, war es auch nicht in London, Sofia, Tunis, Kiew, Santiago de Compostela, Guimarães und all den anderen Städten, in denen ich in diesen anderthalb Monaten gewesen bin.

Im Hintergrund scheint eine Diskussion im Gange zu sein, aber ich versuche, mich vom Signieren nicht ablenken zu lassen. Doch als der Streit andauert, drehe ich mich schließlich um und frage meinen Verleger, was los ist.

»Die junge Frau von gestern. Sie sagt, sie möchte in Ihrer Nähe sein.«

Ich weiß nicht, wen er meint, und bitte ihn deshalb nur, dass der Streit beendet wird. Und signiere weiter meine Bücher.

Jemand setzt sich neben mich, wird aber sofort weggeführt und der Streit beginnt von neuem. Ich höre mit dem Signieren auf.

Neben mir steht die junge Frau, in deren Blick zugleich Liebe und Tod liegen. Zum ersten Mal sehe ich sie genauer an: schwarzes Haar, sie mag zwischen zweiundzwanzig und neunundzwanzig Jahre alt sein (es ist meistens hoffnungslos, wenn ich versuche, jemandes Alter zu schätzen), abgewetzte Lederjacke, Jeans, Turnschuhe.

»Wir haben ihren Rucksack überprüft«, sagt der Sicherheitsmann, »kein Grund zur Besorgnis. Aber hierbleiben kann sie trotzdem nicht.«

Die junge Frau lächelt nur. Ein Leser steht abwartend vor mir, um seine Bücher signieren zu lassen. Mir ist klar, dass ich die junge Frau auf gar keinen Fall abwimmeln kann.

»Meine Name ist Hilal, erinnern Sie sich nicht? Ich bin wegen des heiligen Feuers gekommen.«

Ich lüge und sage, dass ich mich selbstverständlich an sie erinnere. Die Leute in der Schlange werden langsam ungeduldig, der Leser, der gerade an der Reihe ist, sagt sogar etwas auf Russisch zu ihr und das nicht gerade freundlich, wie ich dem Tonfall entnehme.

Im Portugiesischen gibt es ein Sprichwort: ›Was muss sein, da schick dich drein.‹ Da ich für Diskussionen jetzt keine Zeit habe, bitte ich sie lediglich, etwas zur Seite zu gehen, damit mir mit meinen Lesern etwas Privatsphäre bleibt. Sie tut, was ich sage, steht auf und bleibt in gebührendem Abstand stehen.

Sekunden später denke ich schon nicht mehr an sie und konzentriere mich wieder ganz aufs Signieren. Alle danken mir, ich gebe den Dank zurück, und die vier Stunden vergehen wie im Fluge. Nach jeweils einer Stunde mache ich eine kurze Pause, um eine Zigarette zu rauchen. Ich bin kein bisschen müde. Wenn ich Bücher signiert habe, fühle ich mich immer dermaßen energiegeladen, als wären meine Batterien wieder ganz voll.

Am Schluss bitte ich um Applaus für die ausgezeichnete Organisation, es ist Zeit für meinen nächsten Termin. Die junge Frau, die ich bereits vergessen habe, wendet sich wieder an mich.

»Ich muss Ihnen etwas Wichtiges zeigen.«

»Das geht jetzt nicht«, antworte ich. »Ich werde gleich bei einem Abendessen erwartet.«

»Und ob das geht!«, entgegnet sie. »Ich bin Hilal, diejenige, die gestern am Eingang des Hotels auf Sie gewartet hat. Und ich kann es Ihnen jetzt und hier zeigen, während Sie sich fertig machen.« Noch bevor ich reagieren kann, zieht sie eine Geige aus ihrem Gepäck und beginnt zu spielen.

Die Leser, die schon auf dem Weg zum Ausgang sind, bleiben stehen, um dieser unerwarteten Darbietung zu lauschen. Hilal spielt mit geschlossenen Augen, als wäre sie in Trance. Ich blicke auf den Bogen, der sich federleicht auf und ab bewegt und dabei eine Musik hervorbringt, die ich noch nie zuvor gehört habe. Und trotzdem scheint sie zu mir und zu allen anderen Anwesenden zu sprechen. Manchmal hält Hilal inne, dann wieder scheint sie geradezu ekstatisch zu sein, scheint alles an ihr mit dem Instrument zu tanzen, aber hauptsächlich sind es ihr Oberkörper und ihre Hände, die sich bewegen.

Jeder einzelne Ton weckt eine Erinnerung, ein Gefühl, doch es ist die Melodie als Ganzes, die eine Geschichte erzählt. Davon, wie jemand einem anderen Menschen nahe sein wollte, immer wieder abgewiesen wurde, aber nie aufgab. Während Hilal spielt, erinnere ich mich an die vielen Situationen, in denen mir ausgerechnet von Menschen geholfen wurde, von denen ich keinen Gewinn für mein Leben erwartet hatte.

Als Hilal aufhört, ertönt kein Applaus – die Stille ist nahezu greifbar.

»Danke«, sage ich.

»Ich habe Ihnen ein Stück meiner Seele geöffnet, aber bis ich meine Mission erfüllt habe, fehlt noch viel. Darf ich mit Ihnen kommen?«

Im Allgemeinen provozieren aufdringliche Menschen bei mir nur zwei Reaktionen: Entweder lasse ich sie stehen oder ich lasse mich einwickeln. Ich bringe es nicht fertig, jemandem zu sagen, dass seine Träume unerfüllbar sind. Nicht alle sind so stark wie Mônica damals in jener Bar in Katalonien, und wenn ich auch nur einen Menschen davon abbringen könnte, für seinen Traum zu kämpfen, würde ich letztlich selbst nicht mehr daran glauben, und mein Leben wäre um einiges ärmer.

Der Tag ist bisher gut gelaufen. Ich rufe den brasilianischen Botschafter an und erkundige mich, ob ich noch jemanden zum Abendessen mitbringen dürfe. Selbstverständlich, lautet die Antwort, meine Leser seien schließlich meine Botschafter.

***

Trotz des förmlichen Anlasses gelingt es dem brasilianischen Botschafter, eine angenehme Atmosphäre zu schaffen. Hilal ist in einem hochgradig geschmacklosen grellbunten

Kleid erschienen, das sich von der schlichten Kleidung der anderen Gäste unangenehm abhebt. Aus Verlegenheit über den unverhofften Gast weist man Hilal schließlich den Ehrenplatz an der Seite des Hausherrn zu.

Bevor wir zu Tisch gehen, informiert mich mein bester Freund in Russland, ein Industrieller, es gebe Probleme mit einer meiner Agentinnen. Sie habe sich während des ganzen Empfangs, der dem Abendessen voranging, mit ihrem Ehemann am Telefon gestritten.

»Worüber denn?«

»Angeblich hattest du versprochen, in den Club zu kommen, wo ihr Mann Geschäftsführer ist, dann aber abgesagt.«

Tatsächlich stand in meinem Terminkalender so etwas wie »Menü für Reise durch Sibirien durchsprechen«, was so ungefähr das Letzte war, was mich an einem solchen Nachmittag interessierte. Ich hatte den Termin abgesagt, weil es mir völlig absurd erschien: Ich hatte in meinem ganzen Leben noch nie eine Menüfolge diskutiert. Stattdessen hatte ich es vorgezogen, ins Hotel zu gehen, zu duschen und mich vom Rauschen des Wassers an mir völlig unbekannte Orte entführen zu lassen.

Das Abendessen wird serviert, man unterhält sich quer über den Tisch, und irgendwann fragt die Frau des Botschafters Hilal freundlich, woher sie stamme.

»Ich bin in der Türkei geboren und bin mit zwölf Jahren nach Jekaterinburg gekommen, um Geige zu studieren. Sie wissen bestimmt, wie so ein Auswahlverfahren für angehende Musiker läuft, oder?«

Die Botschaftergattin verneint. Wie auf ein Stichwort verebben die anderen Tischgespräche. Plötzlich scheinen sich alle für die so unpassende junge Frau mit dem geschmacklosen Kleid zu interessieren.

»Jedes Kind, das anfängt, ein Instrument zu spielen, muss eine festgelegte Anzahl von Stunden pro Woche üben. In diesem Stadium gehen alle noch davon aus, dass sie dereinst imstande sind, in einem Orchester zu spielen. Wenn sie älter werden, fangen einige an, mehr zu üben als die anderen. Zum Schluss bleibt eine kleine Gruppe besonders talentierter Jugendlicher übrig, die wöchentlich vierzig Stunden üben, und wenn die Scouts der großen Orchester auf der Suche nach neuen Talenten in die Musikschule kommen, sind das natürlich die Schüler, die sie sehen wollen. Ich war eine von ihnen.«

»Sie haben offensichtlich Ihre Berufung gefunden«, sagt die Frau des Botschafters, »so viel Glück hat nicht jeder.«

»Ich würde es nicht gerade meine Berufung nennen. Ich habe bloß deshalb so viele Stunden in der Woche geübt, weil ich mit zehn Jahren missbraucht wurde.«

Spätestens jetzt verstummt jede andere Konversation am Tisch. Der Botschafter versucht, das Thema zu wechseln, indem er einwirft, dass Brasilien neuerdings mit Russland über den Ex- und Import von Schwerindustrie verhandelt. Aber keiner am Tisch, nicht einer, ist jetzt an Handelsbilanzen interessiert. Es liegt an mir, den Faden der Geschichte wiederaufzunehmen.

»Hilal, wenn es Ihnen nicht unangenehm ist, ich denke, jeder hier am Tisch würde gerne wissen, welcher Zusammenhang zwischen einer Vergewaltigung und einer Karriere als Geigenvirtuosin besteht.«

»Was bedeutet Ihr Name?«, fragt die Frau des Botschafters in einem letzten verzweifelten Versuch, das Gespräch in andere Bahnen zu lenken.

»Auf Türkisch bedeutet Hilal Neumond, wie das Emblem auf unserer Landesfahne. Mein Vater war ein radikaler Nationalist. Eigentlich ist Hilal eher ein Männer- und weniger ein Frauenname. Im Arabischen scheint Hilal etwas anderes zu heißen, aber ich weiß es nicht genau.«

Ich gebe mich nicht geschlagen.

»Aber, um noch einmal auf das zurückzukommen, worüber wir gerade sprachen. Macht es Ihnen etwas aus, es uns zu erzählen? Wir sind doch sozusagen unter uns.«

Unter uns? Die meisten Leute sind sich bei diesem Abendessen zum ersten Mal begegnet.

Alle sind plötzlich eifrig mit ihren Tellern, ihrem Besteck und ihren Gläsern beschäftigt und tun so, als seien sie ganz auf das Essen konzentriert. In Wahrheit aber brennen sie darauf, auch noch den Rest der Geschichte zu hören. Hilal antwortet, als wäre das alles nichts Besonderes.

»Es war ein Nachbar, freundlich, hilfsbereit, dem man auch in schwierigen Situationen vertraute. Er war verheiratet und hatte zwei Töchter in meinem Alter. Jedes Mal, wenn ich in sein Haus kam, um mit den Mädchen zu spielen, setzte er mich auf seinen Schoß und erzählte mir Geschichten. Allerdings streichelte er mich dabei immer, was ich anfangs als Ausdruck seiner Zuneigung deutete. Irgendwann wanderte seine Hand zwischen meine Beine, und er wollte, dass ich seinen Penis berühre, solche Dinge.«

Sie sieht die fünf Frauen am Tisch an und fügt hinzu:

»Ich glaube, das kommt leider gar nicht so selten vor. Meinen Sie nicht auch?«

Keine von ihnen antwortet. Mein Gefühl sagt mir jedoch, dass mindestens eine oder zwei ähnliche Erfahrungen gemacht haben.

»Doch das war nicht das Schlimmste, sondern dass ich begann, Gefallen daran zu finden, obwohl ich wusste, dass es nicht richtig war. Eines Tages beschloss ich, nicht wieder dorthin zu gehen, obwohl meine Eltern darauf bestanden, ich solle mehr mit den Töchtern unseres Nachbarn spielen. Damals hatte ich gerade begonnen, Geige zu lernen, und erklärte meinen Eltern, dass ich im Unterricht nicht gut genug sei und noch mehr üben müsse. Ich fing an, geradezu zwanghaft und verzweifelt zu spielen.«

Keiner am Tisch rührt sich, keiner weiß so recht, was er dazu sagen soll.

»Und wie alle Opfer fühlte auch ich mich am Ende schuldig, so sehr, dass ich mich unbewusst immer weiter bestrafte. Seither waren all meine Beziehungen zu Männern immer von Leiden, Konflikten und Verzweiflung geprägt.«

Sie starrt mich an, was keinem am Tisch entgeht.

»Aber das wird sich jetzt ändern, nicht wahr?«

Obwohl ich in solchen Situationen sonst immer etwas zu sagen weiß, fällt mir jetzt nichts mehr ein. Ich murmele nur »ich hoffe doch« und spreche dann übergangslos über das schöne Gebäude, in dem die brasilianische Botschaft in Moskau untergebracht ist.

***

Nach dem Abendessen erkundige ich mich, wo Hilal untergebracht ist, und frage meinen Freund, ob er sie nicht nach Hause bringen könnte, bevor er mich im Hotel absetzt. Er willigt ein.

»Vielen Dank für die Musik. Vielen Dank, dass Sie Ihre Geschichte mit Menschen geteilt haben, die Ihnen vollkommen fremd waren. Wenn ich Ihnen einen Rat geben darf: Widmen Sie jeden Morgen, wenn Ihr Geist noch leer ist, dem Göttlichen etwas Zeit. Die Luft enthält eine kosmische Kraft, für die jede Kultur einen anderen Namen hat, aber der Name ist unwichtig. Es kommt darauf an, zu tun, was ich Ihnen jetzt sage. Atmen Sie tief ein, und bitten Sie, dass die Gnade, die in der Luft enthalten ist, in Ihren Körper eindringt und sich auf jede einzelne Zelle verteilt. Atmen Sie langsam aus, und übertragen Sie die Freude und den Frieden auf Ihre Umgebung. Wiederholen Sie das zehnmal. Damit werden Sie sich selber heilen und so auch zur Heilung der Welt beitragen.«

»Was wollen Sie damit sagen?«

»Nichts. Versuchen Sie es. Dann werden sich Ihre negativen Gefühle für die Liebe ändern. Lassen Sie sich nicht von einer Kraft zerstören, die eigentlich in unsere Herzen gelegt wurde, um alles besser zu machen. Atmen Sie ein, und nehmen Sie in sich auf, was im Himmel und auf der Erde existiert. Atmen Sie aus, und bringen Sie dabei Schönheit und Fruchtbarkeit in die Welt. Glauben Sie mir, es wird funktionieren.«

»Ich bin nicht hergekommen, um eine Übung zu lernen, die ich in jedem Yogahandbuch finden kann«, sagt Hilal ärgerlich.

Draußen zieht Moskau an uns vorbei. Ich würde gern durch diese Straßen gehen, einen Kaffee trinken, aber der

Tag war lang, und ich muss am nächsten Tag früh aufstehen, um eine Reihe von Terminen wahrzunehmen.

»Dann darf ich also mitkommen?«

Hat diese Frau kein anderes Thema? Ich habe sie vor weniger als vierundzwanzig Stunden kennengelernt – wenn man ein derart seltsames Aufeinandertreffen »Kennenlernen« nennen kann. Mein Freund lacht. Ich versuche, ernst zu bleiben.

»Hören Sie, ich habe Sie schon zum Abendessen beim Botschafter mitgenommen. Ich mache diese Reise nicht, um für meine Bücher zu werben, sondern …«

Ich zögere etwas.

»… aus ganz persönlichen Gründen.«

»Das weiß ich.«

Etwas in der Art, wie sie diesen Satz ausspricht, versucht mich, ihr zu glauben. Aber ich entscheide mich, diesem Gefühl nicht zu trauen.

»Viele Männer mussten schon meinetwegen leiden, und auch ich habe schon viel gelitten«, fährt Hilal fort. »Meine Seele fließt über vom Licht der Liebe, aber es kann sich keinen Weg bahnen, denn es wird vom Schmerz aufgehalten. Ich könnte für den Rest meines Lebens jeden Morgen ein- und ausatmen, ändern würde es nichts. Ich habe versucht, diese Liebe mit der Geige auszudrücken, aber das ist nicht genug. Ich weiß, dass Sie mich heilen können und dass umgekehrt ich Sie heilen kann. Ich habe das Feuer auf dem benachbarten Berg entzündet, Sie können auf mich zählen.«

Was will sie damit sagen?

»Was uns verletzt, heilt uns zugleich«, fährt sie fort. »Das

Leben war sehr hart zu mir, hat mich aber gleichzeitig vieles gelehrt. Auch wenn Sie es nicht sehen, mein Körper ist voller offener Wunden, die die ganze Zeit bluten. Morgens erwache ich mit dem Wunsch, zu sterben, bevor der Tag endet, aber ich lebe weiter, leide und kämpfe, kämpfe und leide, während ich mich an die Gewissheit klammere, dass dies alles eines Tages ein Ende haben wird. Bitte lassen Sie mich hier nicht allein zurück. Diese Reise ist meine Rettung.«

Mein Freund bremst seinen Wagen, greift in die Tasche und gibt Hilal ein Bündel Banknoten.

»Der Zug gehört ihm nicht. Nehmen Sie das, ich glaube, es sollte mehr als genug sein für eine Fahrkarte zweiter Klasse und drei Mahlzeiten am Tag.«

Und zu mir gewandt fügt er hinzu:

»Du weißt, was ich gerade durchmache. Die Frau, die ich liebte, ist gestorben, und auch ich kann den Rest meines Lebens ein- und ausatmen, so viel ich will, ich werde nie wieder wirklich glücklich sein können. Ich verstehe genau, was diese junge Frau meint, wenn sie von offenen Wunden spricht. Ich weiß, dass Sie diese Reise aus ganz persönlichen Gründen machen, aber lassen Sie sie nicht einfach so stehen. Wenn Sie an die Worte glauben, die Sie schreiben, erlauben Sie, dass andere mit Ihnen wachsen.«

»Gut, er hat recht, ich kann nicht darüber bestimmen, wer in diesem Zug reist. Aber Sie, Hilal, sollten wissen, dass ich unterwegs die meiste Zeit von Menschen umgeben sein werde und wenig Zeit für Gespräche unter vier Augen bleibt.«

Mein Freund gibt wieder Gas und fährt eine Viertelstunde lang schweigend. Wir erreichen einen baumbestandenen Platz. Hilal bittet dort anzuhalten, steigt aus und verabschiedet sich. Ich begleite sie bis zur Eingangstür des Hauses, wo sie bei Freunden übernachtet.

Sie küsst mich flüchtig auf den Mund.

»Ihr Freund irrt sich, aber wenn ich mich zu offensichtlich freue, würde er das Geld zurückhaben wollen«, sagt sie lächelnd. »Mir geht es längst nicht so schlecht wie ihm. Übrigens war ich noch nie glücklicher als jetzt, weil ich den Zeichen gefolgt bin und ich Geduld hatte und weiß, dass sich jetzt alles verändern wird.«

Sie dreht sich um und geht ins Haus.

Erst in diesem Augenblick, als ich zum Wagen zurückgehe, meinen Freund ansehe, der ausgestiegen ist, um eine Zigarette zu rauchen, und lächelt, weil er den Kuss gesehen hat; als ich höre, wie der Wind das frische Grün der Bäume bewegt; als mir bewusst wird, dass ich mich in einer Stadt befinde, die ich liebe, ohne sie allzu gut zu kennen; als ich in meiner Tasche ebenfalls nach einer Zigarette suche und daran denke, dass morgen ein Abenteuer beginnt, von dem ich schon so lange geträumt habe – erst in diesem Augenblick …

… erst in diesem Augenblick fällt mir wieder die Prophezeiung des Sehers ein, dem ich im Haus von Véronique begegnet bin. Er hatte irgendetwas über die Türkei gesagt, aber was genau es war, will mir einfach nicht mehr einfallen.

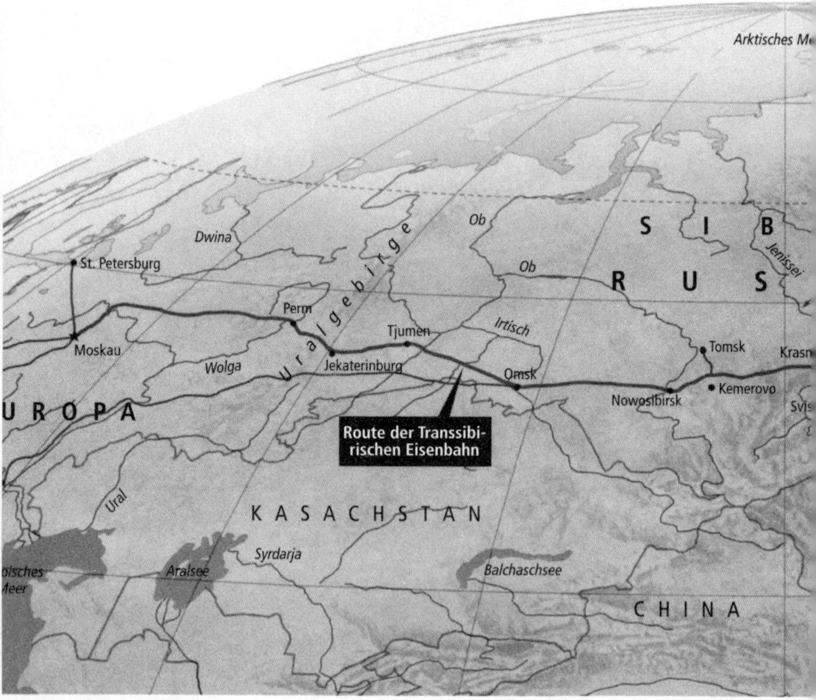
Arktisches Me
S I B
R U S
Ob
Ob
Dwina
Jenissei
St. Petersburg
Uralgebirge
Perm
Tjumen
Irtisch
Moskau
Wolga
Jekaterinburg
Omsk
Tomsk
Krasn
Kemerovo
Nowosibirsk
EUROPA
Route der Transsibirischen Eisenbahn
Ural
KASACHSTAN
Syrdarja
Aralsee
Balchaschsee
CHINA

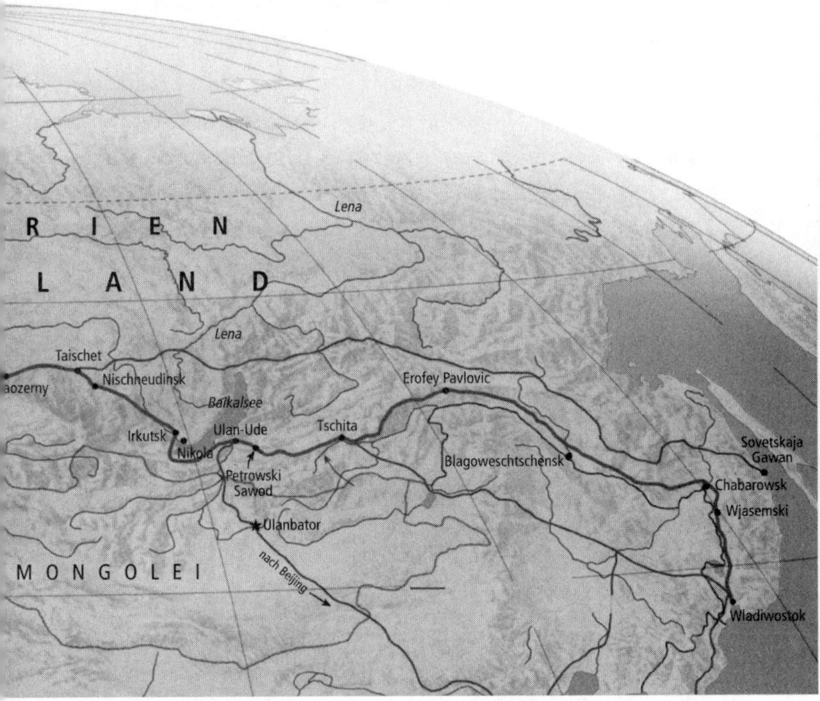

Lena
R I E N
L A N D
Lena
Taischet
aozerny
Nischneudinsk
Baikalsee
Erofey Pavlovic
Irkutsk
Nikola
Ulan-Ude
Tschita
Blagoweschtschensk
Sovetskaja
Gawan
Petrowski
Sawod
Chabarowsk
Wjasemski
Ulanbator
M O N G O L E I
nach Beijing
Wladiwostok

9288

Die Strecke der Transsibirischen Eisenbahn gehört zu den längsten Eisenbahnstrecken der Welt. Man kann die Reise an jedem beliebigen Bahnhof Europas antreten, in Russland aber verbindet sie auf 9288 Kilometern Hunderte von kleinen und großen Städten miteinander. Sie verläuft durch sechsundsiebzig Prozent des Landes und durchquert sieben unterschiedliche Zeitzonen. Als ich um elf Uhr abends im Bahnhof von Moskau den Zug besteige, ist es in Wladiwostok, dem Ende der Strecke, bereits Tag.

Bis zum 19. Jahrhundert wagten nur wenige, eine Reise nach Sibirien zu unternehmen, wo in der Stadt Oymyakon einst die niedrigste Temperatur der Erde gemessen wurde: minus 71,2 °C. Die wichtigsten Transportwege, welche die Region mit dem Rest der Welt verbanden, waren zu dieser Zeit die Flüsse, die jedoch acht Monate im Jahr zugefroren sind. Die Bevölkerung Zentralasiens lebte daher praktisch isoliert, obwohl sich dort ein Großteil der Bodenschätze des damaligen Russischen Reiches befand. Aus strategischen und politischen Gründen genehmigte Zar Alexander II. den Bau der Bahn, deren Kosten nur noch vom Budget des Russischen Reiches für den Ersten Weltkrieg übertroffen wurde.

Während des Bürgerkrieges, der kurz nach der Russischen

Revolution 1917 ausbrach, stand die Transsibirische Eisenbahn im Zentrum der Auseinandersetzungen. Die dem vormaligen Zaren ergebenen Truppen, vor allem das Tschechoslowakische Korps, benutzten mit Metallplatten verstärkte Waggons, die als Panzer auf Schienen ohne größere Probleme die Offensiven der Roten Armee zurückschlagen konnten, solange die Versorgung aus dem Osten mit Munition und Lebensmitteln nicht unterbrochen war. Saboteure wurden ausgesandt, die Brücken sprengten und die Kommunikationswege zerstörten.

Das zaristische Heer wurde bis an die Grenzen des asiatischen Kontinents zurückgedrängt, ein Teil floh sogar über Alaska nach Kanada, um sich von dort aus in andere Länder zu zerstreuen.

***

Das erste Foto auf der Reise machte ich vom Plan mit den Abfahrtszeiten.

Unser Zug würde um 23.15 Uhr losfahren! Ich hatte Herzklopfen, wie damals als Kind, wenn meine elektrische Eisenbahn im Zimmer im Kreis fuhr und ich mir vorstellte, mit ihr an entlegene Orte zu reisen, so weit entfernt wie der, zu dem ich jetzt unterwegs war.

Mein Gespräch mit J. in Saint-Martin vor etwas über drei Monaten schien selbst in einem früheren Leben stattgefunden zu haben.

Was für idiotische Fragen ich damals gestellt hatte! Was ist der Sinn des Lebens? Warum komme ich nicht weiter? Warum kommt es mir so vor, als würde sich die spirituelle Welt immer weiter von mir entfernen? Die Antwort könnte nicht einfacher sein: weil ich nicht mehr richtig lebte!

Wie gut es ist, sich wieder wie ein Kind zu fühlen, zu spüren, wie das Blut in den Adern fließt und die Augen glänzen, begeistert vom Anblick eines Bahnsteigs voller Menschen zu sein, den Geruch nach Schmieröl und nach Essen einzuatmen und gleichzeitig das Quietschen der Bremsen ankommender Züge zu hören, das helle Summen der Gepäckwägelchen und das Signalhorn der Lokomotiven.

Leben heißt, die Dinge am eigenen Leib zu erfahren und nicht dazusitzen und über den Sinn nachzudenken. Nicht jeder muss Asien durchqueren oder den Jakobsweg entlangpilgern. Ich kenne einen Abt in Österreich, der die Abtei Melk fast nie verlassen hat und dennoch die Welt besser versteht als viele Reisende, die mir begegnet sind. Ich habe einen Freund, dem große spirituelle Erfahrungen zuteilwurden, während er seine schlafenden Kinder betrachtete. Wenn meine Frau ein Bild zu malen anfängt, gerät sie in eine Art Trance und spricht mit ihrem Schutzengel.

Ich hingegen bin als Pilger geboren. Auch wenn ich mich noch so lustlos fühle oder mich nach Hause sehne, braucht es nur einen Schritt, und die Begeisterung zu reisen überwältigt mich. Auf dem Jaroslawler Bahnhof wird mir auf dem Weg zum Bahnsteig fünf klar, dass ich mein Ziel niemals erreichen werde, wenn ich die ganze Zeit am selben Ort bleibe. Ich kann nur mit meiner Seele in Verbindung sein, wenn wir beide unterwegs sind – in einer Wüste, in Städten oder in den Bergen.

Unser Waggon ist der letzte des Zuges; er wird ein paar Mal an- oder abgehängt werden, wenn wir unterwegs Station machen. Von dort, wo ich stehe, kann ich die Lokomotive nicht sehen – nur den Zug, der wie eine riesige Schlange aus Stahl anmutet, und die vielen anderen Passagiere, Mongolen, Tataren, Russen, Chinesen, von denen einige auf großen Koffern sitzen. Alle warten sie darauf, dass sich die Zugtüren öffnen. Einige Leute kommen auf mich zu, aber ich lasse mich auf kein Gespräch ein. Ich möchte an nichts anderes denken als daran, dass ich jetzt hier bin, bereit zu einem neuen Aufbruch, einer neuen Herausforderung.

***

Dieser Augenblick kindlicher Begeisterung kann nicht länger als fünf Minuten gedauert haben, aber ich habe jede Einzelheit, jedes Geräusch, jeden Geruch in mir aufgenommen. Später werde ich mich kaum noch daran erinnern, aber das ist unwichtig: Die Zeit ist kein Tonband, das vor- oder zurückgespult werden kann.

Hör auf, darüber nachzudenken, was du den anderen später erzählen wirst. Bleib im Hier und Jetzt, und nimm so viel daraus mit wie möglich.

Ich geselle mich zu meinen Begleitern und stelle fest, dass sie alle genauso aufgeregt sind wie ich. Ich werde dem Dolmetscher vorgestellt, der mich begleiten wird. Er heißt Yao, seine Eltern flohen bei Ausbruch des Bürgerkriegs in China nach Brasilien. Er wurde dort geboren, studierte später in Japan und war schließlich bis zu seiner Pensionierung Dozent an der Moskauer Universität. Er ist etwa siebzig Jahre alt, groß und als Einziger in der Gruppe makellos gekleidet, mit Anzug und Krawatte.

»Mein Name bedeutet ›weit weg‹«, sagt er, um das Eis zu brechen.

»Mein Name bedeutet ›kleiner Fels‹«, entgegne ich lächelnd. Überhaupt kann ich seit letzter Nacht gar nicht mehr aufhören zu lächeln. Angesichts des Abenteuers am nächsten Tag hatte ich kaum schlafen können, doch meine Stimmung könnte nicht besser sein.

Hilal hält sich wie immer in meiner Nähe auf. Sie steht neben dem Waggon, in dem ich reisen werde, obwohl ihr Abteil in einem ganz anderen Teil des Zuges liegen muss. Ich bin nicht überrascht, sie dort zu sehen, ich hatte nichts anderes erwartet. Ich werfe ihr eine Kusshand zu, und sie antwortet mit einem Lächeln. Während der Reise werden wir sicher das eine oder andere interessante Gespräch führen.

Ich stehe ganz still, darauf bedacht, jedes Detail um mich herum wahrzunehmen, wie ein Seefahrer, der das *Mare Ignotum* erkundet. Der Dolmetscher respektiert mein Schweigen, doch irgendetwas stimmt nicht, wie ich den besorgten Mienen meines Verlegers und meiner Lektorin entnehme. Ich frage Yao.

Er erklärt mir, dass meine russische Agentin nicht erschienen ist. Ich erinnere mich an das Gespräch mit meinem Freund am Vortag, aber wo war das Problem? Wenn sie nicht gekommen ist, muss sie das mit sich selber abmachen.

Ich beobachte, wie Hilal etwas zu meiner Lektorin sagt und eine offensichtlich ungehaltene Antwort bekommt. Aber Hilal verzieht keine Miene – wie am Abend vor dem Hotel, als ich ein Treffen ablehnte. Ich muss zugeben, dass ich mich langsam an ihre Anwesenheit gewöhne, ja, es gefällt mir sogar, ich mag ihre Entschlossenheit, ihre Selbstsicherheit. Inzwischen streiten die beiden Frauen.

Yao übersetzt, meine Lektorin habe Hilal gebeten, zu ihrem Waggon zurückzugehen. Wohl kaum!, denke ich – diese junge Frau wird das tun, was *sie* will. Ich beobachte amüsiert ihren Tonfall und ihre Körpersprache – das Einzige, was ich verstehen kann. Als mir der Moment geeignet scheint, trete ich lächelnd hinzu.

»Es wäre doch schade, wenn wir diesen glücklichen Moment verderben würden. Wir sind alle aufgeregt wegen dieses einmaligen Erlebnisses, niemand von uns hat bisher eine solche Reise gemacht.«

»Aber sie will –«

»Lassen Sie nur. Sie kann auch später noch zu ihrem Waggon gehen.«

Meine Lektorin gibt nach.

Das Geräusch der sich öffnenden Türen hallt auf dem ganzen Bahnsteig wider, und die Leute setzen sich in Bewegung. Wer sind all diese Menschen, die da gerade einsteigen? Was bedeutet diese Reise für jeden Einzelnen von ihnen? Ein Wiedersehen mit einem geliebten Menschen, ein Besuch bei Verwandten, die Suche nach Wohlstand, eine triumphale oder eine beschämte Heimkehr, ein Abenteuer, eine Flucht oder eine Heimkehr. Der Zug füllt sich mit all diesen Möglichkeiten.

Hilal nimmt ihr Gepäck – das aus einem Rucksack und einer bunten Tasche besteht – und schickt sich an, mit uns in den letzten Waggon zu steigen. Meine Lektorin lächelt nur, als wäre das auch in ihrem Sinn, aber ich weiß, dass sie sich bei der nächsten Gelegenheit für die Niederlage rächen wird. Ich sehe davon ab, ihr zu erklären, dass Rache uns allenfalls unseren Feinden gleichmacht, während Verzeihen ein Zeichen von Weisheit und Klugheit ist. Mit Ausnahme der Mönche im Himalaja und der Heiligen in der Wüste sind Rachegefühle wohl keinem von uns fremd, weil sie untrennbar mit dem Wesen des Menschen verbunden sind. Wir sollten einander deswegen nicht verurteilen.

***

Unser Waggon besteht aus vier Abteilen mit angrenzenden Badezimmern, einem kleinen Salon, in dem wir voraussichtlich die meiste Zeit verbringen werden, und einer Küche.

Ich gehe in mein Abteil: Doppelbett, Schrank, unter dem Fenster Tisch und Stuhl, eine Tür führt ins Bad. Von dort führt eine weitere Tür in ein leeres Abteil. Mir kommt die Agentin in den Sinn, die nicht erschienen ist, offenbar wäre das ihr Abteil gewesen.

Ein Pfiff ertönt. Der Zug setzt sich langsam in Bewegung. Wir laufen ans Fenster des kleinen Salons und winken den wildfremden Menschen zu, die draußen stehen. Der Bahnsteig bleibt immer weiter zurück, während die Lichter schneller und schneller an uns vorbeifliegen, reflektiert von den Stromleitungen und immer neuen Schienensträngen. Im Salon ist es still, keiner hat Lust zu reden, alle sind gespannt, was passieren wird. Ich bin sicher, dass keiner an das denkt, was er zurückgelassen hat, vielmehr daran, was vor uns liegt.

Als in der Dunkelheit draußen nichts mehr zu erkennen ist, setzen wir uns an den Tisch. Dem Obstkorb schenken wir keine Beachtung, denn wir haben bereits in Moskau zu

Abend gegessen, doch die Wodkaflasche weckt unser Interesse und wird umgehend geöffnet. Wir trinken und reden über alles, nur nicht über die Reise. Nach ein paar weiteren Gläsern äußert dann doch jeder, was er von den kommenden Tagen erwartet. Und noch ein paar Gläser später macht sich allgemeine Fröhlichkeit breit. Plötzlich ist es so, als würden wir uns alle schon eine Ewigkeit kennen.

Ich unterhalte mich mit meinem Dolmetscher über seine Leidenschaften: Bücher, Reisen, Kampfsport. Wie es der Zufall will, habe ich in meiner Jugend Aikido gelernt. Sollte uns irgendwann Langeweile überkommen oder der Gesprächsstoff ausgehen, könnten wir also auf dem schmalen Gang neben den Abteilen ein wenig trainieren.

Hilal unterhält sich mit meiner Lektorin. Beide geben sich sichtlich Mühe, ihre Meinungsverschiedenheiten auszuräumen, doch ich ahne, dass der Friede nur von kurzer Dauer sein wird. Die Enge des Abteils trägt sicher nicht dazu bei, eine solche Situation zu entspannen, und der nächste Streit ist nur eine Frage der Zeit. Trotzdem bin ich zuversichtlich.

Der Dolmetscher scheint meine Gedanken erraten zu haben. Er schenkt allen Wodka nach und beginnt dann, scheinbar zusammenhanglos davon zu sprechen, wie beim Aikido Konflikte gelöst werden:

»Aikido ist kein Kampfsport im engeren Sinn. In erster Linie geht es darum, den Geist zu beruhigen, die Ursache für unsere Konflikte zu finden und dabei alle Spuren von Bosheit oder Egoismus zu tilgen. Wenn du dich zu sehr damit aufhältst herauszufinden, was an deinem Gegenüber gut oder schlecht sein könnte, wirst du darüber deine eigene Seele vergessen. Durch die verschwendete Energie wirst du schwach und verletzlich sein.«

Die Ausführungen meines siebzigjährigen Dolmetschers scheinen niemanden groß zu interessieren. Die anfängliche, vom Wodka ausgelöste Fröhlichkeit weicht einer allgemeinen Müdigkeit. Irgendwann gehe ich zur Toilette, und als ich zurückkomme, ist der Salon leer – bis auf Hilal natürlich.

»Wo sind die anderen?«, frage ich.

»Sie haben aus Höflichkeit gewartet, bis Sie den Raum verlassen haben. Dann sind sie schlafen gegangen.«

»Das sollten Sie besser auch tun!«

»Aber es gibt doch auch hier noch ein leeres Abteil …«

Ich nehme ihren Rucksack und ihre Tasche und führe Hilal behutsam am Arm bis zur Tür des Waggons.

»Sie sollten Ihr Glück nicht herausfordern. Gute Nacht.«

Sie sieht mich an und geht dann wortlos zu ihrem Abteil, das irgendwo weiter vorn im Zug liegt.

In meinem eigenen Abteil angekommen, spüre ich, wie auch mich eine ungeheure Müdigkeit überkommt. Ich stelle meinen Laptop und meine Heiligenbilder (die mich auf allen Reisen begleiten) auf den Nachttisch und gehe ins Bad, um mir die Zähne zu putzen – ein recht schwieriges Unterfangen: Das Schaukeln des Zuges lässt das Mineralwasser in meinem Zahnputzbecher heftig hin und her schwappen.

Ich ziehe eines der T-Shirts an, die ich zum Schlafen trage, und rauche noch eine Zigarette. Dann lösche ich das Licht, schließe die Augen und denke darüber nach, ob sich das Schaukeln des Zuges mit einer Wiege vergleichen lässt. Ich sehe einer gesegneten Nachtruhe entgegen.

Eine trügerische Hoffnung.

Hilals Augen

Als der Tag heraufdämmert, stehe ich völlig gerädert auf, ziehe frische Sachen an und gehe in den Salon. Es sind bereits alle da – auch Hilal.

»Sie müssen mir eine Genehmigung schreiben, damit ich hierherkommen kann«, sagt sie, noch bevor sie mir einen guten Morgen wünscht. »Es war heute ein Riesentheater, die Kontrolleure in jedem Waggon haben gesagt, sie würden mich nur durchlassen, wenn ich eine ...«

Ich übergehe ihre Worte und begrüße die anderen. Frage, ob sie gut geschlafen haben.

»Nein!«, kommt es wie aus einem Mund.

Offensichtlich war es nicht nur mir so ergangen.

»Ich habe sehr gut geschlafen«, sagt Hilal, der nicht bewusst zu sein scheint, dass sie damit den Unmut aller auf sich zieht. »Mein Waggon ist in der Mitte des Zuges und schaukelt darum viel weniger. Dieser Waggon ist der allerschlimmste.«

Mein Verleger beißt sich auf die Zunge, um keine Grobheit zu sagen. Seine Frau sieht aus dem Fenster und zündet sich eine Zigarette an, um ihre Verärgerung zu überspielen. Auch im Gesicht meiner Lektorin spiegelt sich deutlich ihre Missbilligung: ›Habe ich euch nicht gleich gesagt, dass dieses Mädchen unmöglich ist?‹

Yao versucht, die Situation etwas zu entschärfen, indem er vorschlägt: »Von heute an werde ich jeden Tag einen Gedanken oder einen Spruch an den Spiegel im Salon heften.« Auch Yao wirkt munter und ausgeruht.

Er erhebt sich, geht zum Spiegel und befestigt dort einen Zettel, auf dem steht: ›Wer einen Regenbogen sehen will, muss lernen, den Regen zu lieben.‹

Die Begeisterung über diesen aufmunternden Satz hält sich in Grenzen. Man braucht keine Gedanken lesen zu können, um zu wissen, was den anderen durch den Kopf geht: ›Und das soll jetzt noch 9000 Kilometer so weitergehen?‹

»Ich habe ein Foto auf meinem Handy, das ich Ihnen gern zeigen würde«, fährt Hilal fort. »Und ich habe meine Geige mitgebracht, falls jemand Musik hören möchte.«

In der Küche nebenan läuft bereits das Radio. Die Anspannung im Abteil ist beinahe mit Händen zu greifen. Jeden Moment kann es zum ersten Eklat kommen, und ich werde nichts dagegen tun können.

»Lassen Sie uns bitte in Ruhe frühstücken. Sie sind eingeladen, wenn Sie möchten. Anschließend werde ich versuchen, etwas Schlaf nachzuholen. Dann sehe ich mir gern Ihr Foto an.«

Donnernd fährt ein Zug in der Gegenrichtung vorbei. Auch nachts hatte mich dieses Geräusch mit schöner Regelmäßigkeit hochschrecken lassen. Keine Spur vom sanften Schaukeln einer Wiege, es fühlt sich eher an, als ob man sich in einem Cocktail-Shaker befindet. Mir ist übel, und ich mache mir Vorwürfe, weil ich alle diese Menschen in mein Abenteuer mit hineingezogen habe. Langsam wird mir klar, warum die Achterbahn auf Portugiesisch »montanha russa«, russisches Gebirge, heißt.

Hilal und der Dolmetscher versuchen krampfhaft, Konversation zu machen, aber niemand am Tisch – weder der Verleger noch seine Frau noch die Lektorin noch der Schriftsteller, der die Idee zu dieser Reise hatte – lässt sich in ein Gespräch verwickeln. Schweigend nehmen wir unser Frühstück ein, während draußen die immer gleiche Landschaft vorbeizieht – Dörfer, Wälder, Dörfer, Wälder.

»Wie lange brauchen wir noch bis Jekaterinburg?«, erkundigt sich mein Verleger bei Yao.

»Wir werden kurz nach Mitternacht ankommen.«

Alle seufzen erleichtert auf. Vielleicht können wir die Reise noch abblasen, was zu viel ist, ist zu viel. Man braucht einen Berg nicht erst bestiegen zu haben, um zu wissen, dass er hoch ist, und genauso wenig braucht man bis nach Wladiwostok zu fahren, nur um sagen zu können, dass man die Transsib genommen hat.

»Also, dann geh ich jetzt und versuche, noch etwas zu schlafen.«

Ich erhebe mich. Hilal ebenfalls.

»Und was ist mit der Genehmigung? Und dem Foto auf meinem Handy, das ich Ihnen zeigen wollte?«

Genehmigung? Ach ja, die Erlaubnis, dass sie wieder in unseren Wagen zurückkommen kann. Bevor ich reagieren kann, schreibt Yao etwas auf Russisch auf einen Zettel und hält ihn mir zum Unterschreiben hin. Alle im Waggon, ich eingeschlossen, starren ihn wütend an.

»Schreiben Sie dazu: nur einmal am Tag.«

Yao tut, worum ich ihn gebeten habe. Dann erhebt er

sich und macht sich auf die Suche nach einem der Kontrolleure, um die Erklärung abstempeln zu lassen.

»Und das Foto auf dem Handy?«

Inzwischen würde ich alles tun, nur um in mein Abteil zurückkehren und schlafen zu können. Aber ich möchte die Nerven meiner russischen Verleger nicht noch weiter strapazieren. Sie haben mich schließlich zu dieser Reise eingeladen. Also bitte ich Hilal, mit mir zum Ende des Waggons zu kommen. Wir öffnen die Tür und stehen in einem Vorraum, von dem aus man auf eine Plattform und zum nächsten Waggon gelangt. Der Lärm hier ist unerträglich, weil zum Getöse der Räder auf den Schienen noch das Kreischen der Eisenplattformen kommt.

Hilal zeigt mir das Foto auf dem Handy, das sie wahrscheinlich gleich nach Sonnenaufgang gemacht hat: eine langgezogene Wolke am Himmel.

»Na? Sehen Sie es?«

Ja, ich sehe eine Wolke.

»Wir werden auf dieser Reise begleitet.«

Wir werden von einer Wolke begleitet, die inzwischen längst verschwunden ist. Ich nicke ergeben, in der Hoffnung, Hilal so schneller loszuwerden.

»Sie haben recht. Wir reden später darüber. Jetzt gehen Sie bitte in Ihr Abteil zurück.«

»Das kann ich nicht. Sie haben mir nur die Erlaubnis gegeben, einmal am Tag hierherzukommen.«

Die Müdigkeit hatte offensichtlich mein Denkvermögen beeinträchtigt, denn mir wurde jetzt erst klar, dass ich das Problem nicht beseitigt, sondern erst geschaffen hatte. Wenn Hilal nur einmal täglich kommen durfte, würde sie künftig morgens erscheinen und erst nachts wieder gehen. Ein Fehler, den ich später zu korrigieren gedachte.

»Hören Sie gut zu: Ich bin auf dieser Reise auch nur Gast. So gern ich Sie um mich habe, weil ich Ihre Energie mag und dass Sie sich einfach nicht abwimmeln lassen, so ...«

Diese Augen. Grün, ohne jede Spur von Make-up.

» ... es ist nun mal so, dass ...«

Vielleicht ist es tatsächlich die Erschöpfung. Nach mehr als vierundzwanzig Stunden ohne Schlaf verlieren wir einen Großteil unserer Widerstandskräfte. Genau so fühle ich mich jetzt. Der nur aus Glas und Stahl bestehende Raum beginnt vor meinen Augen zu verschwimmen. Der Lärm kommt plötzlich wie von weit her. Wer bin ich? Wo bin ich? Ich weiß es nicht mehr genau. Ich versuche mich zu konzentrieren, aber ich kann nicht klar denken. Ich weiß, dass ich Hilal darum bitte, keinen Ärger zu machen und in ihren Waggon zurückzukehren, aber meine Worte haben nichts mit dem zu tun, was ich sehe.

Ich sehe ein Licht an einem heiligen Ort, und ich spüre, wie mich eine Welle erfasst, mich mit Frieden und Liebe erfüllt – zwei Dinge, die fast nie zusammenkommen. Ich sehe mich selbst, aber gleichzeitig sehe ich Elefanten in Afrika, mit erhobenen Rüsseln, Kamele in der Wüste; ich sehe Menschen, die sich in einer Bar in Buenos Aires unterhalten, einen Hund, der eine Straße überquert, einen Pinsel, mit dem eine Frau gerade das Bild einer Rose vollendet; ich sehe schmelzenden Schnee auf einem Berg in der Schweiz, höre die fremdartigen Gesänge von Mönchen, sehe einen Pilger vor der Kathedrale von Santiago de Compostela, einen

Hirten mit seinen Schafen, Soldaten, die am frühen Morgen in den Krieg ziehen, Fische im Meer und alle möglichen Städte und Wälder auf der ganzen Welt – alles ist klar und überdeutlich und gleichzeitig winzig klein und ganz verschwommen.

Ich bin im Aleph, jenem Punkt, in dem sich alles zur selben Zeit an derselben Stelle befindet.

Ich stehe an einem Fenster zur Welt und ihren Geheimnissen, spüre die Poesie, die in der Zeit verlorenging, und kann Worte *sehen*, erstarrt im Raum. Hilals Augen erzählen mir von Dingen, deren Existenz wir nicht einmal ahnen und die nur unsere Seelen wahrnehmen können. Von Sätzen, die man versteht, auch wenn sie unausgesprochen bleiben. Von Gefühlen, die zugleich erhebend und bedrückend sind.

Ich stehe vor Türen, die sich für den Bruchteil einer Sekunde öffnen und den Blick freigeben auf das, was dahinter liegt – auf Schätze und Fallstricke, nie gegangene Wege und Reisen, die es nicht einmal in der Vorstellung gegeben hat.

»Warum sehen Sie mich so an? Warum zeigen mir Ihre Augen all das?«

Das sage nicht ich, sondern die junge Frau, die vor mir steht. Unsere Augen sind zu Spiegeln unserer Seelen geworden – nicht nur unserer eigenen, sondern all jener, die in diesem Moment mit uns auf diesem Planeten sind, geboren werden oder sterben, lieben, leiden oder träumen.

»Das bin gar nicht ich … Es ist nur so, dass …«

Ich kann den Satz nicht beenden, denn immer mehr Türen öffnen sich und offenbaren ihre Geheimnisse. Ich sehe Lügen und Wahrheiten, seltsame Tanzrituale, die vor der Skulptur einer Göttin abgehalten werden, ich sehe Matrosen, die mit der aufgewühlten See kämpfen, und ich sehe ein Paar, das an einem Strand sitzt und auf dieselbe See hinausblickt, die an dieser Stelle ruhig und freundlich wirkt. Weitere Türen öffnen sich, und ich beginne mich selbst in Hilals Augen zu sehen, als würden wir uns schon eine Ewigkeit kennen …

»Was machst du mit mir?«, fragt sie mich.

»Das … Aleph …«, stottere ich.

Aus den Augen der jungen Frau vor mir quellen Tränen. Es heißt, Tränen seien das Blut der Seele, und so scheint es tatsächlich zu sein, denn ich befinde mich jetzt in einem Tunnel und gehe in die Vergangenheit zurück, wo auch sie auf mich wartet, die Hände zum heiligsten Gebet gefaltet, das Gott den Menschen geschenkt hat. Sie lächelt, als ob sie mir versichern wolle, die Liebe heile alles, doch ich schaue auf meine Kleidung, meine Hände, und in der einen halte ich eine Schreibfeder …

»Hör auf!«, schreie ich.

Hilal schließt die Augen.

Ich bin wieder in einem Eisenbahnwaggon, unterwegs nach Sibirien und von dort weiter bis an den Pazifischen Ozean. Ich fühle mich noch erschöpfter als vorher, und obwohl ich intuitiv begreife, was passiert ist, bin ich nicht in der Lage, es zu erklären.

Hilal umarmt mich. Ich halte sie fest und streiche ihr sanft übers Haar.

»Ich wusste es«, sagt sie. »Ich wusste, dass ich dir schon einmal begegnet bin. Ich wusste es, seit ich zum ersten Mal dein Foto gesehen habe. Es war, als wäre es bestimmt gewesen, dass wir uns in diesem Leben irgendwann wieder begegnen. Ich habe meinen Freunden davon erzählt, aber sie taten es als Spinnerei ab und meinten, dass es wahrscheinlich Tausenden von Menschen tagtäglich ebenso ergehe. Sie hatten mich beinahe überzeugt, doch das Leben ... das Leben hat dich zu mir geführt. So ist es doch, nicht wahr?«

Allmählich gelingt es mir, mich wieder zu fangen. Ich weiß, wovon sie spricht, denn vor vielen Jahrhunderten bin ich schon einmal durch eine dieser Türen gegangen, die ich gerade in Hilals Augen gesehen habe. Sie war ebenfalls dort gewesen, zusammen mit anderen Menschen. Behutsam frage ich sie, was sie gesehen hat.

»Alles. Ich werde das wohl nie erklären können. Aber sowie ich meine Augen schloss, befand ich mich an einem angenehmen, sicheren Ort und fühlte mich ... zu Hause.«

Nein, sie weiß nicht, worum es geht. Noch nicht. Aber ich weiß es. Ich nehme ihr Gepäck und führe sie zurück in den Salon.

»Ich kann jetzt weder denken noch reden. Setz dich einfach dorthin, lies irgendetwas. Ich muss mich ein wenig ausruhen, dann komme ich wieder. Falls dich jemand wegschicken will, dann sag einfach, ich hätte dich gebeten zu bleiben.«

Sie setzt sich mit einer Zeitschrift in eine Ecke. Ich gehe in mein Abteil, falle angezogen aufs Bett und schlafe sofort ein.

Jemand klopft an die Tür.

»Wir sind in zehn Minuten da.«

Ich öffne die Augen. Draußen ist es Nacht. Ich habe den ganzen Tag verschlafen. Ob ich wohl später noch einmal einschlafen kann?

»In Jekaterinburg wird der Wagen abgehängt und bleibt im Bahnhof. Packen Sie ein, was Sie für zwei Nächte in der Stadt brauchen«, fährt die Stimme vor der Tür fort.

Ich ziehe das Rollo hoch. Draußen sind immer mehr Lichter zu sehen, der Zug wird langsamer und wird wohl tatsächlich gleich halten. Ich wasche mir das Gesicht und suche ein paar Sachen für den Aufenthalt in Jekaterinburg zusammen. Langsam kehrt die Erinnerung an das gestrige Erlebnis zurück.

Als ich aus meinem Abteil trete, stehen alle schon im Gang – nur Hilal nicht, die immer noch auf dem Platz sitzt, an dem ich sie zurückgelassen habe. Sie lächelt nicht, sondern streckt mir einfach ein Blatt Papier entgegen.

»Yao hat mir die Erlaubnis gegeben.«

Yao flüstert mir zu:

»Kennen Sie das *Tao*?«

Selbstverständlich habe ich das *Tao Te King* gelesen, wie fast alle aus meiner Generation.

»Dann erinnern Sie sich sicher an diese Worte: ›Verbrauche deine Energien, und du wirst jung bleiben.‹«

Er macht eine kaum merkliche Kopfbewegung in Hilals Richtung, die sich noch immer nicht vom Fleck gerührt hat. Ich finde seinen Kommentar geschmacklos.

»Wenn Sie damit andeuten wollen …?«

»Ich will damit gar nichts andeuten. Wenn Sie es falsch verstanden haben, dann nur, weil diese Idee bereits in Ihrem Kopf war. Ich werde Ihnen sagen, was ich gemeint habe, wenn Sie Lao Tses Worte schon nicht verstehen: Zeigen Sie Ihre Gefühle, und sie werden wiederkehren. So wie ich das sehe, ist Hilal der richtige Mensch, Ihnen dabei zu helfen.«

Haben die beiden etwa miteinander gesprochen? Ist Yao zufällig an uns vorbeigekommen, als wir ins Aleph eintraten, und hat er womöglich etwas mitbekommen?

»Glauben Sie an eine spirituelle Welt? An ein paralleles Universum, in dem Zeit und Raum ewig sind und immer gegenwärtig?«, frage ich.

Die Bremsen quietschen. Yao nickt und setzt seine Worte mit Bedacht:

»Ich glaube nicht an Gott, wie Sie Ihn sich denken. Aber ich glaube an vieles, was Sie sich nicht einmal vorstellen können. Wenn Sie morgen Abend nichts Besseres vorhaben, können wir vielleicht zusammen einen Spaziergang machen.«

Der Zug hält. Hilal steht auf und kommt zu uns herüber. Yao legt lächelnd den Arm um ihre Schultern. Wir ziehen unsere Jacken an, und um 1.04 Uhr nachts steigen wir in Jekaterinburg aus.

Das Ipatjew-Haus

Die bisher allgegenwärtige Hilal ist verschwunden. Auf der Suche nach ihr gehe ich hinunter in die Lobby unseres Hotels – doch Fehlanzeige. Obwohl ich fast den ganzen gestrigen Tag im Bett verbracht habe, konnte ich – erst einmal auf »festem Boden« – ohne Probleme noch ein wenig schlafen. Ich rufe im Zimmer von Yao an, und kurz darauf ziehen wir gemeinsam los, um uns die Stadt anzusehen. Das ist jetzt genau das Richtige: laufen, laufen, laufen, ein bisschen frische Luft schnappen und die unbekannte Stadt für mich entdecken.

Unterwegs erzählt mir Yao allerhand Wissenswertes über Jekaterinburg – nach Moskau, Petersburg und Nowosibirsk ist es die viertgrößte Stadt Russlands und Zentrum einer Schwerindustrie-Region – alles Dinge, die in jedem Reiseführer stehen und die mich im Moment überhaupt nicht interessieren. Vor einem Gebäude, das wie eine riesige orthodoxe Kirche aussieht, bleiben wir stehen.

»Das ist die ›Heilig-Blut-Kathedrale‹. Sie steht an der Stelle, wo sich bis 1977 das Ipatjew-Haus befand. Lassen Sie uns einen Augenblick hineingehen.«

Ich stimme zu, da mir allmählich kalt wird. Wir treten in eine Art kleines Museum, in dem alles auf Russisch ausgeschildert ist.

Yao sieht mich bedeutungsvoll an.

»Spüren Sie nichts?«

Als ich den Kopf schüttle, scheint er enttäuscht zu sein.

»Ausgerechnet Sie, der an Parallelwelten und die Ewigkeit des gegenwärtigen Augenblicks glaubt, Sie spüren überhaupt nichts?«

Fast bin ich versucht, ihm zu erklären, dass mich genau das ursprünglich hierhergeführt hat, ihm von meinem Gespräch mit J. und meinen inneren Blockaden zu erzählen, die verhindern, dass ich mit meiner spirituellen Seite in Verbindung trete. Nur stimmt das so nicht mehr. Seit meiner Abreise aus London bin ich ein anderer Mensch geworden, ich bin unterwegs zu meinem Reich und meiner Seele, und das macht mich ruhig und glücklich. Plötzlich muss ich an die gestrige Szene zwischen den Waggons denken, an Hilals Augen, und versuche beides schnell wieder zu verdrängen.

»Wenn ich nichts spüre, heißt das nicht unbedingt, dass meine Verbindung zur spirituellen Welt gekappt ist. Vielleicht ist meine Energie nur gerade auf etwas anderes gerichtet. Diese Kathedrale hier sieht aus, als wäre sie erst kürzlich erbaut worden. Was genau ist hier passiert?«

»Hier, im Haus von Nikolai Ipatjew, nahm das Russische Zarenreich sein Ende. In der Nacht vom 16. auf den 17. Juli 1918 wurde die Familie von Nikolaus II., Zar aller Reussen, mitsamt seinem Leibarzt und drei Dienern ermordet. Zuerst war der Zar dran, dem mehrmals in den Kopf und in die Brust geschossen wurde. Als Letzte starben Anastasia, Tatjana, Olga und Maria, die mit Bajonetten erstochen wurden. Es heißt, dass ihre Geister hier immer noch auf der Suche nach den Juwelen umherirren, die sie zurücklassen mussten. Boris Jelzin ließ 1977 auf Befehl des Moskauer Politbüros das Haus abreißen, damit die Geister der Vergangenheit verschwinden würden und Russland zu neuer Größe auferstehen könne. Seit 2003 steht an derselben Stelle diese Kathedrale.«

»Warum haben Sie mich hierhergeführt?«

Zum ersten Mal, seit wir uns in Moskau getroffen haben, wirkt Yao verlegen.

»Weil Sie mich gestern gefragt haben, ob ich an Gott glaube. Nun, ich war ein gläubiger Mensch, bis Gott mir den Menschen nahm, den ich am meisten liebte: meine Frau. Ich war immer davon ausgegangen, dass ich vor ihr sterben würde, doch es kam anders«, erzählt Yao. »Bei unserer ersten Begegnung wusste ich auf einmal ganz sicher, dass ich sie schon lange vor unser beider Geburt gekannt hatte. Es regnete heftig, aber trotzdem wollte sie meine Einladung zu einem Tee nicht annehmen. Doch ich wusste, dass wir wie zwei Wolken am Himmel waren, von denen man nicht sagen kann, wo die eine anfängt und die andere aufhört. Ein Jahr später waren wir verheiratet, als wäre es das Selbstverständlichste auf der Welt. Wir bekamen Kinder und ehrten Gott und die Familie … bis eines Tages der Wind kam und die Wolken wieder trennte.«

Ich warte, dass er weiterspricht.

»Das war nicht fair. Es mag merkwürdig klingen, aber mir wäre es lieber gewesen, wir hätten gemeinsam sterben können wie der Zar und seine Familie.«

Yao wartet auf einen Kommentar von mir, aber ich bleibe stumm. Ich spüre, dass er noch nicht fertig ist. Es scheint, als wären die Geister der Toten tatsächlich an unserer Seite.

»Als ich sah, wie Sie und die junge Frau einander ansahen, im Zug, zwischen den Waggons, fühlte ich mich an den ersten Blick erinnert, den meine Frau und ich tauschten, und daran, wie ich sofort das Gefühl hatte, sie endlich wiedergefunden zu haben, noch ehe wir die ersten Worte miteinander wechselten. Und hierhergebracht habe ich Sie, weil ich Sie fragen wollte, ob Sie sehen, was wir anderen nicht sehen, und mir sagen können, wo meine Frau jetzt ist.«

Also hat er miterlebt, wie Hilal und ich ins Aleph eingetreten sind.

Ich schaue mich in der Kirche um und danke ihm dafür, dass er mich hierhergebracht hat. Dann schlage ich vor, dass wir unseren Spaziergang fortsetzen.

»Ich hoffe, Sie werden dem Mädchen nicht weh tun. Jedes Mal, wenn ich sehe, wie sie Sie anblickt, kommt es mir vor, als würden Sie beide sich schon sehr lange kennen.«

Ich finde, dass ihn das eigentlich nichts angeht.

»Sie haben mich im Zug gefragt, ob ich Sie heute Abend begleiten möchte. Gilt das Angebot noch? Wir können später noch über all das reden. Übrigens: Wenn Sie je gesehen hätten, wie ich meine schlafende Frau beobachte, würden Sie in meinen Augen sehen, warum wir seit fast dreißig Jahren verheiratet sind.«

***

Gehen ist Balsam für Körper und Seele. Wenn ich gehe, kann ich mich ganz auf den gegenwärtigen Augenblick konzentrieren, denn nirgendwo anders sind die Zeichen, die parallelen Welten, die Wunder zu finden. Die Zeit gibt es in Wirklichkeit gar nicht: Yao kann über den Tod des Zaren sprechen, als wäre er gestern gewesen, und von seiner verlorenen Liebe, als wären seit diesem Verlust nur Minuten vergangen. Ich dagegen erinnere mich an den Moskauer Bahnhof wie an etwas, das in einer fernen Vergangenheit liegt.

Wir setzen uns in einen Park und beobachten das Treiben. Frauen mit Kindern, Männer, die im Laufschritt vorbeieilen, Jungs, die um ein laut aufgedrehtes Radio herumstehen, ihnen gegenüber Mädchen, die kichernd ihre Köpfe zusammenstecken, alte Leute in langen Wintermänteln, obwohl es Frühling ist. Yao geht zu einem Stand und kauft zwei Hotdogs.

»Ist es schwer, Bücher zu schreiben?«, fragt er, als er mir meinen Hotdog reicht.

»Nein. Ist es schwer, so viele Fremdsprachen zu lernen?«

»Auch nicht. Man muss nur aufmerksam sein.«

»Aufmerksam bin ich immer, aber trotzdem nie über das hinausgekommen, was ich in der Schule gelernt habe.«

»Ich habe gar nicht erst versucht zu schreiben, weil man mir als Heranwachsendem immer gepredigt hat, wenn ich Schriftsteller werden wolle, müsse ich fleißig lernen, langweilige Bücher lesen und Kontakt zu Intellektuellen pflegen. Und dabei kann ich Intellektuelle nicht ausstehen.«

Ich bin mir nicht sicher, ob diese Bemerkung für mich bestimmt ist, ein Bissen Hotdog enthebt mich einer Antwort. Ich denke wieder an Hilal und das Aleph. War es möglich, dass diese Erfahrung sie so erschreckt hat, dass sie die Reise hier in Jekaterinburg abbrechen will? Schließlich wohnt sie hier. Vor ein paar Monaten noch wäre ich verzweifelt gewesen, wenn ein spirituelles Erlebnis wie dieses einfach mittendrin aufgehört hätte; meine ganze Entwicklung schien einzig davon abzuhängen. Aber die Sonne scheint, und wenn die Welt heute so friedlich aussieht, dann deshalb, weil sie es tatsächlich ist.

»Was braucht man, um zu schreiben?«, will Yao wissen.

»Liebe. So wie Sie Ihre Frau geliebt haben. Besser gesagt, wie Sie Ihre Frau lieben.«

»Ist das alles?«

»Schauen Sie sich diesen Park an. Hier gibt es jede Menge Geschichten, und obwohl sie alle schon oft erzählt wurden, lohnt es sich trotzdem, sie immer wieder neu zu erzählen. Der Schriftsteller, der Sänger, der Gärtner, der Übersetzer, wir alle sind ein Spiegel unserer Zeit. Wir alle geben Liebe in unsere Arbeit. Wer sich nur an Schreibkurse und Lehrbücher über das Schreiben hält, begreift das Wesentliche nicht: Schreiben ist zu Papier gebrachtes Leben. Also versuchen Sie, am Leben anderer Anteil zu nehmen.«

»Als ich noch an der Universität unterrichtet habe, habe ich immer die Ankündigungen für all diese Schreibseminare gesehen. Das kam mir alles so …«

»… künstlich vor? Meinen Sie das? Ein Handbuch lehrt uns nicht lieben, ein Seminar uns nicht schreiben. Ich empfehle Ihnen, sich nicht ausschließlich mit anderen Schriftstellern zu umgeben, sondern mit den unterschiedlichsten Menschen. Denn letztlich ist Schreiben eine Tätigkeit wie jede andere. Wichtig ist einzig, dass man sie voller Überzeugung und mit Begeisterung ausübt.«

»Könnten Sie sich vorstellen, ein Buch über die letzten Tage von Zar Nikolaus II. zu schreiben?«

»Nein, das würde mich nicht reizen. Es ist eine außergewöhnliche Geschichte, aber Schreiben bedeutet für mich vor allem, mich selbst zu entdecken. Wenn ich Ihnen diesen einen Rat geben darf: Lassen Sie sich nicht von der Meinung anderer verunsichern. Nur die Mittelmäßigkeit ist sich ihrer selbst sicher. Trauen Sie sich, und tun Sie das, was Sie wirklich wollen. Versuchen Sie Menschen zu finden, die keine Angst davor haben, etwas falsch zu machen, und die zu ihren Fehlern stehen – weshalb ihre Arbeit oft nicht anerkannt wird. Aber es sind Menschen wie diese, die die Welt verändern und die, nach einigen Irrwegen, etwas zustande bringen, was unsere Gemeinschaft entscheidend verändern wird.«

»Wie Hilal?«

»Ja. Aber eins möchte ich noch sagen: Was Sie für Ihre Frau empfunden haben, empfinde ich für meine. Ich bin kein Heiliger und will auch keiner sein. Aber, um bei Ihrem Bild zu bleiben: Auch wir waren zwei Wolken, und jetzt sind wir eine. Wir waren zwei Eisbrocken, die das Sonnenlicht geschmolzen hat, und jetzt sind wir ein und dasselbe lebendige Wasser.«

»Aber wenn ich daran denke, wie Sie und Hilal einander angesehen haben …«

Ich antworte nicht, und Yao dringt nicht weiter in mich.

Die Jungs im Park tun, als würden sie die Mädchen gar nicht bemerken, die nur wenige Meter von ihnen entfernt stehen – obwohl beide Gruppen sich ganz offensichtlich sehr füreinander interessieren. Ältere Menschen gehen an ihnen vorbei, in Erinnerungen versunken. Mütter lächeln ihre Kinder an, als wären sie alle zukünftige Millionäre, berühmte Künstler und Staatspräsidenten. In dieser Szene liegt die gesamte Bandbreite menschlichen Verhaltens.

»Ich habe in vielen Ländern gelebt«, nimmt Yao das Gespräch wieder auf. »Natürlich gab es schwere Zeiten, ich habe Ungerechtigkeiten erfahren und so manches Mal versagt, als andere von mir Großes erwarteten. Aber nichts davon hat mein Leben so beeinflusst wie jene Augenblicke, in denen ich Menschen beim Singen, beim Geschichtenerzählen zugehört und dabei beobachtet habe, wie sie ihr Leben genossen. Es ist zwanzig Jahre her, dass ich meine Frau verloren habe, und dennoch kommt es mir vor, als wäre es gestern gewesen. Sie ist immer noch da, hier auf dieser Bank, und denkt wie ich an unsere glücklichen Zeiten zurück.«

Ja, sie ist immer noch da. Ich würde es ihm erklären, wenn ich nur die richtigen Worte fände.

Meine Gefühle liegen nah an der Oberfläche, seit ich das Aleph erlebt und begriffen habe, was J. gemeint hat. Ich weiß noch nicht, wie ich all das verarbeiten soll, aber ich bin zuversichtlich.

»Es lohnt immer, eine Geschichte zu erzählen, selbst wenn nur die eigene Familie zuhört. Wie viele Kinder haben Sie?«

»Zwei Söhne und zwei Töchter. Aber die wollen meine Geschichten nicht mehr hören. Ich habe sie wohl zu oft erzählt. Werden Sie ein Buch über Ihre Reise mit der Transsib schreiben?«

»Nein.«

Auch wenn ich es wollte, wie könnte ich das Aleph beschreiben?

Das Aleph

Hilal ist noch immer nicht wieder aufgetaucht.

Nach der Signierstunde fand eine Party mit russischer Musik und Volkstänzen statt – eine willkommene Abwechslung zum internationalen Pop-Repertoire bei solchen Anlässen. Während des anschließenden Abendessens mache ich höfliche Konversation und bedanke mich bei den Organisatoren. Schließlich halte ich es nicht mehr aus und frage, ob jemand Hilal die Adresse des Restaurants gegeben habe.

Ich blicke in erstaunte Gesichter. Selbstverständlich nicht! Alle nahmen an, dass ich die junge Frau ebenfalls als eine regelrechte Plage empfände, und heilfroh sei, dass sie nicht zur Signierstunde aufgetaucht war. »Sie hätte womöglich noch ein Geigenkonzert gegeben, um sich in Szene zu setzen«, argwöhnt meine Lektorin.

Yao sieht mich über den Tisch hinweg an, er weiß, dass es in mir ganz anders aussieht und ich mich sehr gefreut hätte, wenn Hilal hier gewesen wäre. Aber wieso? Um noch einmal ins Aleph einzutreten und durch die Tür zu gehen, mit der ich nichts als schlechte Erinnerungen verbinde? Ich weiß, wohin diese Tür mich führt. Viermal bin ich schon dort gewesen, ohne zu finden, was ich gesucht habe. Das war nicht der Grund, aus dem ich die lange Reise zurück in mein eigenes Reich auf mich genommen hatte.

Das Abendessen geht zu Ende. Die beiden Leser, die wir eingeladen haben, machen Fotos und fragen, ob sie mir die Stadt zeigen dürfen. Ich stimme zu, doch Yao erinnert mich daran, dass ich bereits mit ihm verabredet bin.

Der Unmut, den Hilal auf sich gezogen hatte, weil sie unbedingt die ganze Zeit in meiner Nähe sein wollte, wendet sich nun gegen meinen Dolmetscher. Man hatte ihn engagiert, damit er zu meiner Verfügung stehe, und jetzt ist es genau umgekehrt.

»Ich nehme an, Paulo wird müde sein«, sagt meine Lektorin. »Es war ein langer Tag.«

»Das kann ich mir nicht vorstellen, bei all den positiven Schwingungen heute Nachmittag …«

Der Verleger und die Lektorin haben recht. Yao will offenbar zeigen, dass er eine privilegierte Stellung in »meinem Reich« einnimmt. Ich verstehe, dass er um seine geliebte Frau trauert, und wenn der richtige Moment gekommen ist, werde ich ihm mein Mitgefühl ausdrücken. Doch ich befürchte fast, dass er mir jetzt gleich »eine phantastische Geschichte« erzählen wird, »die ein großartiges Buch abgeben würde«. Gerade von Menschen, die mit einem Verlust fertig werden müssen, habe ich diesen Satz schon viele Male gehört.

Ich versuche es allen recht zu machen: »Ich werde mit Yao zu Fuß zum Hotel zurückgehen. Anschließend brauche ich etwas Zeit für mich.« Es würde das erste Mal seit unserer Abreise sein, dass ich mich zurückziehe.

***

Es hat sich deutlich abgekühlt, und ein kräftiger Wind lässt es noch kälter erscheinen. Wir laufen durch eine belebte Straße, und ich sehe, dass ich nicht der Einzige bin, der schnell nach Hause will. Die Läden schließen gerade, und die Leuchtreklamen gehen aus. Trotzdem bin ich nach anderthalb Tagen im Zug und mit der Aussicht auf jede Menge weitere Zugkilometer froh, mich bewegen zu können.

Yao kauft an einem Lieferwagen zwei Orangensäfte. Ich habe eigentlich gar keinen Durst, aber ein wenig Vitamin C kann bei diesen Temperaturen sicher nicht schaden.

»Behalten Sie den Becher.«

Ich verstehe zwar nicht recht, wieso, widerspreche aber nicht. Wir gehen weiter, es scheint eine der Hauptgeschäftsstraßen von Jekaterinburg zu sein. Schließlich bleiben wir vor einem Kino stehen.

»Perfekt. Mit der Kapuze und dem Schal wird Sie niemand erkennen. Wir werden jetzt betteln.«

»Betteln?! Kommt nicht in Frage. Das habe ich seit meiner Hippiezeit nicht mehr getan. Außerdem wäre es anmaßend gegenüber denjenigen, die wirklich bedürftig sind.«

»Aber Sie *sind* bedürftig. Als wir die ›Heilig-Blut-Kathedrale‹ besucht haben, gab es Momente, in denen Sie vollkommen abwesend schienen, weit weg, gefangen in Ihrer Vergangenheit und den Zwängen Ihres Erfolges ausgesetzt. Ich mache mir auch Sorgen wegen des Mädchens, aber wenn *Sie* sich tatsächlich verändern wollen, kann Ihnen das Betteln dabei helfen, wieder unschuldiger, offener zu werden.«

Auch ich mache mir Sorgen um Hilal. Und obwohl ich weiß, was er meint, ist einer der vielen Gründe für diese

Reise nun mal die Rückkehr in die Vergangenheit, zu dem, was unter der Oberfläche liegt, zu meinen Wurzeln.

Ich überlege, ob ich ihm die Geschichte vom chinesischen Bambus erzählen soll, tue es dann aber doch nicht.

»Sie sind derjenige, der in der Vergangenheit feststeckt. Sie weigern sich, den Verlust Ihrer Frau hinzunehmen. Also bleibt sie hier, an Ihrer Seite, und versucht Sie zu trösten, obwohl sie eigentlich dem Göttlichen Licht entgegengehen sollte.«

Nach einer kurzen Pause fahre ich fort: »Niemand wird je einen anderen für immer verlieren. Wir alle gehen auf in einer einzigen Seele, die sich entwickeln muss, damit die Welt fortbesteht und wir einander darin wiederbegegnen können. Trauer kann dazu nichts beitragen.«

Yao denkt über meine Worte nach und sagt dann:

»Aber das ist nicht alles.«

»Das ist in der Tat nicht alles«, pflichte ich ihm bei. »Wenn der richtige Augenblick gekommen ist, erkläre ich es Ihnen genauer. Lassen Sie uns zum Hotel gehen.«

Stattdessen streckt mein Begleiter den Passanten seinen Becher entgegen und bittet um Geld. Anscheinend erwartet er von mir, dass ich das Gleiche tue.

»*Takuhatsu*, das Almosensammeln, ist eine Tradition der buddhistischen Mönche in Japan. Abgesehen davon, dass die Klöster von diesen Schenkungen leben, lehrt es den Schüler Demut. Außerdem erfüllt diese Praxis noch einen weiteren Zweck, weil so die Stadt ›gereinigt‹ wird, in der die Mönche leben. Ihrem Glauben nach stellen der Bettelnde, der Gebende und das Almosen ein Gleichgewicht dar. Man bettelt aus Bedürftigkeit, aber auch Geben gehorcht einer inneren

Notwendigkeit. Das Almosen dient als Verbindung zwischen diesen beiden Bedürfnissen, und die Atmosphäre in der Stadt verbessert sich, weil jeder das tun kann, was er tun muss. Sie sind ein Pilger, es wird Zeit, dass Sie den Städten etwas zurückgeben, die Sie besuchen.«

Ich bin so überrascht, dass ich nicht weiß, was ich sagen soll. Yao befürchtet, dass er womöglich zu weit gegangen ist, und will schon den Becher in die Tasche stecken, als ich sage:

»Nein! Es ist wirklich eine ausgezeichnete Idee!«

Für die nächsten zehn Minuten strecken wir, jeder auf einer Straßenseite, den Vorübergehenden unsere Becher hin und treten dabei von einem Fuß auf den anderen, um die Kälte zu vertreiben. Anfangs halte ich nur stumm den Becher hin, aber allmählich verliere ich meine Scheu und bitte um Hilfe – ein verirrter Fremder.

Ich hatte nie Probleme damit, andere um etwas zu bitten. Ich bin in meinem Leben vielen Menschen begegnet, die sich Gedanken um andere machen, die außerordentlich großzügig sind und die glücklich sind, wenn sie von jemandem um Rat oder um Unterstützung gebeten werden. Und so soll es auch sein; es ist schön, unserem Nächsten etwas Gutes zu tun. Aber ich bin nur wenigen Menschen begegnet, die auch Hilfe annehmen können – auch wenn sie noch so freimütig und herzlich angeboten wird. Sie scheinen sich dann unterlegen zu fühlen, als wäre es unwürdig, von jemandem abhängig zu sein. Wenn jemand etwas gibt, dann scheinbar nur, weil er uns außerstande sieht, es aus eigener Kraft zu erlangen. Oder um eines Tages die Zinsen einzufordern. Manche denken sogar, und das ist das Allerschlimmste, dass sie es nicht wert seien, dass ihnen geholfen wird.

Doch mich erinnern diese zehn Minuten auf der Straße in Jekaterinburg wieder daran, wer ich einmal war. Sie erziehen mich, befreien mich. Als ich schließlich zu Yao hinübergehe, habe ich umgerechnet elf Dollar in meinem Orangensaftbecher. Er kommt auf ungefähr den gleichen Betrag. Anders als sonst, habe ich diese Rückkehr in die Vergangenheit sehr genossen und dabei etwas empfunden, was ich lange schon nicht mehr erlebt habe. Nicht nur für mich, auch für die Stadt ein Gewinn.

»Was machen wir jetzt mit dem Geld?«, frage ich.

Einmal mehr ändert sich mein Eindruck von ihm. Er weiß Dinge, ich weiß andere Dinge, und es gibt keinen Grund, warum wir nicht weiterhin voneinander lernen sollten.

»Theoretisch gehört es uns, weil es uns gegeben wurde. Aber verwahren Sie es doch separat, und geben Sie es für etwas aus, das Sie für wichtig halten.«

Ich stecke die Münzen in meine linke Tasche und nehme mir vor, seinem Rat zu folgen. Wir gehen schnell in Richtung Hotel, denn die Zeit an der frischen Luft hat alle unsere Energiereserven vom Abendessen verbrannt.

***

In der Lobby erwartet uns Hilal. Sie ist in Begleitung einer äußerst attraktiven Frau und eines Mannes in Anzug und Krawatte.

»Hallo«, begrüße ich sie. »Ich kann gut verstehen, dass du dich entschieden hast, nach Hause zu gehen. Aber es war mir eine Freude, bis hierher mit dir zu reisen. Sind das deine Eltern?«

Der Mann zeigt keine Regung, die schöne Frau lacht.

»Wenn es nur so wäre! Dieses Mädchen ist ein Wunderkind! Schade, dass sie ihrem Talent nicht mehr Zeit widmen kann. Der Welt geht eine große Künstlerin verloren!«

Hilal scheint diese Bemerkung nicht gehört zu haben. Sie sieht mich an.

»›Hallo?‹ Ist das alles, was du mir zu sagen hast, nach dem, was im Zug passiert ist?«

Die Frau schaut entsetzt. Ich stelle mir vor, was sie gerade denkt: Was ums Himmels willen ist denn im Zug passiert? Schließlich könnte ich Hilals Vater sein.

Yao erklärt, er würde jetzt auf sein Zimmer gehen. Der Herr in Anzug und Krawatte verzieht noch immer keine Miene, möglicherweise, weil er kein Englisch versteht.

An die Frau gewandt sage ich: »Keine Angst, im Zug ist nichts ›passiert‹. Zumindest nicht das, was Sie sich gerade vorstellen. Und was dich betrifft, Hilal, was hätte ich sagen sollen? Dass ich dich vermisst habe? Ich war den ganzen Tag in Sorge um dich.«

Die Frau übersetzt dem Mann mit der Krawatte, und alle lächeln, auch Hilal. An meiner spontanen Reaktion konnte sie ablesen, dass sie mir tatsächlich gefehlt hat.

Ich bitte Yao, noch ein wenig zu bleiben, weil ich nicht weiß, wohin das Gespräch führen wird. Wir setzen uns und bestellen Tee. Die schöne Frau stellt sich als Hilals Geigenlehrerin vor und erklärt, der Mann, der sie begleite, sei der Direktor des Konservatoriums von Jekaterinburg.

»Ich denke, dass Hilal ihr Talent vergeudet«, sagt die Lehrerin. »Sie ist extrem unsicher. Ich habe wieder und wieder versucht, ihr das auszureden. Aber sie hat einfach kein

Vertrauen in ihre Fähigkeiten und denkt, dass die Leute nicht mögen, was sie spielt. Dabei stimmt das gar nicht.«

Hilal unsicher? Ich habe selten jemanden getroffen, der so genau weiß, was er will.

»Und wie alle sensiblen Menschen«, fährt die Lehrerin mit einem liebevollen Blick auf Hilal fort, »ist sie, nun ja … sagen wir … etwas instabil.«

»Instabil«, wiederholt Hilal laut. »Eine höfliche Umschreibung für VERRÜCKT.«

Die Lehrerin sieht sie liebevoll an und dreht sich dann wieder zu mir. Sie wartet darauf, dass ich etwas sage. Doch ich sage nichts.

»Ich weiß, dass Sie ihr helfen können. Man hat mir gesagt, dass Sie Hilal in Moskau haben spielen hören und dass sie dort viel Applaus bekommen hat. Das spricht für ihre Begabung, denn die Leute in Moskau sind, was Musik betrifft, sehr anspruchsvoll. Sie ist sehr diszipliniert, übt mehr als die meisten und hat hier in Russland schon mit einigen der großen Orchester gespielt, war sogar schon mit einem von ihnen auf Tournee. Aber dann ist irgendetwas passiert. Sie kommt nicht weiter.«

Ich bin mir sicher, die Frau meint es gut mit Hilal. Sie will ihr wirklich helfen. Doch dieses ›Sie kommt nicht weiter‹ lässt mich hellhörig werden, denn genau aus diesem Grund bin auch ich hier.

Der Herr mit der Krawatte kann am Gespräch nicht teilnehmen – er ist wohl einfach eine moralische Unterstützung für die schöne Frau mit dem sanften Blick und die begabte Geigerin. Yao gibt vor, ganz auf seinen Tee konzentriert zu sein.

»Was kann ich denn tun?«

»Das wissen Sie genau. Auch wenn sie kein Kind mehr ist, aber ihre Eltern machen sich trotzdem Sorgen. Sie kann nicht so mir nichts, dir nichts ihre Karriere aufs Spiel setzen, nur um einem Hirngespinst hinterherzujagen.«

Die schöne Frau bricht ab. Ihr ist klar, dass sie sich im Ton vergriffen hat.

»Oder, besser gesagt, sie kann jederzeit an den Pazifik reisen, aber nicht ausgerechnet während der Proben zu einem neuen Konzert.«

Ich stimme ihr zu. Doch egal, was ich sagen würde, Hilal ließe sich ohnehin nicht beeindrucken. Wer weiß, vielleicht hat sie die beiden auch nur mitgebracht, um mich auf die Probe zu stellen und herauszufinden, ob sie mir wirklich willkommen ist oder ob sie nicht lieber dableiben soll.

Ich erhebe mich und sage zu Hilals Lehrerin: »Es war nett, Sie kennenzulernen. Ich finde Ihr Engagement bewundernswert. Aber nicht ich habe Hilal eingeladen. Ich kenne sie doch kaum.«

Hilals Blick sagt »Lügner!«, doch ich fahre fort:

»Sollte sie also morgen im Zug nach Nowosibirsk sitzen, können Sie mich nicht dafür verantwortlich machen. Wenn es nach mir ginge, bliebe sie hier. Und wenn Sie sie davon abhalten können, mit uns weiterzufahren, wäre nicht nur ich Ihnen dankbar, sondern auch eine ganze Reihe anderer Fahrgäste.«

Yao und Hilal brechen in Gelächter aus.

Die schöne Frau bedankt sich und verspricht, mit Hilal ein ernstes Wort zu reden. Wir verabschieden uns, der Herr in Anzug und Krawatte drückt mir die Hand, lächelt mich an, und mit einem Mal habe ich das ungute Gefühl, dass ihm nichts lieber wäre, als wenn Hilal mit uns fahren würde. Offenbar ist sie auch für das Orchester eine Herausforderung.

Yao bedankt sich für den besonderen Abend und geht auf sein Zimmer. Hilal rührt sich nicht.

»Ich gehe jetzt schlafen. Du hast gehört, was ich denke. Ehrlich gesagt ist mir nicht ganz klar, warum du ausgerechnet zum Konservatorium gegangen bist. Wolltest du nachträglich um Erlaubnis für die Reise bitten? Oder deine Kollegen neidisch machen, indem du ihnen von deiner Reise erzählst?«

»Ich bin hingegangen, um herauszufinden, ob es mich wirklich gibt. Nach dem, was im Zug passiert ist, war ich mir über nichts mehr sicher. Was ist überhaupt passiert?«

Ich weiß genau, was sie meint. Ich erinnere mich, wie ich das erste Mal mit dem Aleph in Berührung kam, zufällig, 1982, im Konzentrationslager Dachau. Hinterher war ich tagelang völlig durcheinander, und ohne meine Frau, die mich eines Besseren belehrte, wäre ich überzeugt gewesen, einen Schlaganfall erlitten zu haben.

»Was genau hast du empfunden?«, will ich von Hilal wissen.

»Mein Herz hat wie verrückt geschlagen, und ich hatte das Gefühl, nicht mehr auf dieser Welt zu sein. Ich war völlig panisch und dachte, gleich muss ich sterben. Es war richtig unheimlich, und hättest du mich nicht am Arm gepackt, stünde ich wohl jetzt noch am selben Fleck. Mir war, als wären es ungeheuer wichtige Dinge, die da vor meinen Augen auftauchten, aber ich verstand überhaupt nichts.«

Am liebsten hätte ich gesagt: Daran musst du dich gewöhnen.

»Das Aleph«, sage ich.

»Ja, genau. Irgendwann während dieser schier endlosen Zeit, die ich wie in Trance verbrachte, hörte ich dich dieses Wort sagen.«

Schon allein die Erinnerung erfüllt sie wieder mit Angst. Das muss ich ausnutzen.

»Glaubst du, dass du die Reise fortsetzen solltest?«

»Mehr denn je. Angst hat schon immer einen besonderen Reiz auf mich ausgeübt. Du erinnerst dich doch noch an die Geschichte, die ich damals in der brasilianischen Botschaft in Moskau erzählt habe?«

Ich bitte sie, an die Bar zu gehen und Kaffee zu holen. Ich habe deshalb sie geschickt, weil wir die letzten Gäste sind und der Barmann es gar nicht erwarten kann, endlich die Lichter zu löschen und nach Hause zu gehen. Nach kurzem Hin und Her kommt sie mit zwei Tassen türkischem Kaffee zurück. Als Brasilianer macht es mir nichts aus, am Abend starken Kaffee zu trinken: Ob ich gut oder schlecht schlafe, hängt von anderen Dingen ab.

»Man kann das Aleph nicht erklären, das hast du selbst erlebt. Aber in der Magie zeigt es sich auf zweierlei Weise: Zum einen ist es ein Punkt im Universum, in dem Gegenwart, Vergangenheit und Zukunft aufgehoben sind. Im Allgemeinen stoßen wir zufällig darauf, wie wir in der Transsib.

Damit das geschehen kann, muss der Mensch – oder die Menschen – an dem Ort sein, an dem sich auch das Aleph in diesem konkreten Moment tatsächlich befindet. Wir nennen es das kleine Aleph.«

»Soll das heißen, dass jeder, der in die Transsib einsteigt und an diese Stelle zwischen den Waggons kommt, fühlt, was wir gefühlt haben?«

»Wenn du mich ausreden lässt, wirst du es vielleicht verstehen. Ja, derjenige wird es spüren, aber nicht so wie wir beide. Du bist sicher auch schon mal auf einer Party gewesen und hast bemerkt, dass du dich an einer bestimmten Stelle des Raumes wohler fühlst als anderswo. Das ist nur ein schwacher Abglanz des Aleph, aber die Göttliche Energie nimmt jeder Mensch anders wahr. Wenn du auf einer Party die Stelle findest, wird diese Energie dir helfen, selbstsicherer und präsenter zu sein. Falls jemand die entsprechende Stelle im Zug passiert, wird er das eigenartige Gefühl haben, auf einmal alles zu verstehen. Aber er wird nicht innehalten und dem Gefühl auf den Grund gehen, und im nächsten Moment wäre alles schon wieder vorbei.«

»Wie viele solcher Punkte gibt es auf der Welt?«

»Genau weiß ich das nicht. Aber wahrscheinlich Millionen.«

»Wie kann sich das Aleph noch zeigen?«

»Lass mich noch zu Ende reden. Das Beispiel mit der Party ist nur ein Vergleich. Das kleine Aleph erscheint immer zufällig. Du gehst durch eine Straße, setzt dich irgendwohin, und plötzlich ist dort das ganze Universum, und du nimmst es wahr. Du wirst das Bedürfnis haben, zu weinen – weder aus Traurigkeit noch vor Freude, sondern weil du nicht weißt, wohin mit deinen Gefühlen. Du weißt, dass du gerade etwas Wichtiges begreifst, auch wenn du es nicht benennen und schon gar nicht erklären kannst.«

Der Barmann kommt zu uns herüber, sagt etwas auf Russisch und gibt mir die Rechnung zum Unterzeichnen. Wir gehen zur Tür.

Vom Pfiff des Schiedsrichters gerettet?

Mitnichten.

»Erzähl weiter: und zweitens?«

»Zweitens gibt es das große Aleph.«

Ich beschließe, ihr lieber gleich alles auf einmal zu erklären, solange sie noch ins Konservatorium zurückkehren und alles vergessen kann, was geschehen war.

»Vom großen Aleph spricht man, wenn zwei oder mehr Menschen, die einander eng verbunden sind, sich zufällig im kleinen Aleph treffen. Die beiden unterschiedlichen Energien ergänzen sich und lösen eine Kettenreaktion aus. Diese beiden Energien …«

Ich überlege, ob ich fortfahren soll, aber Hilal beendet den Satz für mich:

»… sind wie der positive und der negative Pol einer Batterie, die notwendig sind, um eine Glühbirne zum Leuchten zu bringen. Sie werden zu ein und demselben Licht. Wie Planeten, die einander anziehen und am Ende kollidieren. Wie Liebende, die einander nach sehr, sehr langer Zeit wiederbegegnen. Das große Aleph kann auch durch einen Zufall ausgelöst werden, wenn zwei Menschen, die das Schicksal für etwas Bestimmtes erwählt hat, sich am richtigen Ort begegnen.«

Genau so ist es. Aber ich möchte sichergehen, dass sie es tatsächlich begriffen hat.

»Was meinst du mit ›am richtigen Ort‹?«, frage ich.

»Ich will damit sagen, dass es genau dieser Ort ist, der den Unterschied macht, ob zwei Menschen ihr ganzes Leben zusammen verbringen oder sich nach der ersten Begegnung gleich wieder für immer verabschieden. Dieser Ort ist es, der die Gefühle bei ihnen hervorbrächte, die sie auf dieser Welt vereinen würden – wenn sie zur richtigen Zeit gemeinsam dort wären. Es kann also sein, dass man sich verabschiedet, ohne die Bedeutung eines Treffens überhaupt erfasst zu haben. Aber wenn es Gottes Wille ist, dann werden diejenigen, die sich schon einmal geliebt haben, einander wiederbegegnen.«

»Nicht zwangsläufig. Auch Menschen, die schon einmal eine geistige Verwandtschaft gespürt haben wie mein Meister und ich beispielsweise –«

»... früher, in einem früheren Leben«, fällt mir Hilal erneut ins Wort. »Oder wenn man sich auf einer Party trifft, du hast es vorhin selbst gesagt, im kleinen Aleph, und sich sofort verliebt. Die berühmte Liebe auf den ersten Blick.«

Ich beschließe, bei Hilals Beispiel zu bleiben.

»Die natürlich keineswegs eine Liebe ›auf den ersten Blick‹ ist, sondern das vorläufig letzte in einer ganzen Reihe von Ereignissen, die in der Vergangenheit geschehen sind. Das soll nicht heißen, dass *jede* dieser Begegnungen in eine Liebesbeziehung mündet. Meistens kommt es dazu, weil in der Vergangenheit Dinge ungelöst geblieben sind und wir eine Wiederbegegnung brauchen, um sie zu vollenden. Du liest da etwas in die Situation hinein, was sie in Wahrheit nicht hergibt.«

»Ich liebe dich.«

»Nein, du verstehst mich vollkommen falsch!« Langsam werde ich ungehalten. »Ich habe die Frau, die für mich bestimmt ist, bereits gefunden. Hier, in dieser Inkarnation. Es hat dafür drei Ehen gebraucht, aber jetzt werde ich sie für nichts und niemand je verlassen. Wir haben uns vor vielen Jahrhunderten kennengelernt und werden für alle Zeiten zusammenbleiben.«

Aber Hilal will all das gar nicht hören. Wie schon in Moskau küsst sie mich flüchtig auf den Mund und verschwindet in der eisigen Nacht von Jekaterinburg.

Träumer lassen sich nicht zähmen

Das Leben ist der Zug, nicht der Bahnhof. Und nachdem wir nun schon fast wieder zwei Reisetage hinter uns haben, bedeutet es außerdem Erschöpfung, Orientierungslosigkeit und eine wachsende Anspannung zwischen den Menschen, die auf so engem Raum zusammenleben. Die Sehnsucht nach den Tagen in Jekaterinburg wächst.

Am Tag unserer Abreise hat mich an der Rezeption des Hotels eine Nachricht von Yao erwartet, ob ich nicht Lust hätte, etwas Aikido zu trainieren. Doch ich hatte mich nicht bei ihm gemeldet, denn ich wollte ein paar Stunden allein sein.

Ich hatte mich den ganzen Morgen mit Joggen und Spazierengehen körperlich verausgabt, damit ich abends in der Transsib müde genug wäre, um trotz des Schaukelns einschlafen zu können. Ich hatte mit meiner Frau telefoniert (mein Handy hatte im Zug nicht funktioniert) und ihr meine Zweifel am Sinn dieser Reise eingestanden. Ich wüsste noch nicht, ob ich bis zum Schluss durchhalten würde, obwohl es bisher durchaus eine nützliche Erfahrung gewesen sei.

Sie hatte gemeint, ich solle entscheiden, wie es für mich am besten sei, und mir keine Gedanken machen, sie sei voll und ganz mit ihrer Malerei ausgelastet. Allerdings habe sie einen Traum gehabt, den sie nicht verstehe: Ich sei an einem

Strand gewesen, jemand sei aus dem Meer gekommen und habe mir gesagt, meine Mission sei endlich erfüllt. Dann sei diese Person verschwunden.

Ich hatte gefragt, ob es sich um eine Frau oder einen Mann gehandelt habe. Das hatte sie jedoch nicht sagen können, da das Gesicht von einer Kapuze verborgen gewesen sei. Sie hatte mich gesegnet und wiederholt, ich solle mir keine Sorgen machen. In Rio sei es unerträglich heiß, obwohl es schon Herbst sei. Zum Schluss hatte sie mich ermahnt, meiner Intuition zu folgen, egal, was die anderen sagten.

»In diesem Traum war übrigens eine Frau mit dir am Strand, eine Frau oder ein junges Mädchen, genau weiß ich es nicht.«

»Es fährt eine junge Frau mit uns. Keine Ahnung, wie alt sie ist, aber bestimmt noch keine dreißig.«

»Vertraue ihr.«

***

Nachmittags traf ich mich dann mit meinem Verleger und meiner Lektorin und gab einige Interviews. Nach dem anschließenden Abendessen in einem ausgezeichneten Restaurant brachen wir gegen dreiundzwanzig Uhr gemeinsam zum Bahnhof auf.

Den Ural, jenen Gebirgszug, der Europa von Asien trennt, durchquerten wir in vollkommener Dunkelheit. Es war absolut nichts zu sehen.

Schon bald stellte sich wieder die alte Routine ein. Bei Tagesanbruch erschienen alle wie auf ein geheimes Signal hin zum Frühstück. Erneut hatte keiner ein Auge zubekommen. Nicht einmal Yao, der an diese Art des Reisens gewöhnt ist. Er sah immer müder und trauriger aus.

Wie gewöhnlich erwartete Hilal mich bereits. Und wie gewöhnlich hatte sie besser als alle anderen geschlafen. Während wir frühstückten, klagten wir einmal mehr über das Schaukeln des Waggons, und anschließend ging ich zurück in mein Abteil, um noch etwas Schlaf zu bekommen. Nach ein paar Stunden stand ich wieder auf, nur um im Salon auf dieselben Leute zu treffen. Wir redeten über die Tausende von Kilometern, die noch vor uns lagen, schauten aus dem Fenster, rauchten, lauschten dem Gedudel aus den Zuglautsprechern.

Hilal war auf einmal sehr schweigsam. Sie setzte sich immer in dieselbe Ecke, schlug ein Buch auf und kapselte sich so von der Gruppe ab. Das schien außer mir niemanden zu stören, doch ich fand ihr Verhalten den anderen gegenüber ziemlich respektlos. Da ihr Schweigen jedoch bei weitem besser war als die ständigen unpassenden Bemerkungen, sagte ich nichts.

Nach dem Mittagessen schrieb ich in meinem Abteil ein paar Zeilen oder versuchte zu schlafen oder zumindest zu dösen. Kaum einer von uns hatte noch ein Gefühl für die Zeit. Niemand scherte sich mehr darum, ob es Tag war oder Nacht; wir richteten uns einzig nach den Mahlzeiten, ein Tagesablauf, wie ich ihn mir bei Gefängnisinsassen vorstellte.

Wenn wir uns dann irgendwann erneut im Salon versammelten, war das Abendessen aufgetragen, es wurde mehr Wodka als Mineralwasser getrunken, mehr geschwiegen als miteinander geredet. Mein Verleger erzählte mir, dass Hilal, wenn ich nicht in der Nähe sei, eine imaginäre Geige spiele, als würde sie üben. Ich weiß, dass Schachspieler das auch tun: Sie führen ohne Schachbrett ganze Partien im Kopf aus.

»Ja, sie spielt lautlose Musik für unsichtbare Wesen. Vielleicht brauchen die es.«

***

Ein weiteres Frühstück. Inzwischen haben wir uns alle recht gut an unsere neuen Lebensumstände gewöhnt. Mein Verleger beschwert sich, dass sein Handy nicht ordentlich funktioniert (meines funktioniert überhaupt nicht). Seine Frau ist wie eine Haremsdame gekleidet, was mich gleichzeitig amüsiert und verwundert. Obwohl sie kein Englisch spricht, verstehen wir uns durch Gesten und Blicke ganz ausgezeichnet. Heute allerdings sind die Dinge in Bewegung. Hilal beschließt, am Gespräch teilzunehmen, und beschreibt die Schwierigkeiten, sich als Musiker seinen Lebensunterhalt zu verdienen. Trotz allen Ansehens verdiene ein Musiker häufig weniger als ein Taxifahrer.

»Wie alt sind Sie?«, fragt meine Lektorin.

»Einundzwanzig.«

»Das hätte ich nie gedacht.«

Sie sagt es so, als würde Hilal wesentlich älter aussehen. Und das stimmt auch. Ich wäre nie auf die Idee gekommen, dass sie noch so jung ist.

»Der Direktor des Konservatoriums hat mich im Hotel in Jekaterinburg aufgesucht«, fährt die Lektorin fort, »hat mir gesagt, Sie seien eine der begabtesten Geigerinnen, die er je gesehen hat. Aber dass Sie ganz plötzlich das Interesse an der Musik verloren hätten.«

»Das war das Aleph«, antwortet sie und meidet meinen Blick.

»Das Aleph?«

Alle schauen sie überrascht an. Ich gebe vor, nicht zugehört zu haben.

»Genau. Das Aleph. Etwas in meiner Vergangenheit hat meine Energiebahnen blockiert. Also musste ich das Aleph finden.«

Das Gespräch scheint auf einmal eine vollkommen surreale Wendung genommen zu haben. Ich schweige weiter, aber mein Verleger versucht, die Situation zu retten.

»Unser Verlag hat auch ein Buch über Mathematik im Programm, in dem dieses Wort im Titel vorkommt. In der Fachsprache bedeutet es ›die Zahl, die alle Zahlen enthält‹. Es geht darin um die Kabbala der Mathematik. Offenbar bezeichnen die Mathematiker mit ›Aleph‹ die Mächtigkeit unendlicher Mengen ...«

Niemand scheint seiner Erklärung zu folgen, also bricht er mitten im Satz ab.

»Das Aleph kommt auch in der Apokalypse vor«, sage ich, als würde ich mich einfach nur in die Unterhaltung einbringen wollen. »Dort wird das Lamm Gottes als Anfang und Ende definiert, als das, was jenseits der Zeit liegt. Es ist der erste Buchstabe des hebräischen, arabischen und aramäischen Alphabets.«

Meiner Lektorin missfällt es offenkundig, dass sich Hilal mit ihrer Bemerkung in den Mittelpunkt des Interesses gespielt hat. Sie kann sich nicht verkneifen, ein wenig zu sticheln.

»Wie auch immer, für eine Einundzwanzigjährige, die gerade die Musikausbildung beendet und eine glänzende Karriere vor sich hat, scheint eine Reise von Jekaterinburg nach Moskau und zurück nicht gerade das Naheliegendste.«

»Vor allem, wenn sie *spalla* ist.«

Hilal hat es genossen, welche Verwirrung das Wort Aleph hervorgerufen hatte. Es macht ihr ganz offensichtlich Spaß, die Lektorin mit einem weiteren mysteriösen Begriff zu provozieren.

Wieder einmal ist die Luft zum Schneiden. Da greift Yao ein:

»Sie sind schon *spalla*? Glückwunsch!«

Und er wendet sich an den Rest der Gruppe:

»Wie Sie sicher alle wissen, ist der *spalla* der erste Geiger oder Konzertmeister. Der letzte Musiker, der vor dem Dirigenten die Bühne betritt und immer links vorn am ersten Pult sitzt. Er überwacht zudem das Einstimmen der Instrumente. Ich kann dazu eine interessante Geschichte erzählen, die sich ausgerechnet in Nowosibirsk ereignet hat, unserer nächsten Station. Möchten Sie sie hören?«

Alle stimmen zu, weil dadurch ein handfester Streit zwischen Hilal und der Lektorin noch einmal aufgeschoben werden kann. Nach einem sterbenslangweiligen Vortrag über die Sehenswürdigkeiten von Nowosibirsk sind die Gemüter besänftigt, unser Grüppchen verteilt sich auf die Abteile, um etwas zu schlafen, und ich frage mich zum x-ten Mal, wie ich bloß auf die Idee kommen konnte, einen ganzen Kontinent mit dem Zug zu durchqueren.

»Oh, ich habe vergessen, den Gedanken des Tages anzubringen.«

Yao schreibt auf ein Post-it: ›Träumer können nicht gezähmt werden‹, und heftet es an den Spiegel neben das vom Vortag.

»Ein Fernsehjournalist wartet an einem der nächsten Bahnhöfe und fragt an, ob er ein Interview mit Ihnen machen darf«, informiert mich mein Verleger.

Selbstverständlich. Mir ist jede Zerstreuung recht, alles, was die Zeit schneller vergehen lässt.

»Vielleicht sollten Sie mal etwas über Schlaflosigkeit schreiben«, schlägt der Verleger vor. »Wer weiß, vielleicht hilft es Ihnen beim Einschlafen.«

»Ich möchte dich auch interviewen«, verkündet Hilal. Sie hat offensichtlich die Lethargie der letzten Tage abgeschüttelt.

»Mach einen Termin mit meinem Verleger«, empfehle ich ihr.

Ich gehe in mein Abteil, lege mich hin und verbringe wie üblich die nächsten zwei Stunden damit, mich hin und her zu wälzen. Meine biologische Uhr ist inzwischen vollkommen aus dem Lot. Und wie jeder, der nicht schlafen kann, nehme ich mir vor, in dieser Zeit über interessante Dinge nachzudenken, was sich natürlich als vollkommen undurchführbar erweist.

Plötzlich höre ich Musik. Anfangs glaube ich, dass ich ohne mein Zutun wieder mit der spirituellen Welt verbunden sei, bis mir klar wird, dass ich außer der Musik auch die Räder auf den Schienen und das Klappern der Gegenstände auf meinem Tisch höre.

Die Musik ist real. Und sie kommt aus dem Badezimmer. Als ich die Tür öffne, sehe ich Hilal. Sie steht mit einem Fuß in der Badewanne und versucht, so gut es geht, das Gleichgewicht zu halten, während sie ihre Geige spielt. Sie lächelt, als sie mich sieht, denn ich trage nur meine Boxershorts. Aber die Situation hat etwas so Vertrautes, dass ich mir nicht die Mühe mache, eine Hose anzuziehen.

»Wie bist du hereingekommen?«

Sie unterbricht ihr Spiel nicht. Mit dem Kopf weist sie auf die Tür des angrenzenden Abteils. Ich nicke und setze mich ans andere Ende der Badewanne.

Hilal sagt:

»Heute Morgen wusste ich beim Aufwachen, dass ich dir helfen muss, wieder mit der Energie des Universums in Kontakt zu treten. Gott ist durch meine Seele gegangen und hat mir versichert, dass, wenn es dir gelingt, auch ich es schaffen kann. Und er hat mich gebeten, hierherzukommen und für dich zu spielen, so dass du schlafen kannst.«

Ich habe ihr gegenüber nie erwähnt, dass ich manchmal das Gefühl habe, diesen Kontakt verloren zu haben. Ihre Geste rührt mich. Da sind wir nun und versuchen, in dem hin und her schaukelnden Eisenbahnwaggon das Gleichgewicht zu halten. Der Bogen streicht über die Saiten, und die Saiten bringen Töne hervor, die sich im Raum ausbreiten. Der Raum selbst wird zu Musik, und alles ist erfüllt von Frieden und dem Göttlichen Licht, das allem Lebendigen innewohnt – und alles das durch ein einfaches Instrument.

Hilals Seele ist in jedem einzelnen Ton, in jedem Akkord. Das Aleph hat mir ein wenig über die Frau enthüllt, die ich jetzt vor mir habe. Ich erinnere mich nicht an jede Einzelheit unserer gemeinsamen Geschichte, aber ich weiß, wir sind uns schon einmal begegnet. Ich hoffe, sie wird nie herausfinden, unter welchen Umständen. In diesem Moment umgibt sie mich mit der Kraft der Liebe, so wie sie es möglicherweise schon in der Vergangenheit getan hat und hoffentlich noch lange tun wird, denn nur Liebe kann uns retten, ungeachtet all unserer Fehler. Die Liebe ist immer stärker.

Ich beginne ihr in Gedanken die Kleider anzulegen, die sie getragen hatte, als ich das letzte Mal allein mit ihr gewesen bin, bevor Männer in die Stadt gekommen sind und alles sich verändert hat: besticktes Wams, weiße Spitzenbluse, ein knöchellanger Rock aus schwarzem golddurchwirktem Samt. Ich höre, wie sie mir von ihren Zwiegesprächen mit Vögeln erzählt und davon, was die Vögel den Menschen zu sagen hätten, auch wenn diese nicht in der Lage seien, sie zu verstehen. In diesem Augenblick bin ich ihr Freund, ihr Beichtvater, ihr …

Halt. Ich will diese Tür nicht öffnen, nicht, wenn es sich vermeiden lässt. Viermal bin ich schon auf der anderen Seite gewesen, und nie hat es mir etwas gebracht. Ja, ich erinnere mich noch an alle acht Frauen, die dort gewesen waren, und vertraue darauf, eines Tages die Antwort zu bekommen, die noch fehlt. Doch all das hat mich bisher nie von meinem jetzigen Leben abgehalten. Als die erste Antwort kam, bin ich erschrocken gewesen, aber dann habe ich erkannt, dass Vergebung nur dann einen Sinn hat, wenn man sie annimmt.

Und genau das habe ich getan.

In der Bibel wird ein Augenblick beim letzten Abendmahl beschrieben, in dem Jesus voraussagt, dass einer seiner Jünger ihn verleugnen, ein anderer ihn verraten wird. Beides wiegt für ihn gleich schwer. Judas verrät ihn – und erhängt sich schließlich, von Schuldgefühlen zerfressen. Petrus verleugnet ihn – nicht nur ein, sondern gleich drei Mal. Er hätte genug Zeit gehabt, seinen Fehler einzusehen, doch er blieb dabei. Anstatt sich selbst jedoch zu bestrafen, macht er aus seiner Schwäche eine Stärke: Er wird zum ersten großen Verkünder der Botschaft dessen, den er verleugnet hatte, als der ihn am meisten gebraucht hatte.

Mit anderen Worten: Die Botschaft der Liebe überwog die Sünde. Judas hat das nicht begriffen, Petrus aber wohl und machte es sich zunutze.

Ich will diese Tür nicht öffnen, denn sie ist wie ein Damm, der einen Ozean zurückhält. Ein einziges kleines Loch, und schon würde er bersten und das Wasser alles überschwemmen, was nicht überschwemmt werden sollte. Ich befinde mich in einem Zug, und alles, was in diesem Augenblick zählt, ist eine junge Türkin namens Hilal, die Konzertmeisterin ist und in meinem Bad Geige spielt. Langsam werde ich schläfrig – die Medizin wirkt. Mein Kopf sinkt auf die Brust, die Augen fallen mir zu. Hilal unterbricht ihr Spiel nur, um mir zu sagen, dass ich mich aufs Bett legen soll. Ich gehorche.

Sie setzt sich auf einen Stuhl und spielt weiter. Und plötzlich bin ich nicht mehr im Zug und auch nicht in jenem Garten, in dem ich sie in der weißen Bluse gesehen habe, sondern falle durch einen endlos langen Tunnel, der mich ins Nichts führen wird, in tiefen, traumlosen Schlaf. Das Letzte, woran ich denke, ist der Satz, den Yao am Morgen an den Spiegel geheftet hat.

Eine Stimme weckt mich.

»Der Journalist ist da.«

Es ist noch hell, der Zug steht in einem Bahnhof. Ich gehe etwas benommen zur Tür und öffne sie einen Spaltbreit. Draußen wartet mein Verleger.

»Wie lange habe ich geschlafen?«

»Fast den ganzen Tag. Es ist jetzt fünf Uhr nachmittags.«

Ich bitte um einen Augenblick Zeit, um zu duschen und richtig wach zu werden, damit ich dem Journalisten gegenüber nicht irgendetwas sage, was ich später bereuen könnte.

»Kein Problem. Der Zug hält hier noch mindestens eine Stunde.«

Wie gut, dass wir stehen: In einem schwankenden Zug zu duschen hat seine Tücken, schnell ist man ausgerutscht, und dann beendet man die Reise auf die denkbar unangenehmste Art und Weise – auf Krücken. Immer wenn ich in diese Badewanne steige, habe ich das Gefühl, auf einem Surfbrett zu stehen. Aber heute ist es kein Problem.

Eine Viertelstunde später bin ich fertig, trinke mit den anderen einen Kaffee, und dann werde ich auch schon dem Journalisten vorgestellt.

Auf die Frage, wie lange er für sein Interview brauchen wird, erwidert er:

»Das bleibt Ihnen überlassen. Ich hatte mir vorgestellt, dass ich Sie bis zur nächsten Station begleite und –«

»Zehn Minuten. Dann können Sie hier noch aussteigen, ich möchte Ihnen keine Umstände machen.«

»Aber ich bitte Sie!«

»Ich möchte Ihnen wirklich keine Umstände machen«, wiederhole ich. Ich hätte dem Journalisten nie zusagen sollen, offenbar hatte ich mich erweichen lassen, als ich nicht geradeaus denken konnte. Der Zweck dieser Reise ist ein ganz anderer.

Der Journalist blickt den Verleger an, der angelegentlich zum Fenster hinausschaut. Yao fragt, ob der Tisch ein guter Platz zum Filmen sei.

»Mir wäre es draußen, zwischen den Waggons lieber.«

Hilal wirft mir einen Blick zu. Dort ist das Aleph.

Hat sie es nicht allmählich satt, immer an diesem Tisch zu sitzen? Ob sie mich beim Schlafen beobachtet hat, nachdem sie mich mit ihrer Musik an einen Ort außerhalb von Zeit und Raum versetzt hatte? Ich nehme mir vor, sie zu einem späteren Zeitpunkt darauf anzusprechen.

»Gut«, antworte ich. »Stellen Sie Ihre Kamera auf. Aber warum ausgerechnet an diesem engen, lauten Platz, wenn wir es hier so ruhig haben könnten?«

Der Journalist und der Kameramann sind schon auf dem Weg dorthin, und uns bleibt nichts anderes übrig, als ihnen zu folgen.

»Warum hier?«, frage ich noch einmal, während sie die Ausrüstung aufbauen.

»Um dem Fernsehzuschauer ein realistisches Gefühl zu vermitteln. Hier spielt sich alles ab. Die Leute treten aus ihrem Abteil, und weil der Gang zu eng ist, kommen sie hierher zum Reden. Hier wird geraucht, oder man trifft sich zu einem Rendezvous. Am Ende jedes Waggons gibt es so einen Raum.«

Dorthinein quetschen sich jetzt der Interviewer, mein Verleger, der Dolmetscher, Hilal und ein Koch, der zusehen will.

»Könnten wir ein bisschen mehr Privatsphäre haben?«

Obwohl ein Fernsehinterview alles andere als privat ist, ziehen sich der Verleger und der Koch zurück. Hilal und der Dolmetscher dagegen rühren sich nicht vom Fleck.

»Können Sie bitte etwas nach links rücken?«

Nein, kann ich nicht. Dort befindet sich das Aleph, für alle Menschen, zu allen Zeiten. Auch wenn ich weiß, dass wir nur dann noch einmal in diesen bestimmten Punkt eintauchen würden, wenn wir ganz nah beieinanderstünden und obwohl Hilal sicheren Abstand wahrt, gehe ich das Risiko lieber nicht ein.

Die Kamera läuft.

»Sie haben uns erzählt, dass Sinn und Zweck dieser Reise nicht die Promotion eines Ihrer Bücher sei. Was war dann der Grund für Ihre Reise mit der Transsib?«

»Weil ich es gern einmal erleben wollte. Ein Jugendtraum. Nichts weiter.«

»Wenn ich richtig informiert bin, ist dieser Zug nicht gerade die bequemste Art zu reisen.«

Ich schalte meinen Autopiloten an und antworte, ohne viel nachzudenken. Eine Frage folgt der anderen – was eine solche Reise für eine Erfahrung sei, was ich mir davon erwartete, über die Begegnungen mit meinen Lesern unterwegs. Ich antworte geduldig, höflich, kann aber das Ende des Interviews kaum erwarten. Ich schätze, dass die zehn Minuten sicher schon um sind, aber der Journalist fragt immer weiter. Diskret, so dass es die Kamera nicht aufnimmt, mache ich ihm ein Zeichen, dass jetzt Schluss ist. Der Journalist scheint etwas irritiert, fängt sich aber schnell wieder.

»Reisen Sie allein?«

In meinem Kopf beginnt eine Warnleuchte zu blinken. Also spricht man bereits darüber. Und mir wird klar, dass dies der einzige Grund für das improvisierte Interview ist.

»Keineswegs. Sie haben doch sicher all die Leute gesehen, die drinnen um den Tisch herum sitzen.«

»Offensichtlich ist eine Konzertmeisterin vom Konservatorium in Jekaterinburg –«

Wie jeder gute Journalist hatte er sich die heikelste Frage bis zum Ende aufgespart. Aber dies ist nicht das erste Interview, das ich in meinem Leben gebe.

»Ja, sie ist zufällig mit demselben Zug unterwegs«, falle ich ihm ins Wort. »Als ich davon erfuhr, habe ich sie eingeladen, uns, sooft sie Lust hat, in unserem Waggon zu besuchen. Ich liebe Musik.«

Ich zeige auf Hilal.

»Sie ist eine sehr begabte junge Frau. Hin und wieder macht sie uns die Freude, für uns zu spielen. Wollen Sie sie nicht interviewen? Ich bin sicher, sie beantwortet Ihre Fragen sehr gern.«

»Falls noch Zeit bleibt.«

Nein, er ist definitiv nicht hier, um über Musik zu sprechen. Aber er wechselt dennoch das Thema.

»Was bedeutet Gott für Sie?«

»Wer Gott kennt, beschreibt ihn nicht. Wer Gott beschreibt, kennt ihn nicht.«

Wow!

Ich bin selbst überrascht über meine Worte. Obwohl man mir die Frage schon unendlich viele Male gestellt hat, war meine automatische Antwort immer gewesen: »Als Gott sich Moses zeigte, sagte er: ›Ich bin.‹ Daher ist Gott weder Subjekt noch Prädikat, sondern das Verb, der Prozess.«

Yao tritt zu uns.

»Perfekt. Beenden wir hiermit das Interview. Vielen Dank für Ihre Zeit.«

Wie Tränen im Regen

Ich gehe in mein Abteil und notiere mir fieberhaft alles, worüber ich soeben mit den anderen gesprochen habe. Bald erreichen wir Nowosibirsk. Ich darf nichts vergessen, nicht das kleinste Detail. Gleichgültig, wer was gefragt hat. Wenn es mir gelingt, meine Antworten festzuhalten, werden sie mir großartiges Material zum Nachdenken liefern.

***

Ich nehme an, dass der Journalist sich nicht sofort verabschieden wird, und so bitte ich Hilal, ihre Geige zu holen. Wenn der Kameramann sie filmt, würde später ein breites Publikum ihre Musik hören. Doch der Journalist entschuldigt sich unter dem Vorwand, am nächsten Bahnhof der Redaktion sein Material schicken zu müssen.

Hilal kommt mit der Geige zurück, die sie im leeren Abteil hinter meinem hatte liegenlassen.

Meine Lektorin reagiert sauer:

»Sie meinen doch nicht etwa, Sie könnten einfach so, gratis, dieses Abteil belegen, oder?«

Mein Blick muss Bände gesprochen haben, denn sie lässt das Thema sofort wieder fallen.

»Sie könnten ja trotzdem etwas spielen«, schlägt Yao vor.

Nachdem der Schaffner die Lautsprecher abgestellt hat, bitte ich Hilal, ein kurzes Stück auszuwählen.

Die Stimmung im Salon hellt sich unvermittelt auf, alle bemerken es, denn unsere Müdigkeit ist auf einmal wie weggeblasen. Ein Gefühl tiefen Friedens erfüllt mich, umfassender noch als wenige Stunden zuvor in meinem Abteil.

Wie konnte ich in den letzten Monaten nur ständig klagen, dass ich die Verbindung zur Göttlichen Energie verloren hätte? Was für ein Unsinn! Wir sind immer mit ihr verbunden, nur lässt uns die Routine das oft nicht erkennen.

»Ich habe das Bedürfnis, zu reden, weiß aber nicht genau, worüber, also fragen Sie mich einfach irgendetwas«, sage ich in die Runde.

Es würde nicht ich sein, der da spräche. Doch wie sollte ich das erklären?

»Bist du mir schon irgendwo in der Vergangenheit begegnet?«, fragt Hilal sofort.

Will sie tatsächlich, dass ich darauf antworte? Hier? Vor allen?

»Das spielt keine Rolle. Wichtig ist, wo jeder von uns *jetzt* seinen Platz hat, im gegenwärtigen Augenblick. Wir sind es gewohnt, die Zeit wie die Entfernung zwischen Moskau und Wladiwostok zu messen. Aber das entspricht nicht den Tatsachen. Die Zeit bewegt sich nicht und steht doch auch nicht still. Die Zeit verändert sich. Wir nehmen einen Punkt in dieser ständigen Veränderung ein, unser Aleph. Die Vorstellung davon, dass die Zeit vergeht, ist wichtig, wenn man einen Zug erreichen will, aber sonst nützt sie nur wenig. Nicht einmal beim Kochen. Jedes Mal, wenn wir ein Rezept noch einmal kochen, ist das Ergebnis anders. Versteht ihr, was ich meine?«

Nachdem Hilal einmal das Eis gebrochen hat, beginnen alle zu fragen:

»Sind wir das Ergebnis dessen, was wir gelernt haben?«

»Wir lernen in der Vergangenheit, aber wir sind kein direktes Ergebnis des Gelernten. Wir mögen in der Vergangenheit gelitten, in der Vergangenheit geliebt, geweint und gelacht haben. Doch können wir diese Erfahrung nur beschränkt auf die Gegenwart anwenden. Denn die Gegenwart hat ihre eigenen Herausforderungen, ihre guten und ihre schlechten Seiten. Wir können die Vergangenheit nicht für die Gegenwart verantwortlich machen, weder im Guten noch im Schlechten. Wenn wir lieben, fühlt es sich nie zweimal gleich an; es ist immer ganz neu.«

Ich spreche zu ihnen, aber auch mit mir selbst.

»Ist es möglich, Liebe unverändert von der Zeit zu erhalten?«, frage ich. »Wir könnten es versuchen, würden uns aber das Leben zur Hölle machen.

Ich bin nicht seit mehr als zwei Jahrzehnten mit demselben Menschen verheiratet. Ganz und gar nicht! Weder meine Frau noch ich sind heute die, die wir einmal waren. Das ist auch der Grund, warum unsere Beziehung immer lebendig bleibt. Ich erwarte nicht von ihr, dass sie sich so verhält wie damals, als wir uns kennengelernt haben. Und sie möchte ebenso wenig, dass ich immer noch der bin, der ich war, als sie mich getroffen hat. Die Liebe steht außerhalb der Zeit. Oder, besser gesagt, die Liebe ist Zeit und Raum zugleich in einem einzigen, sich ständig verändernden Punkt, dem Aleph.«

»Den meisten Leuten fällt es schwer, so zu denken. Sie wollen, dass alles so bleibt …«

»… wie es ist, und die Folge ist Leid und nichts als Leid«, beende ich den Satz. »Wir sind nicht das, was die Leute von uns erwarten, oder so wie sie sich uns wünschen. Wir sind, wer wir zu sein beschlossen haben. Den anderen die Schuld zu geben ist immer einfach. Damit kannst du dein ganzes Leben zubringen, aber letztlich bist du allein für deine Erfolge oder deine Niederlagen verantwortlich. Du kannst versuchen, die Zeit anzuhalten, aber damit vergeudest du nur deine Energien.«

Der Zug bremst plötzlich, und alle fahren erschrocken zusammen. Ich versuche, selbst auch aufzunehmen, was ich sage, und bin mir nicht sicher, ob die Leute am Tisch mir noch folgen können.

»Stellt euch vor, der Zug hätte eben nicht gebremst, es hätte einen Unfall gegeben. Ende. Aus. Alle Erinnerungen würden verloren sein in der Zeit wie Tränen im Regen, wie der Android in *Blade Runner* sagt. Aber stimmt das wirklich? Nein, denn nichts verschwindet, alles wird in der Zeit aufgehoben. Wo ist mein erster Kuss archiviert? An einer verborgenen Stelle in meinem Gehirn? In einer Reihe von bereits deaktivierten elektrischen Impulsen? Und dabei ist mein erster Kuss lebendiger denn je, ich werde ihn nie vergessen. Er ist hier. Er ist Teil meines Alephs.«

»Aber es gibt so viele ungelöste Probleme im *Jetzt* …«

»Sie haben ihre Ursache in dem, was du ›Vergangenheit‹ nennst, und sie warten auf eine Entscheidung in dem, was du ›Zukunft‹ nennst. Sie verstopfen deinen Geist und wirken dadurch lähmend und hindern dich so daran, die Gegenwart, das Hier und Jetzt zu begreifen. Sich ausschließlich auf die Erfahrung verlassen bedeutet, alte Lösungen auf neue Probleme anzuwenden. Ich kenne viele Menschen, die nur für ihre Probleme leben. Die machen ihre ganze Existenz aus, weil diese Probleme mit dem verbunden sind, was sie für ›ihre Geschichte‹ halten.«

Da keiner etwas sagt, fahre ich mit meiner Erklärung fort:

»Es kostet viel Kraft, sich von der Vergangenheit zu lösen, aber wenn du es schaffst, wirst du erkennen, dass du viel mehr vermagst, als du glaubst. Du bewohnst diesen unendlich großen Körper, das Universum, in dem alle Lösungen und alle Probleme enthalten sind. Besuche deine Seele, nicht deine Vergangenheit! Das Universum durchläuft viele Mutationen und trägt dabei die Vergangenheit mit sich. Jede dieser Mutationen nennen wir ›ein Leben‹. Aber so wie die Zellen deines Körpers sich verändern und du trotzdem immer ein und dieselbe Person bist, vergeht auch die Zeit nicht, sie verändert sich nur. Du glaubst, du bist dieselbe Person, die du in Jekaterinburg gewesen bist. Doch das stimmt nicht. Ich bin jetzt schon nicht mehr derselbe, der ich war, als ich angefangen habe zu sprechen. So wie der Zug sich inzwischen von der Stelle wegbewegt hat, an der Hilal zu spielen begonnen hat. Alles hat sich verändert, bloß werden wir uns dessen nicht bewusst.«

»Aber eines Tages endet dieses Leben doch …«, meint Yao.

»Endet es denn? Der Tod ist doch nichts weiter als eine Pforte in eine andere Dimension.«

»Und dennoch, was immer Sie auch sagen: eines Tages

verschwinden die Menschen, die wir lieben, und auch wir selbst.«

»Die Menschen, die wir lieben, verlieren wir nie«, sage ich. »Sie begleiten uns, sie verschwinden nicht aus unserem Leben. Es ist eher so, als würden wir uns in verschiedenen Räumen aufhalten. Auch wenn ich nicht sehen kann, was sich im Waggon vor meinem befindet, so sind doch dort Menschen, die gleichzeitig mit mir, mit Ihnen, mit uns allen reisen. Dass wir nicht mit ihnen reden können, nicht wissen, was im Waggon vor uns passiert, ist vollkommen irrelevant. Sie sind dort. Denn was wir ›Leben‹ nennen, ist ein Zug mit vielen Wagen. Manchmal befinden wir uns im einen, manchmal in einem anderen, und dann wieder wechseln wir von einem in den anderen, zum Beispiel wenn wir träumen oder wenn wir es mit etwas abseits des Gewöhnlichen zu tun haben.«

»Aber wir können sie weder sehen noch mit ihnen kommunizieren.«

»Doch, das können wir. Jede Nacht, wenn wir schlafen, wechseln wir auf eine andere Ebene. Wir sprechen mit den Lebenden, mit denen, die wir für tot halten, mit denen, die sich in einer anderen Dimension aufhalten, mit uns selbst – den Menschen, die wir einmal waren und die wir einmal sein werden.«

Der Strom der Energie, der meine Worte gespeist hat, beginnt zu versiegen, ich spüre, dass ich die Verbindung zum Göttlichen jeden Moment verlieren kann.

»Die Liebe ist immer stärker als das, was wir Tod nennen. Deshalb brauchen wir um die Menschen, die wir lieben, nicht zu weinen, denn sie werden weiterhin geliebt und sind immer an unserer Seite. Das ist nicht leicht zu akzeptieren. Aber wenn ihr daran nicht glauben könnt, hat es auch keinen Sinn, dass ich es euch erkläre.«

Ich bemerke, wie Yao den Kopf senkt. Jetzt hat er die Antwort auf die Frage erhalten, die er mir in der ›Heilig-Blut-Kathedrale‹ gestellt hatte.

»Und was ist mit denen, die wir hassen?«

»Wir sollten unsere Feinde, die durch die Pforte auf die andere Seite getreten sind, nicht unterschätzen«, antworte ich. »In der Magie tragen sie den seltsamen Namen ›Reisende‹. Das heißt nicht, dass sie von da aus auf dieser Welt Böses tun könnten. Das geschähe nur, wenn wir es zulassen würden. Tatsache ist, dass wir auch dort mit ihnen verbunden sind, so wie sie mit uns auf dieser Seite. Wir sind gemeinsam im selben Zug. Unsere Probleme können wir nur lösen, indem wir begangene Fehler wiedergutmachen und Konflikte überwinden. Das ist jederzeit möglich, obwohl es manchmal mehrere ›Leben‹ braucht, bis wir das verstehen. Wir werden uns immer wieder begegnen und verabschieden, bis in alle Ewigkeit. Auf einen Abschied folgt ein Wiedersehen und auf ein Wiedersehen ein Abschied.«

»Aber wenn wir, wie Sie sagen, Teil des Ganzen sind, heißt das, wir existieren gar nicht als Individuen?«

»Wir existieren, so wie eine Zelle existiert. Sie kann einen zerstörerischen Krebs hervorrufen, der einen Teil des Organismus befällt. Oder sie kann chemische Stoffe freisetzen, die Glück und Wohlbefinden hervorrufen. Aber die einzelne Zelle ist nicht der ganze Mensch.«

»Warum gibt es auf der Welt dann so viele Konflikte?«

»Damit das Universum sich weiterentwickelt. Damit der

Körper sich verändert. Das hat nichts mit einer einzelnen Person zu tun. Hören Sie auf meine Worte.«

Sie hören mir zu, aber es dringt nicht wirklich zu ihnen durch. Ich hätte es genauer erklären müssen.

»Im Moment befinden sich die Schiene und die Räder des Zugs in einem Konflikt. Wir hören das Geräusch aufeinanderreibenden Metalls. Doch ohne das Rad gäbe es keine Schiene, ohne Schiene kein Rad. Das bloße Quietschen des Metalls hat keine tiefere Bedeutung, ist kein Ausdruck von Schmerz.«

Die Energie ist so gut wie versiegt. Die Leute fragen immer weiter, aber ich kann nicht mehr zusammenhängend antworten. Allen ist klar, dass die Fragestunde jetzt zu Ende ist.

»Danke«, sagt Yao.

»Danken Sie nicht mir. Auch ich habe nur zugehört.«

»Was wollen Sie damit sagen?«

»Alles und nichts. Sie haben gemerkt, dass sich meine Haltung Hilal gegenüber geändert hat. Ich sollte das eigentlich nicht sagen, denn es wird ihr nicht weiterhelfen, im Gegenteil, es könnte sogar dazu führen, dass jemand mit einer schwachen Persönlichkeit eifersüchtig würde – egal wie entwürdigend das für einen Menschen ist. Doch meine Begegnung mit Hilal hat in mir eine Tür geöffnet; nicht die, die ich wollte, sondern eine andere. Ich bin in eine andere Dimension meines Lebens getreten, in einen anderen Waggon voller ungelöster Konflikte. Es gibt Menschen, die dort auf mich warten, und dort werde ich jetzt gebraucht.«

»Eine andere Dimension, ein anderer Waggon …?«

»Genau. Wir befinden uns eine Ewigkeit lang im selben

Zug, bis Gott ihn irgendwann aus irgendeinem Grund, den nur Er kennt, anhält. Aber da wir unmöglich immer nur in unserem Abteil bleiben können, gehen wir hin und her, von einem Leben ins andere, als würden sie alle nebeneinanderliegen. Als ich Hilal vor dem Hotel in Moskau traf, erwähnte sie eine Geschichte über ein Feuer auf einem Berg, die ich einmal geschrieben hatte. Aber es gibt noch eine Geschichte über ein heiliges Feuer, und die werde ich Ihnen jetzt erzählen.

Der große Rabbi Yisrael Baal Shem Tov konnte eines Tages nicht länger mit ansehen, wie die Juden misshandelt wurden. Er ging in den Wald. Dort entzündete er ein heiliges Feuer und sprach ein besonderes Gebet, in dem er Gott bat, sein Volk zu beschützen. Und Gott schickte ein Wunder.

Später ging sein Schüler, Maggid von Mezrich, den Schritten seines Meisters folgend, an dieselbe Stelle im Wald und sagte: ›Meister des Universums, ich weiß nicht, wie ich das heilige Feuer entzünden soll, aber ich kenne noch das besondere Gebet; erhöre mich bitte.‹ Und das Wunder geschah aufs Neue.

Eine Generation später ging Rabbi Moshe Leib von Sasow, als die Juden erneut verfolgt wurden, ebenfalls in den Wald und betete: ›Ich weiß nicht, wie man das heilige Feuer entzündet, ich kenne auch das besondere Gebet nicht, aber ich erinnere mich noch an die Stelle. Hilf uns, Herr!‹ Und der Herr kam ihm zu Hilfe.

Fünfzig Jahre später sprach Rabbi Israel von Rizin, der im Rollstuhl saß, mit Gott: ›Ich weiß weder, wie man das heilige Feuer entzündet, noch kenne ich das Gebet und kann auch nicht zu dem Ort im Wald gehen. Ich kann nur diese Geschichte erzählen und hoffen, dass Du mich hörst.‹

Nun ist es nicht mehr die Göttliche Energie, die aus mir spricht, sondern ich bin es selbst. Doch auch wenn ich weder das heilige Feuer entzünden kann, noch weiß, weshalb es einmal entzündet wurde, kann ich doch wenigstens seine Geschichte erzählen.

»Seien Sie nett zu ihr.«

Hilal tut so, als hätte sie mich nicht gehört. So wie alle anderen übrigens auch.

Das Chicago Sibiriens

Wir sind Seelen, die das Universum durchstreifen und gleichzeitig unser gegenwärtiges Leben leben, aber mit einer Ahnung, dass wir von einer Inkarnation zur nächsten übergehen. Alles, was unsere Seele einmal berührt hat, wird für immer erinnert und hat Auswirkungen auf alles, was folgt.

Ich sehe Hilal voller Liebe an, einer Liebe, die über die Zeit hinweg (oder das, was wir Zeit nennen) wie in einem Spiegel reflektiert wird. Sie war niemals mein und wird es auch nie; so soll es sein. Wir Menschen sind zwar Schöpfer und Geschöpfe, aber in den Händen Gottes nur Marionetten. Es gibt eine Grenze, die wir nach göttlichem Ratschluss nicht überschreiten dürfen. Wir dürfen ganz nahe ran, bis das Wasser unsere Zehen berührt, aber eintauchen, geschweige denn uns von der Strömung mitreißen lassen, dürfen wir nicht.

Ich bin dem Leben dankbar, dass ich Hilal in dem Augenblick wiederbegegnen durfte, in dem ich sie brauchte. Inzwischen habe ich mich damit abgefunden, dass ich ein fünftes Mal durch diese Tür gehen muss – selbst wenn ich die Antwort wieder nicht finde. Ich bin dem Leben dankbar, weil es mir die Angst genommen hat. Und schließlich danke ich dem Leben dafür, dass ich diese Reise machen darf.

Es amüsiert mich, zu sehen, dass Hilal an diesem Abend eifersüchtig ist. Obwohl sie bereits eine ausgezeichnete Geigerin ist und eine hervorragende Kriegerin in der Kunst, ihren Willen durchzusetzen, ist sie gleichzeitig auch immer noch ein Kind und wird es bleiben, so wie ich und alle anderen, die das Leben ganz auskosten wollen.

Ich werde ihre Eifersucht schüren, denn nur so wird sie lernen, mit der Eifersucht anderer umzugehen. Ich werde ihre bedingungslose Liebe annehmen, damit sie weiß, was sie erwartet, sollte sie einmal von jemandem so geliebt werden.

***

»Es wird auch das Chicago Sibiriens genannt.«

Chicago Sibiriens. Obwohl Vergleiche selten wirklich zutreffend sind, scheint dieser zu stimmen: Vor dem Bau der Transsibirischen Eisenbahn hatte Nowosibirsk weniger als 8000 Einwohner. Inzwischen ist ihre Zahl auf über 1,4 Millionen angestiegen – dank einer Brücke über den Fluss Ob, über die die Bahn nun ungehindert ihren stählernen stampfenden Marsch von Moskau bis an den Pazifischen Ozean fortsetzen kann.

Es heißt, in Nowosibirsk leben die schönsten Frauen Russlands. Nach dem, was ich gesehen habe, könnte das sogar stimmen, doch wäre es mir nie in den Sinn gekommen, diesbezügliche Vergleiche mit anderen Orten anzustellen. Im Augenblick stehen Hilal, ich und eine dieser sibirischen Göttinnen vor einer gigantischen Absonderlichkeit: einer riesigen Statue Lenins, des Mannes, der die Vorstellungen des Kommunismus in die Wirklichkeit umgesetzt hat. Nichts könnte weniger romantisch sein, als diesen Mann anzuschauen, der mit seinem Kinnbart in die Zukunft weist, aber außerstande ist, von seinem Sockel herunterzusteigen und die Welt zu verändern.

Der Vergleich mit Chicago stammt übrigens von Tatiana, der »sibirischen Göttin«, einer etwa dreißigjährigen Ingenieurin. Sie hatte sich ein Buch von mir signieren lassen und war bis zur anschließenden Party geblieben. Jetzt begleitet sie uns durch die Stadt zurück zum Hotel. Wieder »festen Boden« unter den Füßen zu haben kommt mir so vor, als befände ich mich auf einem anderen Planeten, und ich habe größte Mühe, mich daran zu gewöhnen, dass der Boden unter mir nicht mehr die ganze Zeit schwankt.

»Lasst uns in eine Bar gehen, etwas trinken und tanzen. Wir müssen uns so viel wie möglich bewegen.«

»Aber wir sind müde«, wendet Hilal ein.

In solchen Momenten nutze ich meine Fähigkeit, mich in eine Frau einzufühlen, und lese zwischen den Zeilen: ›Du willst mit *ihr* zusammen sein.‹

»Geh doch zurück ins Hotel, wenn du müde bist. Ich bleibe bei Tatiana.«

Hilal wechselt sofort die Taktik.

»Ich möchte dir etwas zeigen.«

»Gern. Aber Tatiana kann ruhig dableiben. Du und ich kennen uns ja auch erst seit zehn Tagen, nicht wahr?«

Das zerstört den Eindruck, den Hilal gern erwecken würde, nämlich dass sie mit mir zusammen sei. Tatiana zeigt sich begeistert – nicht unbedingt meinetwegen, sondern aus einer natürlichen, typisch weiblichen Rivalität heraus. Es sei ihr ein Vergnügen, mir das Nachtleben des »Chicagos von Sibirien« zu zeigen.

Lenin betrachtet uns ungerührt von seinem Sockel herab, offensichtlich ist er so etwas gewohnt. Hätte er sich, statt das Paradies für das Proletariat zu schaffen, für eine Diktatur der Liebe entschieden, wäre alles besser ausgegangen.

»Also los! Kommt mit!«

Noch ehe ich reagieren kann, läuft Hilal los. Sie will den Spieß umkehren, und Tatiana fällt darauf rein. Im Laufschritt gehen wir hinter Hilal her den riesigen Boulevard hinunter, der zur Brücke über den Ob führt.

»Kennt ihr die Stadt denn schon?«, fragt die Göttin überrascht.

»Das hängt davon ab, was du unter ›kennen‹ verstehst. Wir kennen immer alles. Wenn ich Geige spiele, begreife ich die Existenz eines …«

Sie sucht nach Worten. Schließlich sagt sie etwas, das nur ich verstehe, Tatiana aber vom Gespräch ausschließen soll.

»… eines riesigen, mächtigen ›Informationsfeldes‹ um mich herum. Es ist nichts, das ich kontrollieren kann, das jedoch mich kontrolliert und meine Finger die richtigen Akkorde spielen lässt. Ich muss die Stadt gar nicht kennen, ich muss nur zulassen, dass sie mich führt, wohin sie will.«

Hilal geht immer schneller. Zu meiner Überraschung hat Tatiana genau verstanden, was die andere sagen wollte.

»Mir geht es so beim Malen«, offenbart sie. »Zwar bin ich von Beruf Ingenieurin. Aber wenn ich vor der leeren Leinwand stehe, ist jeder Pinselstrich für mich wie eine visuelle Meditation. Wie eine Reise hin zu einem Glückszustand, den ich bei meiner Arbeit nicht finde. Etwas, das mir hoffentlich immer erhalten bleiben wird.«

Lenin hat bestimmt schon oft ähnliche Szenen mitbekommen. Anfangs stehen sich zwei Mächte gegenüber, weil es um eine dritte geht, die besiegt oder erhalten werden muss. Kurz darauf verbünden sich die beiden Mächte, die eben noch Rivalen waren, und die dritte wird links liegengelassen. Ich wurde zum Begleiter degradiert, während sich die beiden jungen Frauen wie uralte Freundinnen angeregt auf Russisch unterhalten und mich fast vergessen haben. Es ist auch in Nowosibirsk kalt – wie vermutlich das ganze Jahr in Sibirien –, doch der Spaziergang tut mir gut, hebt meine Stimmung, jeder Kilometer, den wir zurücklegen, bringt mich meinem Reich wieder näher. In Tunesien hatte ich einen Augenblick geglaubt, dies würde nie geschehen, aber meine Frau hat recht behalten: Allein und ganz auf mich gestellt, bin ich zwar verletzlicher, aber auch offener.

Hinter den beiden Frauen herzulaufen erschöpft mich. Morgen werde ich Yao vorschlagen, gemeinsam etwas Aikido zu trainieren. Mein Geist hat zuletzt mehr gearbeitet als mein Körper.

***

Auf einem menschenleeren Platz mit einem eingefrorenen Brunnen in der Mitte bleiben wir stehen. Hilal atmet schnell, und wenn sie damit nicht aufhört, wird das Zuviel an Sauerstoff ihr das Gefühl geben zu fliegen. Eine künstlich hervorgerufene Trance, die mich nicht mehr beeindruckt.

Hilal ist jetzt die Zeremonienmeisterin eines mir unbekannten Spektakels. Sie bittet uns, einander die Hände zu geben und auf den Brunnen zu blicken.

»Allmächtiger Gott«, sie atmet weiterhin schnell, »schicke deine Botschafter jetzt zu deinen Kindern, die sie hier reinen Herzens erwarten.«

Sie fährt mit diesem sehr bekannten Bittgebet fort. Ich bemerke, dass Tatianas Hand zu zittern beginnt, als würde auch sie in Trance geraten. Hilal scheint mit dem Universum in Kontakt zu sein oder mit dem, was sie vorhin »Informationsfeld« genannt hat. Sie betet weiter, Tatianas Hand hört auf zu zittern und drückt meine. Zehn Minuten später endet das Ritual.

Ich weiß nicht recht, ob ich sagen soll, was ich denke, aber dann finde ich, dass diese junge Frau, die so großzügig und voller Liebe ist, es verdient hat.

»Was hatte das zu bedeuten?«, frage ich.

Die Frage scheint sie zu verwirren.

»Das ist ein Ritual, um uns den kosmischen Kräften näher zu bringen«, erklärt sie.

»Und woher hast du das?«

»Aus einem Buch.«

Soll ich weitersprechen oder warten, bis wir wieder allein sind? Da es auch Tatiana betrifft, beschließe ich fortzufahren.

»Bei allem Respekt für deine Bemühungen und für den Autor dieses Buches bin ich doch der Meinung, dass du da etwas ganz falsch verstanden hast. Was soll dieses Ritual? Es gibt Millionen und Abermillionen Menschen, die davon überzeugt sind, mit dem Kosmos kommunizieren zu können und damit die Menschheit zu retten. Jedes Mal, wenn es nicht funktioniert – und so *kann* es nicht funktionieren –, schwindet ihre Hoffnung ein wenig mehr. Bis zum nächsten Buch oder Seminar, das ihren Glauben wieder festigt, dessen Lektionen sie jedoch nach wenigen Wochen bereits vergessen haben – einmal mehr eine vergebliche Hoffnung.«

Hilal wirkt überrascht. Sie wollte mir etwas zeigen, das nichts mit ihrer Begabung fürs Geigespielen zu tun hat, ist damit aber auf ein gefährliches Terrain geraten, das einzige, auf dem meine Toleranz gleich null ist. Tatiana scheint mich reichlich grob zu finden, denn sie versucht, ihrer neuen Freundin beizuspringen:

»Aber Gebete bringen uns doch Gott näher, oder?«

»Ich werde mit einer anderen Frage antworten: Werden all die Gebete, die du sprichst, morgen die Sonne aufgehen lassen? Selbstverständlich nicht. Die Sonne geht auf, weil sie dem Gesetz des Universums gehorcht. Gott ist bei uns, ganz unabhängig von den Gebeten, die wir sprechen.«

»Willst du damit sagen, dass Gebete nutzlos sind?«, entrüstet sich Tatiana.

»Nicht im mindesten. Wenn du nicht zeitig aufstehst, wirst du nie die Sonne aufgehen sehen. Wenn du nicht betest, kann Gott dir nah sein, doch du wirst niemals seine Gegenwart spüren. Aber wenn du glaubst, dass solche Bittgebete allein dich irgendwo hinführen, dann wärst du besser gleich in die Sonorische Wüste gegangen oder in einen Aschram nach Indien. In der realen Welt ist Gott in Hilals Geigenspiel gegenwärtiger.«

Tatiana bricht in Tränen aus. Hilal und ich warten verlegen, bis sie aufgehört hat zu weinen und sagt, was los ist.

»Danke«, sagt sie. »Auch wenn das Ganze deiner Meinung nach sinnlos ist – mir hat es etwas gebracht. Ich bin so oft verletzt worden, und trotzdem denke ich immer, ich müsste nach außen hin so tun, als sei ich der glücklichste Mensch der Welt. Erst heute, als ihr mich bei der Hand genommen habt, spürte ich: Ich bin nicht allein, auch meine Erfahrungen sind von Bedeutung. Ich fühlte mich geliebt, nützlich, wichtig.«

Und zu Hilal gewandt fährt sie fort:

»Sogar als du begonnen hast, uns durch diese Stadt zu führen, mich, die ich hier geboren bin und mein ganzes Leben hier verbracht habe, fühlte ich mich keineswegs beleidigt. Ich war zuversichtlich, dass mir jemand etwas zeigen würde, das ich nicht kenne. Tatsächlich habe ich diesen Brunnen noch nie zuvor gesehen. Doch von nun an werde ich immer, wenn es mir nicht gutgeht, hierherkommen und Gott bitten, mich zu beschützen. Mir war klar, dass dieses Gebet nichts Besonderes war. Ich habe in meinem Leben schon oft ähnliche Gebete gesprochen, bin aber nie erhört worden, nur mein Glaube verlor tatsächlich jedes Mal ein wenig an Kraft. Aber heute ist etwas geschehen, denn ihr wart zwar Fremde – aber nicht für mich.«

Tatiana ist noch nicht fertig.

»Du bist viel jünger als ich, du hast nicht durchgemacht, was ich durchmachen musste. Du weißt noch nicht, wie das Leben ist, aber du hast Glück. Du bist in einen Mann verliebt, und das zu sehen lässt mich das Leben wieder lieben, und ich weiß jetzt, dass auch ich mich noch einmal werde verlieben können.«

Hilal senkt den Blick. Das hat sie nicht hören wollen. Vielleicht hat sie das Gleiche sagen wollen, doch jetzt spricht jemand anders die Worte an ihrer Stelle, hier im russischen Nowosibirsk, das genau so ist, wie wir gedacht haben – wenn auch ganz anders als die Vorstellung, die Gott von der Erde hatte.

»Was ich sagen will, ich kann mir jetzt selber verzeihen und fühle mich entsprechend leichter«, fährt Tatiana fort. »Ich weiß weder, was euch beide hierhergeführt hat, noch, warum ich euch begleiten sollte, aber ihr habt bestätigt, was ich schon immer gefühlt habe: dass die Menschen einander genau im richtigen Augenblick begegnen. Ich habe mich gerade vor mir selber gerettet.«

Tatsächlich ist ihr Gesichtsausdruck völlig verändert. Die Göttin ist zu einer Fee geworden. Sie breitet die Arme aus. Hilal geht zu ihr, und sie umarmen sich. Tatiana sieht mich an und gibt mir zu verstehen, dass ich zu ihnen kommen soll, aber ich bleibe, wo ich bin. Hilal braucht diese Umarmung mehr als ich. Sie wollte etwas Magisches tun, doch es war nichts als ein Klischee. Aber weil Tatiana imstande war, diese Energie in etwas Heiliges zu verwandeln, wurde aus dem Klischee doch noch etwas Magisches.

Die beiden halten einander weiterhin umschlungen. Ich blicke auf das gefrorene Wasser des Brunnens, das im Frühling tauen und im Herbst wieder gefrieren wird, ein ewiger Kreislauf. Genauso verhält es sich mit unseren Herzen, sie unterliegen dem Rhythmus der Zeit, doch sie hören nie für immer auf zu schlagen.

Tatiana schreibt etwas auf ein Stück Papier und gibt es zögernd Hilal.

»Auf Wiedersehen«, sagt sie dann. »Ich bin mir sicher, dass ich euch nie wiedersehen werde, aber hier ist trotzdem meine Telefonnummer. Möglicherweise ist alles, was ich eben gesagt habe, einfach nur hoffnungslos romantisch und alles wird bald wieder sein, wie es war. Aber dieser Moment hier mit euch am Brunnen war sehr wichtig für mich.«

»Auf Wiedersehen«, antwortet Hilal. »Und mach dir keine Sorgen – wenn ich den Weg zu diesem Brunnen gefunden habe, finde ich auch zurück zum Hotel.«

Sie hakt sich bei mir ein. Wir gehen durch die Kälte, und zum ersten Mal, seit wir uns kennen, spüre ich Begehren in mir. Am Eingang des Hotels verabschiede ich mich von ihr und wende mich wieder der Stadt zu. Ich muss noch etwas allein sein und nachdenken.

Der Weg des Friedens

Ich darf nicht. Ich kann nicht. Und ich muss es mir immer wieder sagen: Ich will nicht.

Yao zieht sich bis auf die Unterhose aus. Obwohl er über siebzig ist, hat er einen sehnigen, muskulösen Körper. Auch ich entledige mich meiner Sachen.

Ich brauche das Training jetzt. Nicht so sehr wegen der bevorstehenden Enge im Zug, sondern weil mein Begehren für Hilal stetig wächst und langsam außer Kontrolle gerät. Besonders wenn wir getrennt sind – wenn sie in ihr Abteil gegangen ist oder ich Termine wahrnehmen muss. Ich weiß, es fehlt nur noch wenig, bis ich der Versuchung erliege. So war es damals bei unserer, wie ich meine, ersten Begegnung. Sooft wir getrennt waren, konnte ich an nichts anderes mehr denken. Doch sobald sie wieder in meiner Nähe war, sichtbar, fühlbar, verschwanden die Dämonen, und ich hatte mich halbwegs unter Kontrolle.

Deshalb muss ich mich von ihr verabschieden. Hier. Bevor es zu spät ist.

Yao und ich schlüpfen in unsere Kimonos. Schweigend verlassen wir die Umkleiden des Dojos, des Übungsraums, den Yao nach drei oder vier Telefonaten ausfindig gemacht hat. Mehrere Leute trainieren bereits, doch wir finden noch einen freien Platz.

›Der Weg des Friedens ist breit und sein Ende nicht absehbar, er spiegelt das große Prinzip, das in der unsichtbaren Welt geschaffen wurde, in der sichtbaren. Der Krieger ist der Thron des Göttlichen und immer einem höheren Ziel verpflichtet.‹ Morihei Ueshiba hat das vor fast einem Jahrhundert gesagt, als er die Techniken des Aikido entwickelte.

Der Weg zu Hilals Körper führt durch die Tür gleich neben meinem Abteil. Ich werde anklopfen, sie wird öffnen und mich nicht fragen, was ich will; sie kann es in meinen Augen lesen. Vielleicht hat sie Angst. Oder aber sie sagt: »Komm herein, ich habe auf diesen Augenblick gewartet. Mein Körper ist der Thron des Göttlichen, er ist ein Ausdruck dessen, was wir in anderen Dimensionen erleben.«

Yao und ich verbeugen uns voreinander, wie es der Tradition entspricht. Unser Blick verändert sich. Wir sind jetzt bereit zu kämpfen.

Und in meiner Phantasie neigt auch Hilal den Kopf, als wollte sie sagen: »Ja, ich bin bereit, halte mich fest.«

Yao und ich gehen aufeinander zu, packen unsere Kimonoaufschläge, halten einen Moment inne, und der Kampf beginnt. Eine Sekunde später liege ich am Boden. Ich darf nicht an sie denken! Ich suche Hilfe beim Geist Ueshibas, durch seine Lehren gelingt es mir, in den Dojo, zu meinem Gegner, zum Kampf, zum Aikido und dem Weg des Friedens zurückzukehren.

›Dein Geist muss mit dem Universum in Einklang sein, so wie sich dein Körper seinen Schwingungen anpassen muss. Du musst eins sein mit dem Universum.‹

Doch die Wucht, mit der ich auf den Boden geprallt bin, überträgt sich auf meine Gedanken an Hilal. Ich packe sie bei den Haaren und werfe mich mit ihr aufs Bett. Das ist es doch, worin die Harmonie des Universums besteht: Mann und Frau vereint zu einer einzigen Energie.

Ich stehe auf. Seit Jahren habe ich nicht mehr gekämpft, meine Phantasie ist weit weg von hier, ich habe vergessen, wie man das Gleichgewicht hält. Yao wartet, bis ich bereit bin. Ich sehe seine Haltung und erinnere mich an die richtige Position für die Füße. Ich baue mich vor ihm auf, wieder packen wir uns an den Kimonoaufschlägen.

Abermals habe ich nicht Yao, sondern Hilal vor mir. Ich halte ihre Arme auf dem Rücken fest, erst mit beiden Händen, dann nur mit einer und beginne, Hilals Oberteil aufzuknöpfen.

Wieder fliege ich durch die Luft, ohne dass ich es kommen sah. Ich liege auf dem Boden und starre zu den Neonleuchten an der Decke hinauf. Keine Ahnung, wie ich mich auf so lächerliche Weise besiegen lassen konnte. Yao streckt die Hand aus, um mir beim Aufstehen zu helfen. Ich lehne ab, das kann ich allein.

Wir packen uns ein drittes Mal bei den Kimonoaufschlägen. Und wieder bin ich in meiner Phantasie weit weg: zurück im Bett, wo das Oberteil inzwischen Hilals kleine feste Brüste offenbart, ich beuge mich vor, um sie zu küssen, während Hilal sich unter mir in einer Mischung aus Lust und ängstlicher Erwartung windet.

»Konzentrieren Sie sich!«, sagt Yao.

»Tue ich doch!«

Das ist gelogen. Und Yao weiß es. Auch wenn er meine Gedanken nicht lesen kann, so merkt er doch, dass ich nicht bei der Sache bin. Mein Körper brennt wegen des Adrenalins in meinem Blutkreislauf, wegen der unsanften Landungen und allem, was sich währenddessen in meiner Phantasie abgespielt hat: Hilals nackte Brüste, die Jeans, die Turnschuhe, die sie von sich geschleudert hat. Es ist unmöglich, den nächsten Stoß vorauszusehen, aber durchaus möglich, instinktiv zu handeln, aufmerksam zu sein und …

Yao lässt meinen Kragen los und biegt meinen Finger zurück für eine klassische Fingersperre. Ein einzelner Finger, und der ganze Körper ist gelähmt, nichts funktioniert mehr. Ich versuche, nicht zu schreien, aber der Schmerz ist so intensiv, dass ich Sterne sehe und mir schwarz vor den Augen wird.

Im ersten Moment scheint mich der Schmerz dorthin zurückzuholen, wo ich sein sollte: auf den Weg des Friedens. Doch dann macht er einem anderen Gefühl Platz, als ich spüre, wie Hilal mich in die Lippe beißt, als wir uns küssen. Sie zieht mich zu sich, ihre Nägel graben sich in meinen Rücken, ich kann ihr leises Stöhnen hören. Ihre Lippen werden weich, und sie küsst mich zärtlich.

›Gib acht auf dein Herz. Das ist die Disziplin, die jeder Krieger beherrschen muss. Wenn du dein Herz unter Kontrolle hast, dann wirst du deinen Gegner besiegen.‹

Genau das versuche ich. Es gelingt mir, mich aus seinem Griff zu befreien, und ich packe erneut Yaos Kimono. Bestimmt denkt er, dass ich mich erniedrigt fühle, er muss meine mangelnde Praxis bemerkt haben. Ziemlich sicher wird er mir erlauben, ihn jetzt anzugreifen.

Ich habe seine Gedanken gelesen, ich habe ihre Gedanken gelesen und ergebe mich. Hilal setzt sich auf mich, öffnet meinen Gürtel und beginnt, meine Hose aufzuknöpfen.

›Der Weg des Friedens ist wie ein Fluss, und weil ein Fluss keinen Widerstand leistet, hat er von Anfang an gesiegt. Die Kunst des Friedens ist unbesiegbar, weil niemand gegen irgendjemanden kämpft, nur gegen sich selbst. Besiege dich selbst, und du wirst die Welt besiegen.‹

Ja, genau das tue ich jetzt. Mein Blut pocht in meinen Adern, Schweiß rinnt in meine Augen und macht mich für den Bruchteil einer Sekunde blind. Doch mein Gegner nutzt seinen Vorteil nicht. Zwei Körperbewegungen, und er liegt auf dem Boden.

»Tun Sie das nicht«, sage ich. »Ich bin kein Kind, das man gewinnen lässt. Mein Kampf findet gerade auf einer anderen Ebene statt. Lassen Sie mich nicht gewinnen ohne die Genugtuung, der Bessere zu sein.«

Yao versteht das und entschuldigt sich. Schließlich ist das kein Kampf, sondern wir praktizieren den Weg des Friedens. Als Yao diesmal meinen Kimono packt, mache ich mich auf einen Stoß von rechts gefasst, doch er leitet in letzter Sekunde nach links ab, nimmt meinen Arm und dreht ihn mir auf den Rücken, so dass ich in die Knie gehen muss, damit er ihn mir nicht bricht.

Trotz des Schmerzes fühle ich mich besser. Der Weg des Friedens sieht zwar aus wie ein Kampf, ist es aber nicht. Er ist die Kunst, in sich aufzufüllen, was fehlt, und zu reduzieren, wovon es zu viel gibt. Darauf verwende ich jetzt meine ganze Energie. Und allmählich verlässt meine Phantasie das Bett, die Frau mit den kleinen Brüsten und harten Brustwarzen, die meine Hose öffnet und meinen Penis streichelt. Dieser Kampf ist ein Kampf gegen mich selbst, den ich unbedingt gewinnen muss, auch wenn ich unzählige Male falle und wieder aufstehen muss. Die Küsse, die niemals gegeben wurden, die Orgasmen, zu denen es nie gekommen ist, die Liebkosungen nach hingebungsvollem, heftigem, romantischem Sex – all das verschwindet.

Ich befinde mich auf dem Weg des Friedens und gebe meine ganze Energie in den Fluss, der keinen Widerstand leistet und der so seinem Lauf bis zum Ende folgen kann und das Meer erreicht, wie es für ihn vorgesehen ist.

Ich stehe auf. Falle wieder. Wir kämpfen fast eine Stunde, ungeachtet der Menschen um uns herum, die alle gleichermaßen auf sich selbst konzentriert sind, auf der Suche nach der richtigen Position, die ihnen auch im täglichen Leben helfen wird, ihren Platz zu finden.

Am Ende sind wir beide schweißgebadet und erschöpft. Yao verbeugt sich vor mir, und ich tue es ihm gleich, und wir machen uns auf in Richtung Dusche. Ich habe die ganze Zeit eingesteckt, doch davon ist an meinem Körper nichts zu sehen: den Gegner verletzen heißt sich selbst verletzen. Die eigenen Aggressionen beherrschen, um dem anderen nicht weh zu tun, das ist der Weg des Friedens.

Ich lasse das Wasser über meinen Körper rinnen, wasche alles ab, was meine Phantasie angefüllt und wieder verlassen hat. Wenn das Begehren ein weiteres Mal kommt – und es *wird* kommen –, werde ich Yao bitten, wieder mit mir Aikido zu üben (und wenn wir im Zug dazu auf den Gang gehen müssen, wie wir's schon einmal überlegt hatten), und den Weg des Friedens wiederfinden.

Das Leben ist eine einzige lange Trainingsstunde in Vorbereitung dessen, was kommen wird. Leben und Tod verlieren ihre Bedeutung, es gibt nur noch Herausforderungen, die freudig angenommen und gelassen bewältigt werden müssen.

***

»Es gibt da jemanden, der mit Ihnen sprechen möchte«, sagt Yao, während wir uns anziehen. »Ich habe ihm versprochen, dass ich mich für ihn einsetze, denn ich bin ihm einen Gefallen schuldig. Würden Sie das für mich tun?«

»Aber wir reisen zeitig morgen früh ab«, erinnere ich ihn.

»Er wird am nächsten Zwischenhalt auf Sie warten. Ich bin natürlich nur Ihr Dolmetscher. Wenn Sie nicht wollen, sage ich ihm, dass Sie beschäftigt sind.«

Er ist nicht nur mein Dolmetscher, und das weiß er. Er ist ein Mensch, der spürt, wann ich Hilfe brauche, auch wenn er nicht weiß, warum.

»Nein, das geht schon in Ordnung«, erwidere ich.

»Wie Sie wissen, treibe ich schon mein ganzes Leben lang Kampfsport«, nimmt er das Gespräch wieder auf. »Als Ueshiba den Weg des Friedens entwickelte, ging es ihm nicht nur darum, einen physischen Gegner zu besiegen. Wenn der Wille dazu da ist, wird der Lernende auch seinen inneren Feind besiegen.«

»Ich habe lange nicht mehr gekämpft.«

»Das glaube ich Ihnen nicht. Mag sein, Sie haben lange nicht mehr *trainiert*, aber der Weg des Friedens setzt sich in Ihnen fort. Haben wir ihn erst einmal zu gehen gelernt, vergessen wir ihn nie wieder.«

Ich weiß, worauf Yao hinauswill. Ich hätte das Gespräch an dieser Stelle abbrechen können, aber ich lasse ihn weiterreden. Er ist ein kluger Mann mit viel Lebenserfahrung, von Schmerz gezeichnet, doch nicht gebrochen, obwohl er in seinem jetzigen Leben viele Male die Welten wechseln musste. Ihm kann ich nichts vormachen. Ich bitte ihn weiterzureden.

»Sie haben nicht gegen mich gekämpft«, sagt er. »Sie haben gegen Hilal gekämpft.«

»Richtig.«

»Dann lassen Sie uns trainieren, sooft es uns die Reise erlaubt. Übrigens möchte ich Ihnen für die Worte im Zug danken, als Sie Leben und Tod mit dem Wechsel von einem Waggon in den nächsten verglichen und erklärt haben, dass wir das in unseren Leben immer wieder tun. Seit ich meine Frau verloren habe, konnte ich letzte Nacht zum ersten Mal ruhig schlafen. Ich bin ihr im Traum begegnet und sah, dass sie glücklich war.«

»Diese Worte waren genauso auch für mich bestimmt«, entgegne ich.

Ich bedanke mich bei ihm dafür, dass er ein loyaler Gegner war, der mich keinen Kampf gewinnen ließ, den zu gewinnen ich nicht verdiente.

Ring aus Licht

Zuerst musst du eine Strategie entwickeln, die sich alles zunutze macht, was dir zur Verfügung steht. Einer Herausforderung begegnet man am besten, indem man sich einen unerschöpflichen Vorrat an Reaktionsmöglichkeiten zulegt.

Ich bin im Hotel. Endlich habe ich wieder Zugang zum Internet. Ich will mir in Erinnerung rufen, was ich über den Weg des Friedens gelernt habe.

Die Suche nach Frieden ist eine Art Gebet, das Licht und Wärme erzeugt. Denk für eine Weile nicht an dich selbst, und lerne zu verstehen, dass in diesem Licht Weisheit und in der Wärme Mitgefühl liegt. Während du auf diesem Planeten verweilst, versuche die wahre Form des Himmels und der Erde zu erkennen. Wenn du dich nicht von der Angst lähmen lässt und all dein Handeln mit dem übereinstimmt, was du denkst, wird es dir gelingen.

Jemand klopft an die Tür. Ich bin so konzentriert, dass ich das Geräusch zuerst gar nicht einordnen kann. Aus einem Impuls heraus beschließe ich, nicht zu reagieren, doch was, wenn es etwas Dringendes ist – warum sonst sollte jemand um diese Zeit klopfen?

Während ich zur Tür gehe, wird mir klar, dass es nur eine Person gibt, die das fertigbringt.

Hilal steht in einem roten T-Shirt und Pyjamahosen vor der Tür. Ohne ein Wort geht sie an mir vorbei und legt sich auf mein Bett.

Ich lege mich neben sie. Sie rückt an mich heran, und ich nehme sie in den Arm.

»Wo warst du?«, fragt sie.

›Wo warst du?‹ Die Frage impliziert immer auch ›du hast mir gefehlt‹, ›ich wäre gern bei dir gewesen‹, ›ich muss wissen, was du gemacht hast‹.

Ich antworte nicht, streichle nur ihr Haar.

»Ich habe Tatiana angerufen, und wir haben den Nachmittag zusammen verbracht«, erzählt sie, obwohl ich sie nicht danach gefragt habe. »Sie ist eine traurige Frau, und ihre Traurigkeit ist ansteckend. Heute hat sie mir erzählt, dass sie eine Zwillingsschwester hat, die drogensüchtig ist und der es nicht gelingt, eine Arbeit zu behalten oder eine Beziehung zu führen. Doch das ist nicht der Grund für Tatianas Traurigkeit, sondern paradoxerweise ihr Erfolg. Die Tatsache, dass sie attraktiv ist und von den Männern begehrt wird, eine Arbeit hat, die sie ausfüllt. Sie wurde kürzlich geschieden und ist doch schon wieder einem Mann begegnet, der sich unsterblich in sie verliebt hat. Ihr Problem sind die schrecklichen Schuldgefühle ihrer Schwester gegenüber. Zum einen, weil sie nichts tun kann, um ihr zu helfen. Und andererseits macht ihr Erfolg das Scheitern der Schwester umso bitterer. Mit anderen Worten: Wir sind niemals glücklich, egal wie viel Grund wir auch dazu hätten. Tatiana ist nicht der einzige Mensch, dem es so ergeht.«

Ich streiche Hilal weiter übers Haar.

»Erinnerst du dich an das, was ich in der brasilianischen Botschaft in Moskau erzählt habe? Alle sind davon überzeugt, dass ich außergewöhnlich begabt bin, dass ich eine große Geigerin bin, die eine beeindruckende Karriere vor sich hat. Auch meine Lehrerin ist dieser Meinung, sie ist nur besorgt, weil ich so ›unsicher‹ und ›instabil‹ sei. Dabei stimmt das gar nicht. Ich beherrsche die Technik, weiß, woher ich Inspiration bekommen kann, aber es ist nicht das, wozu ich geboren bin, und niemand wird mich vom Gegenteil überzeugen. Mit Hilfe der Geige kann ich der Wirklichkeit entfliehen, sie ist mein Feuerwagen, der mich weit weg von mir selbst bringt, ihr verdanke ich mein Leben. Ich wollte *über*leben, um einen Menschen zu finden, der mich von all dem Hass erlöst, den ich empfinde. Als ich dann deine Bücher las, habe ich begriffen, dass du dieser Mensch bist. Kein Zweifel.«

»Kein Zweifel.«

»Ich habe versucht, Tatiana zu helfen. Ich habe ihr erzählt, dass ich schon als junges Mädchen alle Männer, die sich mir näherten, dafür büßen ließ, dass einer von ihnen mich missbraucht und dadurch beinahe mein Leben zerstört hat. Aber sie glaubt mir nicht, für sie bin ich nichts als ein Kind. Außerdem wollte sie mich nur treffen, um so leichter an dich ranzukommen.«

Hilal rückt noch ein bisschen näher. Ich spüre die Wärme ihres Körpers.

»Sie hat gefragt, ob sie uns an den Baikalsee begleiten darf. Sie sei noch nie mit der Transsib gefahren, weil sie keinen Grund dazu hatte. Jetzt habe sie einen.«

Wie ich mir schon gedacht habe, spüre ich jetzt, da wir zusammen auf dem Bett liegen, nichts als Zärtlichkeit für die junge Frau neben mir. Ich lösche das Licht, und an den Wänden flackert der Widerschein der Schweißbrenner von der Baustelle gegenüber.

»Ich habe ihr erklärt, dass es gar keinen Sinn habe, weil die Sicherheitskontrollen Tatiana nie und nimmer bis zu deinem Waggon vorlassen würden. Auch das hat sie mir nicht geglaubt; sie dachte, ich wolle sie nur davon abhalten.«

»Die Menschen hier arbeiten die ganze Nacht lang«, sage ich.

»Hörst du mir eigentlich zu?«

»Ich höre dir zu, aber ich verstehe dich nicht. Jemand anders sucht mich unter den gleichen Umständen auf wie du. Doch anstatt dieser Person zu helfen, schickst du sie fort.«

»Weil ich Angst habe. Angst, dass sie sich zwischen uns drängt und du das Interesse an mir verlierst. Ich weiß nicht genau, wer ich für dich bin und was ich hier tue, und alles dies kann von einem Augenblick auf den anderen verschwinden.«

Mit der linken Hand taste ich nach der Packung Zigaretten auf dem Nachttisch, zünde mir und ihr eine an, stelle den Aschenbecher auf meine Brust.

»Begehrst du mich?«, fragt sie.

Am liebsten würde ich antworten: ›Ja, ich begehre dich, wenn du nicht in meiner Nähe, wenn du nur eine Phantasie in meinem Kopf bist. Heute habe ich fast eine Stunde in einem Aikido-Dojo verbracht und dabei die ganze Zeit an dich gedacht, an deinen Körper, deine Beine, deine Brüste, und das Training hat nur einen Bruchteil dieses Verlangens aufgebraucht. Ich liebe und begehre meine Frau, und dennoch begehre ich dich ebenfalls. Ich bin sicher nicht der Einzige, der so für dich fühlt, ich bin ganz sicher auch nicht der einzige verheiratete Mann, der eine andere Frau begehrt. Wir alle gehen in Gedanken fremd, bitten um Vergebung und tun es wieder. Dass ich dich einfach nur im Arm halte und deinen Körper nicht berühre, hat jedoch nichts mit solchen Skrupeln zu tun. Diese Art von Schuldgefühlen kenne ich nicht. Aber es gibt im Moment etwas, das unendlich viel wichtiger ist, als mit dir zu schlafen. Aus diesem Grunde kann ich friedlich neben dir liegen und die Funken auf der Baustelle gegenüber beobachten.‹

Stattdessen sage ich: »Selbstverständlich begehre ich dich. Sehr sogar. Ich bin ein Mann, und du bist eine sehr attraktive Frau. Außerdem empfinde ich eine große Zärtlichkeit für dich, die täglich größer wird. Ich bewundere, wie du mit Leichtigkeit vom Mädchen zur Frau und von der Frau wieder zum Mädchen wirst. Das ist, als würde dein Bogen über die Saiten deiner Geige streichen und eine göttliche Melodie spielen.«

Die Glut unserer Zigaretten leuchtet auf, als wir jeder einen Zug nehmen.

»Und warum fasst du mich nicht an?«

Ich drücke meine Zigarette aus und sie ihre. Ich streichle weiter ihr Haar und versuche, mich der Vergangenheit zu stellen.

»Ich muss etwas tun, was für uns beide sehr wichtig ist. Erinnerst du dich an das Aleph? Ich muss durch die Tür gehen, die uns beide so erschreckt hat.«

»Und was soll ich machen?«

»Nichts. Bleib einfach bei mir.«

Ich stelle mir einen Ring aus goldenem Licht vor, der meinen Körper hinauf- und hinunterwandert. Er beginnt bei den Füßen, wandert bis zum Kopf und wieder zurück zu den Füßen. Anfangs fällt es mir schwer, mich zu konzentrieren, aber ganz allmählich wird der Ring immer schneller.

»Darf ich etwas sagen?«

Natürlich darf sie das, der Ring aus Feuer ist nicht von dieser Welt.

»Es gibt nichts Schlimmeres, als abgewiesen zu werden. Da begegnet mein eigenes Licht dem Licht einer anderen Seele, und ich denke schon, dass sich jetzt endlich die Fenster öffnen werden, ich die Wärme der Sonne spüren werde und die Wunden von früher endlich heilen. Und dann geschieht plötzlich nichts von alledem. Vielleicht ist das der Preis für das Leid, das ich all diesen Männern angetan habe.«

Das goldene Licht, das ich durch pure Willenskraft hervorgerufen habe, eine klassische Methode, um in vergangene Leben zurückzukehren, bewegt sich nun ganz von allein.

»Nein, du brauchst für gar nichts zu bezahlen. Und ich auch nicht. Vergiss nicht, was ich letztens im Zug gesagt habe: Wir erleben *jetzt* alles, was in der Vergangenheit geschehen ist und was in der Zukunft liegt. Genau in diesem Augenblick, in einem Hotel in Nowosibirsk, wird die Welt erschaffen und gleichzeitig zerstört. Wir können unsere Sünden wiedergutmachen, wenn wir uns nur dazu entschließen.«

Nicht nur in Nowosibirsk, sondern an allen Orten des Universums pulsiert die Zeit wie das riesige Herz Gottes, das sich weitet und wieder zusammenzieht. Hilal schmiegt sich eng an mich, und ich spüre auch ihr kleines Herz schlagen.

Jetzt bewegt sich der goldene Ring um meinen Körper immer schneller. Als ich zum ersten Mal diese Übung machte – ich hatte sie aus einem Buch mit dem Titel *Entdecken Sie die Geheimnisse vergangener Leben* –, wurde ich sofort nach Frankreich in der Mitte des 19. Jahrhunderts versetzt und sah mich dort ein Buch über die gleichen Dinge schreiben, über die ich heute noch schreibe. Ich fand heraus, wie ich hieß, wo ich wohnte, was für eine Feder ich benutzte und welchen Satz ich gerade zu Ende geschrieben hatte. Das hat mich dermaßen erschreckt, dass ich sofort wieder in die Gegenwart, an den Strand von Copacabana und in das Zimmer zurückkehrte, in dem meine Frau friedlich neben mir schlief. Am nächsten Tag stellte ich sofort Nachforschungen an über den, der ich einst gewesen war, und eine Woche später wollte ich »mich« noch einmal treffen. Das hat aber nicht funktioniert. Und sooft ich es auch versuchte, es ist mir nie wieder gelungen.

Ich habe mit J. darüber gesprochen. Er hat es mir so erklärt, dass es anfangs immer eine Art »Anfängerglück« gibt, mit dem Gott beweisen will, dass es durchaus möglich ist. Aber danach geht überhaupt nichts mehr. J. riet mir davon ab, es weiter zu versuchen, es sei denn, ich hätte ein wirklich gravierendes Problem in einem meiner vorherigen Leben zu lösen. Ansonsten sei es einfach nur vergeudete Zeit.

Viele Jahre später wurde ich in São Paulo einer Frau vorgestellt, einer erfolgreichen homöopathischen Ärztin, die sehr viel Anteil an ihren Patienten nahm. Bei jeder Konsultation war mir, als sei ich ihr schon einmal begegnet, und ihr ging es genauso. Eines Tages standen wir auf dem Balkon meines Hotels, sahen auf die Stadt, und ich schlug ihr vor, uns durch den Ring des Feuers gemeinsam in die Vergangenheit versetzen zu lassen. Wir gelangten beide vor die Tür, die auch Hilal und ich im Aleph gesehen hatten. An diesem Tag verabschiedete sich die Ärztin lächelnd wie immer, doch ich habe nie wieder auch nur ein Wort mit ihr gesprochen. Sie nahm meine Anrufe nicht entgegen, verweigerte mir den Zutritt zu der Klinik, in der sie arbeitete, und mir wurde klar, dass es keinen Sinn hatte, es noch weiter zu versuchen.

Aus einem kleinen Riss im Damm allerdings war ein Loch geworden, aus dem Wasser zu strömen begann. Im Laufe der Jahre habe ich noch drei weitere Frauen getroffen, die in mir das gleiche Gefühl wie die Ärztin auslösten – nur habe ich nicht wieder den gleichen Fehler begangen und die Übung stattdessen allein gemacht. Keine hat je erfahren, dass ich für etwas Schreckliches in ihren vergangenen Leben verantwortlich war.

Das Wissen um das, was ich in der Vergangenheit falsch gemacht hatte, hat mich jedoch nie gelähmt. Ich war ehrlich entschlossen, es wiedergutzumachen. Acht Frauen wurden Opfer dieser Tragödie, und ich war mir sicher, dass mir eine von ihnen am Ende erzählen würde, wie die Geschichte ausging. Denn ich weiß fast alles, nur kenne ich den Fluch nicht, mit dem ich belegt worden bin.

Und so bin ich in die Transsib gestiegen und mehr als ein Jahrzehnt nach dem ersten Mal wieder in das Aleph eingetaucht. Die fünfte Frau liegt jetzt neben mir, redet über

Dinge, denen ich nicht mehr folge, weil sich der Feuerring immer schneller bewegt. Nein, ich möchte sie nicht noch einmal dahin mitnehmen, wo wir einander einst begegnet sind.

»Nur Frauen glauben an die Liebe. Männer nicht«, sagt Hilal.

»Männer glauben durchaus auch an die Liebe«, entgegne ich.

Ich streichle noch immer ihr Haar. Ihr Herzschlag wird langsamer. Ich stelle mir vor, dass ihre Augen geschlossen sind, dass sie sich geliebt und geborgen fühlt und ihre Angst vor Zurückweisung so schnell wieder verfliegt, wie sie gekommen ist.

Auch ihr Atem wird tiefer. Sie bewegt sich, doch nur, um eine bequemere Position zu finden. Ich nehme den Aschenbecher von meiner Brust, stelle ihn wieder auf den Nachttisch und lege beide Arme um Hilal.

Der Ring aus goldenem Licht bewegt sich jetzt rasend schnell, von meinen Füßen hinauf zum Kopf und vom Kopf zu den Füßen. Und plötzlich spüre ich ein Vibrieren in der Luft wie von einer Explosion.

Meine Brille ist beschlagen. Meine Fingernägel schmutzig. Das Kerzenlicht ist so schwach, dass ich fast nichts sehe außer dem Ärmel meines Gewandes; es ist aus grobem Stoff und schlecht genäht.

Vor mir liegt ein Brief. Immer derselbe Brief.

Córdoba, den 11. Juli 1492

Mein Lieber,

uns bleiben nur noch wenige Waffen. Eine davon ist die Inquisition, die immer wieder Ziel erbitterter Angriffe gewesen ist. Die Scheinheiligkeit der einen und die Vorurteile der anderen machen den Inquisitor zu einem Ungeheuer. In diesem schwierigen, heiklen Augenblick, wo die sogenannte Reformation die Rebellion in den Häusern und auf den Straßen schürt, indem sie dieses Gericht Christi in den Dreck zieht und es der Folter und anderer Ungeheuerlichkeiten bezichtigt, sind wir immer noch die Autorität! Und diese Autorität hat die Pflicht, diejenigen, die der Allgemeinheit schaden, mit der höchsten Strafe zu belegen, dem Körper des Kranken das Glied zu amputieren, das ihn vergiftet, um so zu verhindern, dass andere ihrem Beispiel folgen. Es ist daher nur gerecht, dass die Todesstrafe über jene verhängt wird, die, indem sie beharrlich Gotteslästerungen verbreiten, viele Seelen dem Feuer der Hölle überantworten.

Diese Frauen glauben, dass sie nach Gutdünken das Gift ihres sündhaften Lebenswandels verbreiten und der Wollust und der Anbetung des Teufels frönen können. Hexen sind sie! Sie spirituell zu bestrafen ist oftmals nicht genug, weil die meisten Menschen außerstande sind, das überhaupt zu verstehen. Die Kirche muss das Recht haben – und sie hat es –, bloßzustellen, was falsch ist, und von den Autoritäten radikales Durchgreifen zu verlangen.

Diese Frauen haben den Ehemann der Ehefrau entfremdet, den Bruder der Schwester, den Vater den Kindern. Zweifellos ist die Kirche eine barmherzige Mutter und immer zur Vergebung bereit. Unsere einzige Sorge besteht darin zu erreichen, dass diese Sünderinnen bereuen, damit wir ihre geläuterte Seele dem Schöpfer überantworten können. Und wir sollten, mit göttlichem Geschick, in dem das beseelte Wort Christi erkennbar ist, ihre Strafen gradweise verschärfen, bis diese Hexen gestehen, welche Rituale, Machenschaften, Zaubereien sie angewandt haben, um unsere Stadt in Aufruhr und Gesetzlosigkeit zu stürzen.

In diesem Jahr ist es uns bereits gelungen, die Anhänger Mohammeds, die schon beinahe ganz Europa beherrschten, auf die andere Seite des Meeres nach Afrika zurückzudrängen, weil uns der siegreiche Arm Christi geführt hat. Der Glaube hat uns geholfen, jede

Schlacht zu gewinnen. Die Juden sind ebenfalls geflohen, und diejenigen, die geblieben sind, werden mit Feuer und Eisen bekehrt werden.

Schlimmer noch als die Juden und die Araber war der Verrat derer, die vorgaben, an Christus zu glauben, und uns den Dolch in den Rücken stießen. Aber auch sie wird die gerechte Strafe ereilen, wenn sie es am wenigsten erwarten – es ist nur eine Frage der Zeit.

Es gilt nun, mit aller Macht diese Wölfe im Schafspelz zu bekämpfen, die heimlich und heimtückisch in unsere Herde eingedrungen sind. Dies ist Deine Gelegenheit, allen zu zeigen, dass das Böse niemals unentdeckt bleibt. Wenn diese Frauen Erfolg haben, wird es sich herumsprechen und das schlechte Beispiel Schule machen, der Wind der Sünde zu einem Orkan anschwellen. Die Anhänger Mohammeds werden zurückkehren, die Juden werden sich erneut zusammenrotten, und der fünfzehnhundert Jahre lange Kampf um den Frieden Christi wird umsonst gewesen sein.

Es wurde behauptet, dass die Folter vom Gericht der Inquisition eingeführt wurde. Nichts ist falscher als das! Ganz im Gegenteil: Als das römische Recht die Folter zuließ, hat die Kirche dies zunächst abgelehnt. Und heute übernehmen wir sie nur notgedrungen, doch ihre Anwendung ist streng begrenzt! Der Papst hat erlaubt – nicht befohlen –, in Ausnahmefällen Folter anzuwenden. Doch die päpstliche Erlaubnis beschränkt sich nur auf die Ketzer. In diesem so zu Unrecht verrufenen Inquisitionsgericht wird die päpstliche Anweisung auf weise, ehrenhafte und besonnene Weise umgesetzt. Nach jeder Denunziation gestehen wir den Sündern stets die Gnade des Sakraments der Beichte zu, bevor das Himmlische Gericht auch noch die letzten Geheimnisse enthüllt. Unsere größte Sorge besteht darin, diese armen Seelen zu retten, und der Inquisitor hat das Recht, ein Verhör anzuberaumen und die notwendigen Methoden festzulegen, die den Schuldigen gestehen lassen. In diesem Zusammenhang wird von Fall zu Fall Folter angewandt, doch nur in der zuvor angesprochenen Form.

Dennoch beschuldigen uns die Gegner der Göttlichen Herrlichkeit, herzlose Henker zu sein, und übersehen dabei, dass die Inquisition die Folter maßvoll und milde anwendet, ganz anders als die zivilen Gerichte. Folter darf in jedem Verfahren nur ein Mal angewandt werden, daher hoffe ich, dass Du die einzige Gelegenheit, die dir gegeben ist, nicht ungenutzt verstreichen lässt. Wenn Du nicht angemessen handelst, wirst Du das Gericht in Misskredit bringen, und wir werden gezwungen sein, diejenigen freizulassen, die nur auf diese Welt gekommen sind, um den Samen der Sünde auszusäen. Wir sind alle schwach, nur der Herr ist stark. Aber Er macht uns stark, wenn Er uns die Ehre zugesteht, für den Ruhm Seines Namens zu kämpfen.

Du darfst weder zögern noch irren. Wenn diese Frauen schuldig sind, müssen sie beichten, bevor wir sie der Barmherzigkeit des Herrn überantworten können.

Und obwohl es das erste Mal ist und Dein Herz von dem erfüllt ist, was Du für Mitgefühl hältst, das aber nichts weiter ist als Schwäche, vergiss nicht, dass auch Jesus nicht gezögert hat, die Händler aus dem Tempel zu verjagen. Der Superior wird es übernehmen, Dir die korrekte Vorgehensweise zu zeigen, damit Du, wenn es in Zukunft an Dir ist, zu handeln, die Peitsche, das Rad, alles, was Dir zur Verfügung steht, benutzt, ohne dass Dein Geist schwach wird. Vergiss nicht, dass es nichts Barmherzigeres gibt als den Tod auf dem Scheiterhaufen. Es ist dies die rechtmäßigste Form der Läuterung. Das Feuer verbrennt das Fleisch, aber es läutert die Seele, die sich dann zur Herrlichkeit Gottes erheben kann.

Deine Arbeit ist wichtig, wenn die Ordnung erhalten, unser Land die inneren Schwierigkeiten überwinden, die Kirche die durch Frevel bedrohte Macht erhalten und das Wort des Lammes abermals in den Herzen der Menschen widerhallen soll. Manchmal muss man Angst benutzen, damit die Seele ihren Weg findet. Manchmal muss man auf den Krieg zurückgreifen, damit man endlich in Frieden leben kann. Uns kümmert nicht, wie man uns heute beurteilt, denn die Zukunft wird uns richten und unsere Arbeit zu schätzen wissen.

Und selbst wenn künftige Generationen verkennen, was wir getan haben, und vergessen, weshalb wir gezwungen waren, hart zu sein, damit alle so sanftmütig würden, wie es der Sohn Gottes predigte, so können wir doch darauf vertrauen, dass uns im Himmel die Belohnung erwartet.

Die Saat des Bösen muss aus der Erde gerissen werden, bevor sie Wurzeln schlägt und wächst. Hilf Deinem Superior, die heilige Pflicht zu erfüllen – ohne Hass gegenüber diesen armen Kreaturen, doch auch ohne Erbarmen für das Böse.

Vergiss nicht, dass es ein weiteres Gericht im Himmel gibt. Vor ihm wirst Du Rechenschaft darüber ablegen, wie Du den Willen Gottes auf Erden erfüllt hast.

F. T. T., O. P.

Glauben, auch wenn alle den Glauben an dich verloren haben

Als ich aufwache, liegt Hilal noch genauso in meinen Armen wie vor dem Ring aus Licht. Mein Nacken schmerzt von der unbequemen Position.

»Lass uns aufstehen. Wir müssen etwas erledigen.«

Hilal dreht sich im Bett auf die andere Seite und murmelt etwas über die Sonne, die in Sibirien zu dieser Jahreszeit verdammt früh aufgehe.

»Nun komm schon! Wir müssen los. Geh in dein Zimmer, zieh dich an. Wir treffen uns dann unten.«

***

Der Mann am Empfang gibt mir einen Stadtplan und zeigt mir den Weg. Es sind fünf Minuten zu Fuß. Hilal beschwert sich, weil das Frühstücksbuffet noch nicht geöffnet ist.

Wir überqueren zwei Straßen, und schon sind wir am Ziel.

»Aber das ist ja … eine Kirche!«

Eine Kirche. Genau.

»Ich hasse es, früh aufzustehen. Und das da mag ich noch viel weniger.« Sie deutet auf die blaue zwiebelförmige Kuppel mit einem goldenen Kreuz darauf.

Durch die offenen Türen betreten ein paar alte Frauen

die Kirche. Ich sehe um mich und stelle fest, dass die Straße menschenleer ist. Noch gibt es keinen Verkehr.

»Du musst etwas für mich tun.«

Endlich schenkt sie mir das erste Lächeln an diesem Tag. Ich bitte sie um etwas! Ich brauche sie!

»Ist es etwas, das nur ich tun kann?«

»Ja, nur du. Aber frag mich nicht, warum ich dich darum bitte.«

***

Ich nehme ihre Hand, und wir gehen gemeinsam hinein. Es ist nicht das erste Mal, dass ich ein orthodoxes Gotteshaus betrete. Ich weiß nie recht, wie ich mich dort verhalten soll, also zünde ich meistens eine der schlanken Wachskerzen an und bete zu den Engeln und den Heiligen, damit sie mich beschützen. Doch ich bin jedes Mal aufs Neue hingerissen von der Schönheit dieser Kirchen: Decken, die wie der Himmel gewölbt sind, das Hauptschiff ohne Bänke, Ikonen auf Goldgrund, die von Künstlern unter Beten und Fasten gemalt wurden. Einige der Frauen, die gerade hereingekommen sind, verneigen sich vor ihnen und küssen dann das schützende Glas.

Wie immer, wenn wir ganz auf das konzentriert sind, was wir wirklich wollen, beginnen die Dinge perfekt ineinanderzugreifen. Trotz allem, was ich in der Nacht zuvor erlebt habe, und obwohl ich immer noch nicht weiter als bis zu dem Brief des Superiors gekommen bin, ist mein Herz ruhig, denn ich weiß, dass mir bis Wladiwostok noch genügend Zeit bleibt.

Hilal scheint von der Schönheit des Ortes ebenfalls bezaubert zu sein und vergessen zu haben, dass wir uns in einer Kirche befinden. Ich gehe zu einer Frau, die in einer Ecke hockt und Kerzen verkauft. Ich nehme vier, zünde drei davon vor dem Bildnis an, das den heiligen Georg darzustellen scheint, und spreche eine Fürbitte für mich, meine Familie, meine Leser und meine Arbeit.

Danach zünde ich die vierte Kerze an und bringe sie Hilal.

»Tue genau das, worum ich dich jetzt bitte. Halte diese Kerze.«

Unwillkürlich sieht sie sich um, ob uns jemand beobachtet. Glaubt sie etwa, ich könnte etwas dem Ort Unangemessenes von ihr verlangen? Im nächsten Moment ist sie schon wieder ganz sie selbst, schließlich mag sie keine Kirchen, was kümmert sie da die Meinung anderer?

Die Flamme der Kerze spiegelt sich in ihren Augen. Ich senke den Kopf. Ich spüre nicht das geringste Schuldgefühl, nur Geborgenheit und einen fernen Schmerz, dessen Ursprung sich in einer anderen Dimension befindet und den ich willkommen heißen muss.

»Ich habe dich verraten. Und ich bitte dich, mir zu vergeben.«

»Tatiana!«

Ich lege ihr meine Hand auf den Mund. So stark und mutig und begabt sie auch sein mag: sie ist erst einundzwanzig. Ich hätte den Satz anders formulieren sollen.

»Nein. Es geht nicht um Tatiana. Aber bitte vergib mir.«

»Ich kann dir doch nicht vergeben, wenn ich gar nicht weiß, was du getan hast.«

»Erinnere dich an das Aleph. Erinnere dich an das, was du in jenem Augenblick gefühlt hast. Versuche an diesen heiligen Ort etwas dir Unbekanntes zu bringen, was aber in deinem Herzen ist. Erinnere dich notfalls an ein Geigenkonzert, das du gern spielst, und lasse dich von diesem Gefühl leiten. Nur das ist jetzt wichtig. Worte, Erklärungen, Fragen werden nicht helfen und machen alles nur noch komplizierter. Es ist so schon komplex genug. Vergib mir, aber vergib mir aus tiefster Seele; aus der Seele, die von einem Körper in den anderen übergeht und auf ihrer Reise durch den unendlichen Raum und in der unvergänglichen Zeit immer weiter dazulernt.«

Die Seele ist unverletzlich, so wie Gott unverletzlich ist. Selbst wenn wir alles haben, um glücklich zu sein, bleiben wir immer an die Vergangenheit gefesselt, und das macht unser Leben bedauernswert. Wir sollten den gegenwärtigen Augenblick auskosten, ihn genießen, als wären wir eben erst auf dem Planeten Erde aufgewacht und würden uns in einem goldenen Tempel wiederfinden. Aber das fällt uns schwer.

»Ich wüsste nicht, weswegen ich dem Mann, den ich liebe, vergeben sollte. Höchstens, weil er mir nie gesagt hat, dass er mich liebt.«

Weihrauchduft beginnt sich auszubreiten. Die Priester kommen zum Morgengebet herein.

»Vergiss, wer du in diesem Augenblick bist, und begib dich dahin, wo jene wartet, die du immer warst. Dort wirst du die richtigen Worte finden und mir mit diesen Worten vergeben.«

Hilal sucht nach einer Eingebung an den vergoldeten

Wänden, den Säulen, in den Gesichtern der Menschen, die zur Frühmesse hereinkommen, in den Flammen der brennenden Kerzen. Sie schließt die Augen. Vielleicht hört sie im Geiste tatsächlich ein Musikstück.

»Du wirst es nicht glauben. Mir ist so, als würde ich ein Mädchen sehen… ein Mädchen, das nicht mehr hier ist, aber gern zurückkehren würde…«

Ich bitte sie zuzuhören, was das Mädchen zu sagen hat.

»Das Mädchen vergibt dir. Nicht, weil es zu einer Heiligen geworden wäre, sondern, weil es den Hass, den es in sich hat, nicht länger erträgt. Hassen kostet Kraft. Ich weiß nicht, ob sich im Himmel oder auf Erden etwas verändert hat, ob meine Seele gerettet werden wird oder verdammt, aber auch ich bin erschöpft und begreife es erst jetzt. Ich vergebe dem Mann, der mich im Alter von zehn Jahren fast zerstört hätte. Er wusste, was er tat, ich wusste es nicht. Aber ich dachte, es sei meine Schuld, ich hasste ihn und mich selbst, ich hasste alle, die sich mir nähern wollten, doch jetzt befreit sich meine Seele.«

Nein, das war nicht, worauf ich gewartet hatte.

»Vergib alles und allen, aber vergib mir auch«, bitte ich sie. »Schließe mich in deine Vergebung mit ein.«

»Ich vergebe alles und allen, auch dir, obwohl ich nicht weiß, welches Verbrechen du begangen hast. Ich vergebe dir, weil ich dich liebe und weil du mich nicht liebst. Ich vergebe dir, weil du mir hilfst, mich meinem Dämon zu stellen, obwohl ich seit Jahren nicht mehr an ihn gedacht habe. Ich vergebe dir, weil du mich zurückweist und mich meine Kräfte verlassen. Ich vergebe dir, weil du nicht begreifst, wer ich bin und was ich hier tue. Ich vergebe dir und dem

Dämon, der meinen Körper berührt hat, als ich noch nicht einmal wusste, was leben überhaupt ist. Er berührte meinen Körper und entstellte meine Seele.«

Sie faltet die Hände zum Gebet. Ich hätte mir gewünscht, dass Hilal nur mir vergibt, aber Hilal vergibt ihrer ganzen Welt. Und vielleicht ist es auch besser so.

Sie zittert am ganzen Körper, und ihre Augen füllen sich mit Tränen.

»Muss es ausgerechnet hier sein? Muss es in einer Kirche sein? Lass uns hinaus unter freien Himmel gehen. Bitte!«

»Es muss in einer Kirche sein. Eines Tages werden wir dies unter freiem Himmel tun, aber heute muss es in einer Kirche sein. Bitte vergib mir!«

Sie schließt die Augen und hebt die Hände zur Decke. Eine Frau, die gerade hereinkommt, schüttelt missbilligend den Kopf. Wir sind schließlich an einem heiligen Ort und sollten die Rituale respektieren, die hier Gültigkeit haben. Ich tue so, als bemerkte ich den Blick der Frau nicht, und sehe zu meiner Erleichterung, dass Hilal jetzt mit dem Geist spricht, der die Gebete und die wahren Gesetze bestimmt, und dass nichts auf der Welt sie mehr ablenken kann.

»Ich befreie mich vom Hass durch die Vergebung und die Liebe. Ich begreife, dass das Leid, wenn es nicht vermieden werden kann, dazu dient, mich auf dem Weg zur Herrlichkeit voranschreiten zu lassen. Alles ist mit allem verbunden, alle Wege laufen aufeinander zu, und alle Flüsse münden ins selbe Meer. Deshalb bin ich in diesem Moment ein Werkzeug der Vergebung. Vergebung für begangene Verbrechen, für eines, das ich kenne, und andere, die mir unbekannt sind.«

Ja, ein Geist spricht zu ihr. Ich kenne diesen Geist und dieses Gebet, denn ich habe es vor vielen Jahren in Brasilien gelernt. Damals wurde es von einem kleinen Jungen gesprochen, nicht von einem Mädchen. Aber Hilal wiederholt die Worte, die im Kosmos darauf warten, benutzt zu werden, wenn sie gebraucht werden.

Hilal spricht leise, aber die Akustik in der Kirche ist so vollkommen, dass alles, was sie sagt, aus den vier Himmelsrichtungen zurückzuhallen scheint.

»Ich vergebe die Tränen, die sie mich haben
vergießen lassen.
Ich vergebe das Leid und die Enttäuschungen.
Ich vergebe begangenen Verrat und Lügen.
Ich vergebe Verleumdungen und Intrigen.
Ich vergebe Hass und Verfolgung.
Ich vergebe die Schläge, die mich verletzt haben.
Ich vergebe die zerstörten Träume.
Ich vergebe zerstörte Hoffnungen.
Ich vergebe Lieblosigkeit und Eifersucht.
Ich vergebe Gleichgültigkeit und Böswilligkeit.
Ich vergebe Ungerechtigkeit im Namen
der Gerechtigkeit.
Ich vergebe Zorn und Misshandlungen.
Ich vergebe Vernachlässigung und Vergessen.
Ich vergebe der Welt mit all ihren Übeln.«

Sie senkt die Arme, öffnet die Augen und schlägt die Hände vors Gesicht. Ich trete zu ihr, um sie zu umarmen, doch sie hebt die Hand.

»Ich bin noch nicht fertig.«

Sie schließt die Augen wieder und hebt den Kopf.

»Ich vergebe auch mir selbst. Möge das Unglück der Vergangenheit nicht länger auf meinem Herzen lasten. An die Stelle des Schmerzes und des Grolls setze ich Verständnis und Mitgefühl. An die Stelle des Aufbegehrens setze ich mein Geigenspiel. An die Stelle des Schmerzes setze ich das Vergessen. An die Stelle der Rache setze ich den Sieg.

Ich will und werde imstande sein zu lieben,
aller Lieblosigkeit zum Trotz.
Ich will und werde imstande sein zu geben,
auch wenn ich nichts mehr habe.
Fröhlich zu arbeiten, auch inmitten aller
Widrigkeiten.
Helfend die Hand auszustrecken, selbst wenn
ich allein und verlassen bin.
Tränen anderer zu trocknen, auch wenn ich
selbst traurig bin.
Zu glauben, auch wenn niemand an mich glaubt.«

Sie öffnet die Augen, legt mir segnend die Hände an den Kopf und sagt mit einer Autorität, die nicht die Ihre ist:

»So soll es sein. So wird es sein.«

***

In der Ferne kräht ein Hahn. Das ist das Zeichen. Ich nehme sie bei der Hand, und wir gehen hinaus in die erwachende Stadt. Hilal wirkt etwas überrascht von ihren eigenen Worten, ich spüre, dass dieser Augenblick der Vergebung der bislang wichtigste meiner Reise war. Aber damit ist es nicht getan. Ich muss noch erfahren, was passiert ist, nachdem ich den Brief des Superiors gelesen hatte.

Wir kommen noch rechtzeitig, um mit dem Rest der Gruppe zu frühstücken, die Koffer zu packen und uns zum Bahnhof zu begeben.

»Hilal wird im leeren Abteil in unserem Waggon schlafen«, sage ich.

Kein Kommentar, von niemandem. Ich kann mir vorstellen, was sie denken, mache mir aber nicht die Mühe zu erklären, dass sie mit ihren Vermutungen falschliegen.

»Korkmaz Yiğit«, sagt Hilal.

Die Überraschung in allen Gesichtern (das Yaos eingeschlossen) sagt mir, dass das kein Russisch war.

»Korkmaz Yiğit«, wiederholt sie. »Das ist Türkisch und bedeutet: Er geht und fürchtet sich nicht.«

Teeblätter

Inzwischen scheint sich jeder von uns an das Reisen mit der Eisenbahn gewöhnt zu haben. Der Mittelpunkt unseres Universums ist der Tisch im Salon, um den wir uns täglich zum Frühstück, Mittag- und Abendessen versammeln und wo wir über das Leben und über unsere Hoffnungen für die Zukunft sprechen. Hilal ist jetzt im selben Waggon untergebracht, sitzt mit uns am Tisch, benutzt mein Bad für ihre tägliche Dusche, übt wie besessen Geige und kapselt sich immer mehr ab.

Heute dreht sich das Gespräch um die Schamanen vom Baikalsee, unserem nächsten Halt. Yao erklärt, er würde sehr gern einen von ihnen kennenlernen.

»Wir werden sehen«, brumme ich.

Im Klartext: ›Kein Interesse.‹

So wie ich ihn kenne, wird er sich jedoch nicht so leicht davon abbringen lassen. Im Kampfsport ist eines der bekanntesten Prinzipien, keinen Widerstand zu leisten. Gute Kämpfer verwenden die Kraft ihres Gegners gegen ihn. Je mehr Worte ich mache, desto weniger bin ich von dem überzeugt, was ich sage, und desto einfacher bin ich zu bezwingen.

»Ich muss gerade an unser Gespräch kurz vor der Ankunft in Nowosibirsk denken«, sagt meine Lektorin. »Sie erklärten, dass das Aleph ein Punkt außerhalb eines Menschen sei, dass aber Menschen, die sich wirklich lieben, diesen Punkt überall finden können. Die Schamanen glauben, dass sie mit besonderen Kräften ausgestattet und deshalb nur sie in der Lage sind, an diesen Ort zu gelangen.«

»Vom Standpunkt der Magie aus lautet die Antwort ja, dieser Punkt liegt außerhalb des Menschen. Gemeinhin sehen wir uns als voneinander verschiedene Wesen, das Universum jedoch ist ein und dieselbe Seele. Liebende können in ganz besonderen Augenblicken dieses Einssein empfinden. Sicher ist aber, dass es eines sehr intensiven Erlebnisses bedarf, um das Aleph hervorzurufen: eines intensiven Orgasmus, eines großen Verlustes, eines Konflikts auf dem Höhepunkt, Begeisterung angesichts außergewöhnlicher Schönheit.«

»An Konflikten herrscht kein Mangel«, sagt Hilal. »Auch hier in diesem Waggon nicht.«

Der Frieden war also wieder einmal trügerisch. Hilal brachte mit ihren Bemerkungen Unruhe in eine Situation, die sich gerade begonnen hatte zu entspannen. Sie hat Terrain erobert, indem sie nun das Abteil direkt neben meinem belegt, und will ihre neue Position auch zeigen. Meine Lektorin weiß, dass die Worte ihr gegolten haben.

»Konflikte sind etwas für Unbelehrbare«, sagt sie ganz beiläufig, aber ihre Äußerung verfehlt ihr Ziel nicht. »Die Welt ist aufgeteilt in diejenigen, die mich verstehen, und diejenigen, die mich nicht verstehen. Letztere müssen sich gewaltig anstrengen, um meine Sympathie zu erlangen.«

»Merkwürdig. Das geht mir ganz ähnlich«, schießt Hilal zurück. »Ich weiß immer ganz genau, was ich will, und bisher habe ich es auch jedes Mal erreicht. Zum Beispiel, dass ich jetzt in diesem Waggon schlafe.«

Yao erhebt sich, er ist offensichtlich nicht in der Stimmung für diese Art von Unterhaltung.

Mein Verleger schaut mich an. Was erwartet er von mir? Dass ich Partei ergreife?

»Darum geht es doch nicht«, wendet sich meine Lektorin nun direkt an Hilal. »Bis zur Geburt meines Sohnes meinte ich immer, ich könne mit jeder Situation umgehen. Danach schien die Welt über mir zusammenzubrechen, ich fühlte mich schwach, unbedeutend, unfähig, ihn zu beschützen. Nur Kinder denken, dass sie alles erreichen können. Weil sie keine Angst, sondern Vertrauen haben, Zuversicht in ihre eigenen Kräfte, und so genau das bekommen, was sie wollen. Erst wenn sie älter werden und ihre kindliche Naivität verlieren, begreifen sie, dass ihrer Macht Grenzen gesetzt sind und dass sie auf andere Menschen angewiesen sind, um zu überleben. Dann beginnt das Kind zu lieben und zu hoffen, dass seine Liebe erwidert wird, und mit zunehmendem Alter ist es dafür zu immer mehr Konzessionen bereit. Am Ende geht es uns allen gleich: Wir sind erwachsene Menschen, die alles dafür tun, angenommen und gemocht zu werden.«

Yao betritt das Abteil und balanciert auf einem Tablett eine Teekanne und sechs Becher.

»Deshalb habe ich nach dem Aleph und der Liebe gefragt«, fährt die Lektorin fort. »Ich meinte damit keinen Mann. Es gab Augenblicke, in denen ich meinen schlafenden Sohn betrachtete und sich mir die ganze Welt eröffnete: Ich konnte den Ort sehen, von dem er gekommen war, die

Orte, an die er gehen würde, die Prüfungen, die er bestehen musste, bevor er erreichen würde, was ich mir für ihn erträumte. Er wuchs heran, meine Liebe zu ihm blieb unverändert, aber das Aleph verschwand.«

Ja, sie hat das Aleph verstanden. Auf ihre Worte folgt respektvolles Schweigen. Hilal ist vollkommen entwaffnet.

»Ich bin verloren«, gesteht Hilal. »All die Gründe, die mich ursprünglich hierhergeführt haben, scheinen nicht mehr vorhanden. Ich kann am nächsten Bahnhof aussteigen, nach Jekaterinburg zurückkehren, mich für den Rest meines Lebens meiner Geige widmen und weiterhin nichts verstehen. Und mich am Tag meines Todes fragen: Was habe ich hier eigentlich gemacht?«

Ich berühre ihren Arm.

»Komm mit mir.«

Ich will aufstehen, sie mit ins Aleph nehmen, um sie auf diese Weise daran zu erinnern, warum sie Asien mit dem Zug durchqueren wollte, und ich würde anschließend jede ihrer Entscheidungen akzeptieren. Ich erinnere mich an die Ärztin, die ich nach unserem gemeinsamen Eintauchen ins Aleph nie wiedergesehen habe. Würde es mir mit Hilal genauso gehen?

»Einen Augenblick«, sagt Yao.

Er bittet uns alle, wieder Platz zu nehmen, verteilt die Becher und stellt die Teekanne mitten auf den Tisch.

»Als ich in Japan lebte, habe ich gelernt, die Schönheit der einfachen Dinge wahrzunehmen. Und das Einfachste und zugleich Raffinierteste, das ich jemals erlebt habe, war die Teezeremonie. Ich habe uns Tee geholt, um daran zu erinnern, dass wir ungeachtet all unserer Konflikte, unserer

Schwierigkeiten, unserer Engherzigkeit und unseres Großmuts die einfachen Dinge im Leben schätzen können. Einst haben die Samurai ihre Schwerter vor dem Teehaus abgelegt, bevor sie sich darin in korrekter Haltung niedersetzten und an der kunstvollen Zeremonie teilnahmen. Das ermöglichte es ihnen, den Krieg zu vergessen und sich ganz in die Bewunderung des Schönen zu versenken. Lassen Sie uns genau das jetzt tun.«

Yao gießt einem nach dem anderen Tee ein. Wir warten schweigend.

»Ich habe Tee geholt, weil ich zwei kampfbereite Kriegerinnen gesehen habe. Aber als ich zurückkam, waren an die Stelle der Kriegerinnen zwei Seelen getreten, die einander verstanden und der beruhigenden Wirkung eines Tees nicht mehr bedurften. Doch lassen Sie uns trotzdem zusammen trinken. Bei der Teezeremonie geht es darum, Vollkommenheit durch die unvollkommenen Verrichtungen des Alltagslebens zu erreichen. Vollendete Weisheit besteht darin, die einfachen Dinge, die wir tun, zu achten, denn auch sie können uns dorthin bringen, wohin wir gelangen sollen.«

Wir trinken andächtig den Tee, den Yao uns eingeschenkt hat. Jetzt, wo mir vergeben wurde, kann ich das Getränk aus jung geernteten und später an der Sonne getrockneten Blättern genießen, das ringsum Harmonie verbreitet. Keiner von uns hat es eilig; während dieser Reise zerstören wir uns ständig und erschaffen uns immer wieder neu.

Als wir fertig sind, bitte ich Hilal erneut, mir zu folgen. Sie verdient es, die ganze Geschichte zu erfahren und selbst zu entscheiden.

In dem kleinen Übergang zwischen den Eisenbahnwaggons unterhält sich ein Mann in meinem Alter mit einer Frau, die genau an der Stelle steht, an der sich das Aleph befindet. Angesichts der Energie an diesem Punkt werden sie möglicherweise noch eine Weile dort stehen bleiben.

Hilal und ich warten. Eine dritte Person kommt, zündet sich eine Zigarette an, gesellt sich zu den beiden anderen.

Hilal macht Anstalten, ins Abteil zurückzukehren.

»Das ist unser Platz. Warum gehen sie nicht in den nächsten Waggon?«

Ich bitte sie zu bleiben. Wir haben Zeit.

»Warum warst du eben so aggressiv, obwohl es gar keinen Grund dafür gab?«, frage ich.

»Ich weiß auch nicht. Ich weiß einfach nicht mehr weiter. Mit jedem Zwischenstopp, mit jedem Tag, der vergeht, fühle ich mich hilfloser. Ich dachte, dass ich unbedingt das Feuer auf dem Berg anzünden und an deiner Seite sein müsste, dir helfen, eine Mission zu erfüllen, die ich selbst gar nicht kenne. Ich war mir sicher, dass deine Lektorin genauso reagieren würde und alles tun würde, um mich daran zu hindern. Ich habe gebetet, dass Gott mir die Kraft gibt, alle Erniedrigungen, Beleidigungen, Zurückweisungen und die Verachtung ertragen zu können – alles im Namen einer Liebe, die ich niemals für möglich gehalten habe und die es dennoch gibt.

Und schließlich bin ich auch fast ans Ziel gelangt. Ich schlafe im Abteil neben dir, das leer war, weil Gott wollte, dass jener Gast in letzter Minute abgesagt hat. Nicht sie hat diese Entscheidung getroffen, sondern es war Gottes Wille, da bin ich mir sicher. Aber jetzt verspüre ich zum ersten Mal, seit ich diese Reise angetreten habe, den Wunsch, aufzugeben.«

Wieder kommt jemand, um sich der Gruppe anzuschließen, und bringt drei Dosen Bier mit. Alles deutet darauf hin, dass dieses Treffen noch eine Weile dauern wird.

»Ich weiß, wie das ist. Du glaubst, du kommst nicht mehr weiter, aber das stimmt nicht. Doch du hast recht, du musst herausfinden, warum du hier bist. Ich möchte, dass du mir vergibst, und ich möchte dir gern zeigen, wieso. Aber Worte helfen nicht, du musst es selbst erleben, um es zu verstehen. So wie ich auch, denn wie die Geschichte ausgeht, weiß ich ebenfalls nicht.«

»Lass uns warten, bis die vier dort endlich weggehen, damit wir ins Aleph gelangen können.«

Das wird nicht so bald der Fall sein, und zwar genau wegen des Aleph. Sie werden sich dessen gar nicht bewusst sein, aber die Euphorie und das Gefühl, einen vollkommenen Augenblick zu erleben, kommen von diesem Ort. Während ich die Gruppe beobachte, wird mir klar, dass ich Hilal besser langsam an das Ende der Geschichte heranführen und ihr nicht alles auf einmal zeigen sollte.

»Komm heute Nacht in mein Abteil. Du wirst ohnehin kaum Schlaf finden bei dem Geschaukel des Waggons.

Aber wenn du dich neben mich legst und die Augen schließt, nehme ich dich in den Arm wie in dem Hotelzimmer in Nowosibirsk. Ich werde dann versuchen, allein bis ans Ende der Geschichte zu gelangen, und werde dir anschließend erzählen, was geschehen ist.«

»Darauf hatte ich gehofft. Auf eine Einladung in dein Abteil. Aber bitte weise mich nicht wieder zurück.«

Die fünfte Frau

Ich hatte keine Zeit, meinen Pyjama zu waschen.«

Hilal trägt nur ein T-Shirt, das sie sich von mir ausgeliehen hat und das ihr gerade bis zu den Schenkeln reicht. Ich kann nicht erkennen, ob sie etwas darunter trägt. Sie schlüpft unter die Decke.

Ich streichle ihr Haar. Ich muss so taktvoll und zartfühlend sein, wie ich irgend kann, um alles zu sagen und gleichzeitig nichts.

»Bitte halte mich einfach nur im Arm.«

Diese Geste ist so alt wie die Menschheit und mehr als nur die Begegnung zweier Körper. Eine Umarmung bedeutet: Du stellst keine Bedrohung für mich dar, ich habe keine Angst, dich in meine Nähe zu lassen, ich fühle mich entspannt, geborgen, verstanden. Es heißt, dass wir mit jeder liebevollen Umarmung einen Tag Leben geschenkt bekommen.

»Nimm mich in deine Arme«, bitte ich sie.

Ich bette meinen Kopf auf ihrer Brust, und sie legt die Arme um mich. Ich kann wieder ihren Herzschlag hören und spüre, dass sie keinen BH unter dem T-Shirt trägt.

»Ich würde dir so gern sagen, was genau uns erwartet, aber ich kann es nicht. Denn ich bin noch nie bis zum Ende gelangt, an den Punkt, an dem sich die Dinge endlich klären.

Ich gelange immer nur bis zu dem Moment, an dem wir weggehen.«

»Von wo weggehen?«, fragt Hilal.

»Wenn alle den Platz verlassen ... Bitte frag jetzt nicht weiter. Es sind acht Frauen, und eine von ihnen sagt etwas zu mir, aber ich kann es nicht verstehen. In den vergangenen zwanzig Jahren habe ich vier dieser Frauen getroffen, aber keine konnte das Rätsel lösen. Du bist die fünfte Frau, der ich begegne. Diese Reise ist kein Zufall. Und gesetzt den Fall, dass Gott nicht mit dem Universum würfelt, weiß ich jetzt, warum die Geschichte über das heilige Feuer dich zu mir geführt hat. Doch das habe ich erst begriffen, als wir in das Aleph eingetaucht sind.«

»Ich brauche jetzt erst mal eine Zigarette. Kannst du dich etwas klarer ausdrücken? Ich dachte, du wolltest mit mir zusammen sein.«

Wir setzen uns im Bett auf und zünden uns beide eine Zigarette an.

»Ich wollte, ich könnte es dir genauer erklären, nur müsste ich dazu wissen, was im Anschluss an jenen Brief passiert, der anfangs immer auftaucht. Als Nächstes höre ich jedes Mal die Stimme meines Superiors, der mir sagt, dass die acht Frauen auf uns warten. Und ich weiß, dass am Ende eine von ihnen etwas zu mir sagt, doch ich weiß nicht, ob es eine Segnung oder ein Fluch ist.«

»Du sprichst von einem vergangenen Leben, oder? Von einem Brief aus einem vergangenen Leben?«

Es reicht, wenn sie das versteht. Mehr braucht sie nicht zu wissen.

»Alles, was geschieht, geschieht hier in der Gegenwart.

Wenn wir uns verdammen oder auch erretten, dann hier und jetzt, die ganze Zeit. Wir wechseln ständig unsere Position, gehen von einem Eisenbahnwaggon in den anderen, von einer Parallelwelt in die andere. Das musst du einfach glauben.«

»Das tue ich; ich glaube, ich weiß auch, was du meinst.«

Ein Zug fährt donnernd in der Gegenrichtung an uns vorbei. Wir sehen die erleuchteten Fenster vorbeifliegen. Durch den Luftzug schwankt der Waggon noch etwas mehr als sonst.

»Ich muss jetzt auf die andere Seite dieser Tür gehen, die sich jedoch im selben ›Zug‹ befindet, der sich Zeit und Raum nennt. Es ist nicht schwer: Man muss sich nur einen Ring aus Licht vorstellen, der langsam um den Körper herum auf und ab wandert, zuerst langsam, dann immer schneller. Als wir in Nowosibirsk genauso wie jetzt nebeneinandergelegen haben, hat das sehr gut funktioniert. Darum würde ich es gern jetzt mit dir wiederholen. Du hast mich umarmt, ich habe dich umarmt, und der Ring hat mich mühelos in die Vergangenheit versetzt.«

»Ist das alles? Wir brauchen uns nur einen Ring vorzustellen?«

Mein Blick fällt auf meinen Laptop auf dem kleinen Tisch in meinem Abteil. Ich stehe auf und hole ihn.

»Wir glauben, dass sich darin Fotos, Worte, Bilder befinden, dass ein Computer ein Fenster in die Welt ist. Aber in Wirklichkeit verbirgt sich hinter allem, was wir auf einem Bildschirm sehen, eine Folge von Nullen und Einsen. Das, was Programmierer den Binärcode nennen.

Wir haben das Bedürfnis, eine sichtbare Wirklichkeit um

uns herum zu schaffen, andernfalls hätte die Menschheit ihre natürlichen Feinde nicht überlebt. Ähnlich wie ein Computer haben wir einen Speicher, den wir Erinnerungen nennen. Die Erinnerung dient dazu, uns vor Gefahr zu schützen. Sie ermöglicht es, dass wir uns sozial verhalten können, Nahrung finden, uns weiterentwickeln und alles, was wir gelernt haben, an die nächste Generation weitergeben. Aber Erinnerung ist nicht das, worum es im Leben geht.«

Ich stelle den Laptop wieder auf den Tisch und gehe zum Bett zurück.

»Dieser Ring aus Licht ist nur ein Kunstgriff, mit dem wir uns von der Erinnerung befreien. Ich habe einmal etwas darüber gelesen, weiß aber nicht mehr, wer der Autor war. Wir tun dies unbewusst jede Nacht im Traum, indem wir in unsere nahe oder ferne Vergangenheit zurückkehren. Wenn wir aufwachen, kommt uns das, was wir im Traum erlebt haben, lächerlich vor. Aber das ist es nicht. Wir waren in einer anderen Dimension, in der die Dinge nicht so sind wie hier. Wir glauben, dass nichts davon einen Sinn ergibt, weil wir beim Aufwachen in die Welt zurückkehren, die von der ›Erinnerung‹ organisiert wird und die zu begreifen wir dadurch fähig sind. Was wir dagegen im Traum gesehen haben, ist schnell vergessen.«

»Ist es wirklich so einfach, in ein vergangenes Leben zurückzukehren oder in eine andere Dimension einzutreten?«

»Wenn wir träumen, ist es ganz einfach. Aber wir können diesen Zustand auch bewusst hervorrufen, was aber nicht sehr ratsam ist. Nachdem der Ring von deinem Körper Besitz ergriffen hat, tritt die Seele in ein Niemandsland ein.

Wenn die Seele aber nicht weiß, wohin sie gehen soll, versetzt sie das in eine Art Erstarrung, und es ist möglich, dass sie Orte erreicht, in denen sie nicht willkommen ist. Dann wirst du nichts lernen oder sogar Probleme der Vergangenheit in die Gegenwart tragen.«

Hilal und ich rauchen unsere Zigaretten zu Ende. Ich stelle den Aschenbecher auf den Stuhl, der mir als Nachttisch dient, und bitte sie, mich wieder zu umarmen.

»Ich bin also eine dieser acht Frauen?«

»Ja. Alle Menschen, mit denen wir in der ›Vergangenheit‹ Probleme hatten, tauchen in unseren Leben wieder auf, in dem, was die Mystiker das Rad der Zeit nennen. Mit jeder Inkarnation werden wir uns dessen bewusster, und nach und nach werden diese Konflikte gelöst. Wenn überall die Konflikte aller Menschen geklärt sind, wird die Menschheit in eine neue Phase eintreten.«

»Haben wir also Probleme in der Vergangenheit nur geschaffen, um sie später zu lösen?«

»Nein, damit die Menschheit eine Entwicklung nimmt, deren Zweck und Ziel uns noch immer verborgen ist. Stell dir die Zeit vor, in der eine organische Ursuppe den Planeten bedeckte. Millionen von Jahren haben sich die Zellen auf die immer gleiche Weise reproduziert, bis eine von ihnen sich verändert hat. In diesem Augenblick sagten Milliarden anderer Zellen: ›Das ist nicht recht, sie stellt sich gegen uns alle.‹

Unterdessen hatten sich alle Zellen in der unmittelbaren Umgebung ebenfalls verändert. Und mit jedem weiteren vermeintlichen Fehler hat sich diese Ursuppe allmählich in Amöben, Fische und Menschen verwandelt. Der Konflikt hat die Evolution in Gang gesetzt.«

Hilal zündet sich noch eine Zigarette an.

»Und warum müssen wir jene alten Probleme jetzt lösen?«

»Weil das Universum, das Herz Gottes, sich zusammenzieht und ausdehnt. Die Alchimisten hatten ein Motto: ›*Solve et coagula*‹, was so viel heißt wie ›löse auf, und füge zusammen‹. Frage mich nicht, wieso. Ich weiß es nicht.

Heute Nachmittag hast du mit meiner Lektorin gestritten. Dank dieser Auseinandersetzung konnte jede von euch etwas enthüllen, das für die andere vorher nicht sichtbar war. Ihr habt euch getrennt und habt wieder zusammengefunden, und wir alle, die dabei waren, haben davon profitiert. Es hätte auch ganz anders kommen können: eine Konfrontation ohne positives Ergebnis. In dem Falle wäre es längst nicht so aufschlussreich gewesen oder hätte später gelöst werden müssen. Eine Lösung war jedoch notwendig, denn sonst hätte die Energie eures Hasses auf den ganzen Waggon übergegriffen. Und dieser Waggon ist eine Metapher für das Leben, verstehst du?«

Hilal ist nicht besonders an diesen Theorien interessiert.

»Fang an. Ich komme mit dir.«

»Nein, das wirst du nicht. Auch wenn ich in deinen Armen liege, weißt du nicht, wohin ich gehe. Tu's nicht. Versprich mir, dass du dir den Ring nicht vorstellen wirst. Auch wenn es mir nicht gelingen sollte, die Lösung zu finden, werde ich dir erzählen, wo ich dir vorher begegnet bin. Ich weiß nicht, ob es das erste Mal in allen meinen Leben war, aber es ist das einzige Mal, dessen ich mir gewiss bin.«

Hilal antwortet nicht.

»Versprich es mir«, sage ich noch einmal. »Heute habe

ich versucht, mit dir zurück ins Aleph zu gehen, doch es waren andere Leute da. Das heißt, dass ich vor dir dorthin gehen muss.«

Sie löst ihre Arme und macht Anstalten aufzustehen, doch ich lasse sie nicht los.

»Lass uns jetzt zum Aleph gehen«, sagt sie. »Niemand wird um diese Zeit dort sein.«

»Bitte, glaube mir. Komm wieder her, versuche dich so wenig wie möglich zu bewegen, auch wenn du nicht schlafen kannst. Lass mich zuerst versuchen, die Antwort zu finden. Zünde das heilige Feuer auf dem Berg an, denn ich werde an einen Ort gehen, der so kalt ist wie der Tod.«

»Ich bin also wirklich eine von diesen Frauen«, sagt Hilal.

Ja, bestätige ich. Ich spüre noch immer ihren Herzschlag.

»Ich werde das heilige Feuer anzünden und werde hierbleiben, um dich zu unterstützen. Geh in Frieden.«

Ich stelle mir den Ring vor. Hilals Vergebung in der Kirche in Nowosibirsk hat bewirkt, dass ich mich freier fühle, nach kurzer Zeit kreist der Ring von ganz allein um meinen Körper und bringt mich unaufhaltsam zu dem Ort, an den ich nicht gehen will, an den ich aber zurückkehren muss.

Ad Extirpanda

Ich blicke vom Brief auf und betrachte das gut gekleidete Paar vor mir. Der Mann im makellos weißen Leinenhemd unter einer Samtjacke mit goldbestickten Ärmeln; die Frau trägt eine Pelzjacke über den Schultern, und ihr wollenes Wams ist mit Perlen verziert. Der Kragen der langärmeligen weißen Bluse rahmt ihr besorgtes Gesicht ein.

»Wir sind seit vielen Jahren Freunde«, sagt die Frau zu meinem Superior und zwingt sich zu einem Lächeln, als wolle sie uns davon überzeugen, dass sich daran nichts geändert hat und es sich nur um ein Missverständnis handeln kann. »Ihr habt sie getauft, sie auf den Weg Gottes gebracht.«

Und zu mir gewandt:

»Du kennst sie besser als alle anderen. Ihr habt als Kinder zusammen gespielt, seid zusammen aufgewachsen, und eure Wege haben sich erst getrennt, als du dich für das Priesteramt entschieden hast.«

Der Inquisitor bleibt ungerührt.

Die beiden sehen mich flehentlich an. Ich habe oft in ihrem Hause übernachtet und bei ihnen gegessen. Nachdem meine Eltern an der Pest gestorben waren, haben sie sich um mich gekümmert. Ich nicke. Obwohl ich fünf Jahre älter bin, kenne ich sie tatsächlich besser als sonst jemand: Es stimmt, wir haben zusammen gespielt, sind zusammen aufgewachsen, und bevor ich in den Dominikanerorden eingetreten bin, war sie die Frau, mit der ich den Rest meiner Tage verbringen wollte.

»Wir wollen nicht für ihre Freundinnen sprechen«, wendet sich nun der Vater an den Inquisitor, auch sein Lächeln ist aufgesetzt. »Ich weiß nicht, was sie tun oder getan haben. Ich denke, die Kirche hat die Pflicht, der Häresie ein Ende zu setzen, so wie sie auch die Bedrohung durch die Mauren beendet hat. Diese Frauen müssen schuldig sein, denn die Kirche ist niemals ungerecht. Aber Ihr wisst beide, dass unsere Tochter unschuldig ist.«

Am anderen Tag waren die Superioren des Ordens wie jedes Jahr zu dieser Zeit für ihren Besuch in der Stadt eingetroffen. Und wie jedes Jahr fanden sich aus diesem Anlass alle Einwohner auf dem Platz vor der Kirche ein. Sie waren nicht dazu gezwungen, aber wer nicht kam, machte sich sofort verdächtig. Familien aus allen Ständen versammelten sich vor der Kirche, und einer der Superioren las ein Dokument vor, in dem der Grund ihres Besuches erläutert wurde: Ketzer ausfindig zu machen und sie der irdischen und göttlichen Gerechtigkeit zu überstellen. Dann kam der Augenblick der Barmherzigkeit: Diejenigen, die das Gefühl hatten, gegen die göttlichen Lehren verstoßen zu haben, konnten sich unaufgefordert zu ihren Sünden bekennen und würden nur eine milde Strafe erhalten. Obwohl die Angst in den Augen aller Anwesenden zu sehen war, meldete sich niemand.

Dann wurde die Menge aufgefordert, jedwedes zweifelhafte Tun ihrer Nachbarn zu denunzieren. Ein Bauer trat vor, bekannt dafür, seine Töchter zu verprügeln und seine

Angestellten zu misshandeln, der aber jeden Sonntag zur Messe ging, als wäre er ein unschuldiges Lamm Gottes. Er nannte die Namen jedes der acht Mädchen.

***

Der Inquisitor nickt mir zu, und ich reiche ihm den Brief. Er legt ihn zu einem Stapel Bücher.

Das Ehepaar wartet. Trotz der Kälte ist die Stirn des Mannes schweißbedeckt.

»Niemand aus unserer Familie ist vorgetreten, weil wir gottesfürchtige Menschen sind. Wir sind nicht gekommen, um diese Mädchen zu retten, ich möchte nur meine Tochter zurück. Und ich gelobe bei allem, was heilig ist, dass sie, sobald sie das sechzehnte Lebensjahr erreicht hat, einem Kloster übergeben werden wird. Ihr Körper und ihre Seele werden auf Erden keine andere Aufgabe mehr haben als die Anbetung der göttlichen Majestät.«

»Dieser Mann hat sie im Beisein der ganzen Stadt beschuldigt«, sagt schließlich der Inquisitor. »Er würde öffentlich seine Ehre verlieren, wenn man ihn der Lüge überführt. Die meisten Denunziationen sind anonym, so viel Mut ist selten.«

Erleichtert, dass der Inquisitor zuletzt doch noch sein Schweigen gebrochen hat, nutzt der Vater des Mädchens seine Chance.

»Ich bin sein Feind, und das wisst Ihr. Ich habe ihn entlassen, weil er meine Tochter begehrte. Das ist nichts als Rache und hat keineswegs etwas mit Glauben zu tun.«

Er würde gern noch hinzufügen, dass das Gleiche wahrscheinlich auch für die anderen sieben Angeklagten gilt. Gerüchten zufolge hat der besagte Bauer mit zweien seiner eigenen Töchter sexuell verkehrt. Angeblich ist er ein Mann mit widernatürlichen Gelüsten, der junge Mädchen bevorzugt.

Der Inquisitor nimmt ein Buch von dem Stapel auf seinem Tisch.

»Ich möchte das ja gern glauben und bin bereit, mich davon überzeugen zu lassen. Aber ich muss mich an die vorgeschriebene Verfahrensweise halten. Falls Eure Tochter unschuldig ist, hat sie nichts zu befürchten. Nichts, absolut gar nichts wird getan, was nicht hier in diesem Buch steht. Anfangs waren wir wohl etwas übereifrig, doch jetzt sind wir besser organisiert und sorgfältiger: Heute stirbt niemand mehr durch unsere Hände.«

Er streckt dem Mann das Buch hin: *Directorium Inquisitorum*. Der Vater des Mädchens ergreift es, schlägt es aber nicht auf. Er hält den Einband fest gepackt, als könnte er so verbergen, dass seine Hände zittern.

»Unser Verhaltenskodex«, fährt der Superior fort. »Die Wurzeln des christlichen Glaubens. Die Verdorbenheit der Ketzer. Und wie wir eines vom anderen unterscheiden sollen.«

Die Frau hebt eine Hand zum Mund in dem Versuch, ihre Angst und ihre Tränen zu unterdrücken. Sie hat bereits begriffen, dass sie nichts erreichen werden.

»Ich werde mich hüten, dem Gericht zu sagen, wie sie als Kind mit ihren ›unsichtbaren Freunden‹ redete, wie sie es nannte. Es ist stadtbekannt, dass die Mädchen sich im nahen Wald trafen, ihre Finger an ein Glas legten und versucht haben, es mit reiner Willenskraft zu bewegen. Vier von ihnen haben bereits gestanden, dass sie versucht haben, mit den Geistern der Toten in Verbindung zu treten, die ihnen die Zukunft enthüllen würden. Und dass sie über dämonische Kräfte verfügen, wie beispielsweise über die Fähigkeit, mit dem zu sprechen, was sie die ›Kräfte der Natur‹ nennen. Gott ist die einzige Kraft und die einzige Macht.«

»Aber so etwas tun doch alle Kinder.«

Der Superior erhebt sich, kommt an meinen Tisch, nimmt ein weiteres Buch und beginnt, darin zu blättern. Trotz der Freundschaft, die ihn mit der Familie verbindet – der einzige Grund, weshalb er sich überhaupt auf dieses Gespräch eingelassen hat –, will er die Angelegenheit vor dem kommenden Sonntag abschließen. Ich versuche das Ehepaar mit meinen Blicken zu trösten, die einzige Möglichkeit, die mir bleibt, denn es ist mir verboten, in Gegenwart meines Superiors meine Meinung zu äußern.

Doch es ist vergebens, ihre ganze Aufmerksamkeit gilt dem Inquisitor.

»Bitte«, bricht es aus der Mutter hervor, die nun ihre Verzweiflung nicht mehr verbirgt. »Verschont meine Tochter. Wenn ihre Freundinnen ein Geständnis abgelegt haben, dann nur, weil sie …«

Der Mann ergreift ihre Hand, um sie zu unterbrechen. Doch der Inquisitor vollendet den Satz:

»… gefoltert wurden? Wir kennen uns nun schon so lange, haben alle möglichen theologischen Diskussionen geführt. Wisst Ihr denn nicht, dass Gott in jedem dieser Mädchen ist und niemals erlauben würde, dass sie leiden oder ein falsches Geständnis ablegen? Glaubt Ihr, dass ein wenig Schmerz ausreicht, um ihren Seelen die schlimmsten Schändlichkeiten zu entreißen? Die Folter wurde vor über zweihundert Jahren vom Heiligen Vater, Papst Innozenz IV., in seiner Dekretale *Ad Extirpanda* erlaubt. Wir foltern nicht, weil es uns gefällt: Was wir tun, ist ein Glaubensbeweis. Wer nichts zu gestehen hat, wird vom Heiligen Geist getröstet und beschützt.«

Die prächtige Kleidung des Ehepaares steht in krassem Gegensatz zu dem kargen Raum, in dem als einziges Zugeständnis ein brennender Kamin etwas Wärme verbreitet. Ein Sonnenstrahl fällt durch eine Öffnung in der steinernen Wand und lässt die Juwelen aufblitzen, die die Frau an ihren Fingern und um den Hals trägt.

»Die Inquisition kommt nicht zum ersten Mal in diese Stadt«, fährt der Inquisitor fort. »Bei diesen Gelegenheiten hat sich keiner von euch beklagt und das, was geschah, für ungerecht gehalten. Ganz im Gegenteil, bei einem unserer Abendessen habt Ihr diese Praxis als den einzigen Weg gutgeheißen, um den Kräften des Bösen Einhalt zu gebieten. Jedes Mal, wenn wir die Stadt von Ketzern gereinigt haben, habt Ihr Beifall geklatscht. Ihr hattet verstanden, dass wir keine grausamen Henker sind, sondern nur auf der Suche nach der Wahrheit, die nicht immer so eindeutig ist, wie sie sein sollte.«

»Aber –«

»Aber da ging es um die anderen. Um jene, die Eurer Meinung nach die Folter und den Scheiterhaufen verdient hatten. Irgendwann«, und er zeigte dabei auf den Vater, »habt Ihr sogar selbst eine Familie denunziert. Ihr habt gesagt, dass die Mutter schwarze Magie betrieb, damit Euer

Vieh starb. Wir haben die Wahrheit dieser Anklage beweisen können, sie wurden verurteilt und…«

Er wartet eine Weile, bis er den Satz zu Ende bringt, als würde er die Worte auskosten.

»…ich habe Euch geholfen, für einen lächerlichen Preis das Land dieser Familie zu kaufen. Eure Frömmigkeit wurde reich belohnt.«

Er wendet sich an mich.

»Bring mir das *Malleus Maleficarum*.«

Ich gehe zum Bücherregal hinter seinem Tisch. Er ist ein guter Mann, überzeugt davon, das Richtige zu tun. Er lässt sich nicht von persönlichen Rachegefühlen leiten, er handelt im Namen seines Glaubens. Obwohl er sich nie zu seinen Gefühlen äußert, habe ich ihn häufig ins Leere blicken sehen, als würde er Gott fragen, warum Er ihm eine solche Bürde auf die Schultern geladen hat.

Ich reiche ihm das dicke Buch mit dem Ledereinband, auf dessen Vorderseite der Titel eingeprägt ist.

»Alles steht hier. *Malleus Maleficarum*. Der Hexenhammer. Eine detaillierte Abhandlung über die universelle Verschwörung, das Heidentum wieder einzuführen, über den Glauben in die Natur als unsere Errettung und den Irrglauben, der behauptet, es gebe vergangene Leben, über die von der Kirche verdammte Astrologie und die noch viel verdammenswertere ›Wissenschaft‹, welche die Mysterien des Glaubens bezweifelt. Der Teufel weiß, dass er Hilfe braucht, Hexen und Wissenschaftler, um die Welt zu verführen und zu verderben.

Während die Männer in den Kriegen zur Verteidigung des Glaubens und des Reiches sterben, dünken sich die

Frauen zum Herrschen geboren, und Feiglinge, die sich für Weise halten, forschen mit Gerätschaften und stellen wissenschaftliche Theorien auf, um zu erfahren, was ihnen auch die Bibel sagen könnte. Uns obliegt es, sie daran zu hindern. Nicht ich habe diese Mädchen hierhergebracht. Ich bin nur damit beauftragt, herauszufinden, ob sie unschuldig sind oder ob ich sie retten muss.«

Der Superior erhebt sich und bittet mich, ihn zu begleiten.

»Ich muss gehen. Wenn Eure Tochter unschuldig ist, wird sie noch vor Anbruch des morgigen Tages zu Hause sein.«

Die Frau wirft sich vor ihm zu Boden und umklammert seine Knie.

»Bitte! Ihr habt sie als Kind in den Armen gehalten!«

Der Mann spielt seine letzte Karte aus.

»Ich werde all meine Ländereien und mein ganzes Vermögen hier und jetzt der Kirche schenken. Reicht mir eine Feder und Papier, und ich gebe es Euch schriftlich. Ich möchte dieses Haus zusammen mit meiner Tochter verlassen.«

Der Inquisitor schiebt die Frau zur Seite, sie bleibt hilflos weinend liegen, das Gesicht in den Händen verborgen.

»Der Dominikanerorden wurde eigens ausgewählt, damit so etwas nicht geschieht. Die Inquisitoren von einst konnten leicht durch Geld korrumpiert werden. Aber wir Dominikaner haben immer vom Betteln gelebt und werden das auch weiterhin tun. Geld verführt uns nicht, ganz im Gegenteil, Euer empörendes Angebot macht die Lage Eurer Tochter nur noch schlimmer.«

Der Mann packt mich bei den Schultern.

»Du warst wie ein Sohn für uns! Nachdem deine Eltern

gestorben sind, haben wir dich in unserem Haus aufgenommen, damit dich dein Onkel nicht länger misshandelt.«

»Macht euch keine Sorgen«, flüstere ich ihm leise ins Ohr, voller Angst, dass der Inquisitor mich hören könnte. »Macht euch keine Sorgen.«

Auch wenn mich der Mann nur aufgenommen hatte, damit ich wie ein Sklave auf seinen Ländereien arbeitete. Auch wenn er mich ebenfalls geschlagen und beschimpft hat, wann immer ich etwas falsch gemacht hatte.

Ich befreie mich aus seinem Griff und gehe zur Tür. Der Inquisitor wendet sich ein letztes Mal an das Ehepaar:

»Eines Tages werdet Ihr mir noch dafür danken, dass ich Eure Tochter vor der ewigen Verdammnis gerettet habe.«

»Zieht sie aus!«

Der Inquisitor sitzt an einem riesigen Tisch, der von einer Reihe leerer Stühle umgeben ist.

Zwei Wachen treten heran, aber das Mädchen hebt die Hand.

»Ich brauche sie nicht. Ich kann es allein. Nur tut mir bitte nicht weh!«

Sie zieht langsam ihren golddurchwirkten Samtrock aus, der so elegant ist wie die Kleidung ihrer Mutter. Die zwanzig Männer in dem Saal tun so, als würden sie sich nicht dafür interessieren, aber ich weiß, was in ihren Köpfen vor sich geht. Lüsternheit, Wollust, Gier, Perversionen.

»Die Bluse.«

Sie zieht die Bluse aus, die zweifellos noch gestern weiß gewesen, aber heute schmutzig und zerknittert ist. Ihre Gesten sind langsam und wirken einstudiert, und ich weiß, was sie denkt: ›Er wird mich retten. Er wird dem hier gleich ein Ende bereiten.‹ Ich sage nichts, frage Gott nur stumm, ob dies alles rechtens ist. Ich bete ein Vaterunser nach dem anderen, bitte um Erleuchtung für meinen Superior und das Mädchen. Er wird auch wissen, dass der Grund für die Denunziation nicht nur Eifersucht oder Rache war, sondern die unglaubliche Schönheit des Mädchens. Sie ist das

Abbild Luzifers, des schönsten und verdorbensten Engels Gottes.

Alle hier kennen ihren Vater, wissen, wie mächtig er ist und wie sehr er demjenigen schaden kann, der seine Tochter berührt. Sie schaut mich an, ich wende die Augen nicht ab. Die anderen verbergen sich in den Schatten des riesigen unterirdischen Gewölbes, aus Angst, sie könnte mit dem Leben davonkommen und sie bloßstellen. Feiglinge! Sie wurden hier versammelt, um einer höheren Sache zu dienen, dabei zu helfen, die Welt zu läutern. Warum verstecken sie sich vor einem wehrlosen Mädchen?

»Zieh den Rest aus.«

Sie sieht mich weiter unverwandt an. Sie hebt die Hände, löst die Bänder des blauen Unterkleides, das als Einziges noch ihren Körper bedeckt, und lässt es zu Boden fallen.

Sie fleht mich mit Blicken an, etwas zu tun, um das alles zu verhindern, ich antworte mit einem kaum merklichen Nicken, alles würde gut werden, sie brauche sich keine Sorgen machen.

»Suche das Satansmal«, befiehlt mir der Inquisitor.

Ich trete mit einer Kerze an sie heran. Die Warzen ihrer kleinen Brüste sind hart, und sie hat Gänsehaut. Die hohen Fenster mit den dicken Scheiben lassen nicht viel Helligkeit herein, doch ihr makelloser weißer Körper schimmert im Licht der Kerze.

Ich muss nicht lange suchen: Auf ihrer Scham – die zu küssen ich mir in Augenblicken höchster Versuchung vorgestellt habe – sehe ich links oben das Satansmal. Ich erschrecke – vielleicht hat der Inquisitor ja doch recht, denn dies ist der unwiderlegbare Beweis, dass sie mit dem Dämon verkehrt hat. Ich fühle eine Mischung aus Ekel, Traurigkeit und Wut.

Ich muss ganz sicher sein. Ich knie neben ihrem nackten Körper nieder und betrachte das dunkle, halbmondförmige Mal.

»Das habe ich von Geburt an.«

Genau wie ihre Eltern denkt auch sie, dass sie ein Gespräch beginnen, sie alle von ihrer Unschuld überzeugen könne. Ich bete unablässig, seit ich den Raum betreten habe, bitte Gott verzweifelt darum, mir Kraft zu geben. Es wird ein wenig schmerzhaft, aber in nicht einmal einer halben Stunde vorbei sein. Auch wenn dieses Mal ein unverrückbarer Beweis für ihre Verbrechen ist, hatte ich sie geliebt, bevor ich meinen Körper und meine Seele in den Dienst Gottes gestellt habe, weil ich wusste, dass ihre Eltern niemals zulassen würden, dass eine Adlige einen Bauern heiratet.

Und diese Liebe ist noch immer zu stark, als dass ich dieses Gefühl beherrschen könnte. Ich möchte das Mädchen nicht leiden sehen.

»Ich habe niemals den Dämon angerufen. Du kennst mich, und du kennst meine Freundinnen. Sage ihm«, und sie zeigt auf meinen Superior, »dass ich unschuldig bin.«

Der Inquisitor spricht überraschend milde zu ihr, ein Zeichen göttlicher Barmherzigkeit.

»Auch ich kenne deine Familie. Aber die Kirche weiß, dass der Teufel seine Werkzeuge nicht nach ihrem Gesellschaftsstand sucht, sondern der Fähigkeit entsprechend, mit Worten oder mit falscher Schönheit zu verführen. Das Böse kommt aus dem Mund des Menschen, hat Jesus gesagt. Wenn das Böse dort drinnen ist, wird es durch Schreie exorziert und in das Geständnis verwandelt, das notwendig ist. Bist du frei von Bösem, wirst du den Schmerzen widerstehen.«

»Ich friere, wäre es nicht –«

»Es ist dir nicht erlaubt, zu sprechen, solange ich nicht das Wort an dich richte«, entgegnet er ihr sanft, aber bestimmt. »Nicke, oder schüttele den Kopf. Deine vier Freundinnen haben dir schon erzählt, was passiert, nicht wahr?«

Sie nickt.

»Meine Herren, nehmt Eure Plätze ein!«

Nun müssen die Feiglinge ihr Gesicht zeigen. Richter, Gelehrte und Adlige setzen sich an den großen Tisch, an dem der Inquisitor bislang allein gewesen war. Nur ich, die Wachen und das Mädchen bleiben stehen.

Mir wäre wohler, wenn dieses Gesindel nicht anwesend wäre. Ich weiß, wenn nur wir drei hier wären, würde sich der Inquisitor möglicherweise erweichen lassen. Wäre die Anschuldigung nicht öffentlich gemacht worden, was nur sehr selten vorkam, denn die meisten fürchten sich vor dem Gerede der Leute, dann wäre möglicherweise nichts von alldem hier geschehen. Aber das Schicksal hat bestimmt, dass die Dinge einen anderen Lauf nehmen sollen. Die Kirche braucht dieses Gesindel dafür, die Rechtmäßigkeit des Verfahrens zu verbürgen. Da man uns in der Vergangenheit Exzesse vorgeworfen hat, wurde bestimmt, dass alles in geeigneten zivilen Dokumenten aufgezeichnet werden soll, damit in Zukunft jeder sehen kann, dass die kirchliche Amtsgewalt würdig und ausschließlich zur berechtigten Verteidigung des Glaubens angewandt wurde. Die Strafen werden vom Staat ausgesprochen; den Inquisitoren obliegt allein, den Schuldigen auszumachen.

»Hab keine Angst. Ich habe gerade mit deinen Eltern gesprochen und gelobt, alles zu tun, um zu beweisen, dass du nie an den Ritualen teilgenommen hast, deren du angeklagt bist. Dass du die Toten nicht angerufen hast, dass du nicht versucht hast, in die Zukunft zu blicken, dass du nicht versucht hast, in die Vergangenheit zurückzugehen, dass du die Natur nicht anbetest, dass die Schüler Satans deinen Körper nie berührt haben, obwohl ihr Mal deutlich sichtbar ist.«

»Ihr wisst, dass –«

Alle Anwesenden, für die Beklagte nun sichtbar, wenden sich dem Inquisitor zu in Erwartung einer gebührend heftigen Reaktion. Aber er hebt nur seinen Finger an die Lippen und bittet das Mädchen erneut, das Gericht zu respektieren.

Meine Gebete werden erhört. Ich bitte den himmlischen Vater, dass er meinem Superior Geduld und Toleranz schenkt, dass er das Mädchen nicht aufs Rad flicht. Niemand widersteht dem Rad, so dass es nur bei denjenigen angewandt wird, von deren Schuld man überzeugt ist. Bis jetzt hat noch keines der vier Mädchen, die vor dem Gericht gestanden haben, diese äußerste Form der Folter erleiden müssen: über dem Radbogen festgebunden zu werden, auf dem spitze Nägel und glühende Kohlen befestigt sind. Wenn das Rad dann von einem von uns gedreht wird, verbrennt der Körper langsam, während die Nägel das Fleisch zerreißen.

»Bringt das Bett.«

Meine Gebete sind tatsächlich vernommen worden. Einer der Wachen brüllt einen Befehl.

Sie versucht zu fliehen, obwohl sie weiß, dass es unmöglich ist. Sie rennt hin und her, wirft sich gegen die steinernen Wände, läuft zur Tür, aber wird zurückgestoßen. Trotz der Kälte ist ihr Körper schweißbedeckt und glänzt im schwachen Licht des Raumes. Sie schreit nicht wie die anderen Mädchen, sie versucht nur zu entkommen. Die Wachen packen sie schließlich: Im Durcheinander berühren sie absichtlich die kleinen Brüste, die von einem Haarbüschel verborgene Scham.

Zwei Männer tragen ein hölzernes Bett herein, ein Streckbett, das in Holland eigens für die Inquisition konstruiert wurde. Inzwischen wird sein Gebrauch in verschiedenen Ländern empfohlen. Sie stellen es dicht vor den Tisch, packen das Mädchen, das sich stumm wehrt, spreizen seine Beine, schieben die Knöchel durch zwei Ringe. Dann strecken sie die Arme des Mädchens über ihren Kopf und binden sie mit Seilen an einen Hebel.

»Ich werde den Hebel bedienen«, sage ich.

Der Inquisitor schaut mich an. Normalerweise übernimmt einer der anwesenden Soldaten diese Aufgabe. Aber ich weiß, wie leicht diese Barbaren die Muskeln des Mädchens zerreißen können, und der Inquisitor hat mich schon bei den anderen vier Verfahren den Hebel bedienen lassen.

»In Ordnung.«

Ich gehe zum Fußende des Streckbetts und lege die Hände auf das vom vielen Gebrauch abgenutzte Holz. Die anderen Männer beugen sich nach vorn. Der Anblick des gefesselten, mit gespreizten Beinen nackt daliegenden Mädchens ist Himmel und Hölle zugleich. Der Dämon versucht mich, provoziert mich. Heute Nacht werde ich mich kasteien, bis er aus meinem Körper weicht – zusammen mit der Erinnerung an diesen Moment, in dem ich mir wünsche, sie in meinen Armen zu halten und vor den lüsternen Blicken und geifernden Lächeln zu schützen.

»Weiche von ihr im Namen Jesu!«, schreie ich dem Dämon zu. Dabei ziehe ich aus Versehen am Hebel, und ihr Körper bäumt sich auf. Sie stöhnt nur, als ihre Wirbelsäule sich verbiegt. Ich lasse den Hebel los, und sie fällt zurück.

Ich bete ohne Unterlass, erflehe Gottes Barmherzigkeit. Wenn die Schmerzgrenze des Körpers überschritten ist, wird der Geist stark. Alle menschlichen Begierden werden bedeutungslos und er selbst geläutert. Das Leid kommt vom Begehren und nicht von den Schmerzen.

Meine Stimme ist ruhig und tröstend.

»Deine Freundinnen haben dir bestimmt schon erzählt, was das ist, nicht wahr? Wenn ich diesen Hebel drücke, werden deine Arme zurückgezogen, die Schultern kugeln aus, die Wirbelsäule bricht, die Haut zerreißt. Zwinge mich nicht, zum Äußersten zu gehen. Gestehe einfach, so wie deine Freundinnen es getan haben. Mein Superior wird dir die Absolution für deine Sünden erteilen, du wirst, nur mit einer Buße belegt, nach Hause zurückkehren, und alles ist wieder gut. Die Inquisition wird nicht so bald in diese Stadt zurückkehren.«

Ich blicke zur Seite, versichere mich, dass der Schreiber meine Worte aufzeichnet. Damit alles für die Zukunft festgehalten wird.

»Ich gestehe«, sagt sie. »Sag du mir, was meine Sünden sind, und ich gestehe.«

Ich bewege den Hebel ganz vorsichtig, aber genug, um ihr einen Schmerzensschrei zu entlocken. ›Bitte lass mich nicht weitermachen müssen‹, flehe ich innerlich. ›Bitte hilf mir, und gestehe gleich.‹

»Ich kann dir deine Sünden nicht sagen, obwohl ich sie kenne – aussprechen musst du sie, du musst sie dem Gericht selber sagen.«

Das Mädchen beginnt, uns alles das zu erzählen, was wir erwartet haben, so dass sich eine Folter erübrigt. Aber damit besiegelt sie gleichzeitig ihr Todesurteil. Um sie zum Schweigen zu bringen, drücke ich den Hebel. Sie windet sich vor Schmerz, fährt aber trotzdem fort. Sie spricht von Vorahnungen, davon, dass sie spüren kann, was in der Zukunft geschehen wird, und wie die Natur ihr und ihren Freundinnen viele Heilmittel enthüllt habe. Verzweifelt drücke ich den Hebel noch mehr, aber sie hört nicht auf, zwischen ihren Schmerzensschreien zu reden.

»Moment!«, sagt der Inquisitor. »Hören wir uns an, was das Mädchen zu sagen hat. Lass etwas nach.«

Und, an die anderen gewandt:

»Ihr alle seid Zeugen. Die Kirche beantragt für dieses bedauernswerte Opfer des Dämons den Tod auf dem Scheiterhaufen.«

Nein! Ich will ihr sagen, dass sie schweigen soll, aber alle Blicke im Raum sind auf mich gerichtet.

»Das Gericht ist einverstanden«, sagt einer der anwesenden Richter.

Damit ist ihr Schicksal besiegelt. Zum ersten Mal, seit sie den Raum betreten hat, verändert sich ihr Blick, bekommt eine Entschlossenheit, die nur vom Teufel eingegeben sein kann.

»Ich gestehe, dass ich alle Sünden der Welt begangen

habe. Dass ich Träume hatte, in denen Männer an mein Bett getreten sind und mich innig geküsst haben. Einer dieser Männer warst du, und ich gestehe, dass ich davon geträumt habe, dich zu verführen. Ich gestehe, dass ich mich mit meinen Freundinnen getroffen habe, um die Geister der Toten anzurufen, denn ich wollte wissen, ob ich eines Tages den Mann heiraten würde, den ich schon immer an meiner Seite haben wollte.«

Sie macht eine Kopfbewegung zu mir hin.

»Dieser Mann warst du. Ich konnte es nicht erwarten, erwachsen zu werden, um dann zu versuchen, dich vom Klosterleben abzubringen. Ich gestehe, dass ich Briefe und Tagebücher geschrieben habe, die ich verbrannte, weil in ihnen ausschließlich von dir die Rede war, dem einzigen Menschen, der außer meinen Eltern echte Gefühle für mich zeigte und den ich deswegen liebte …«

Ich drücke den Hebel noch etwas stärker. Sie stößt einen Schrei aus und wird bewusstlos. Der weiße Leib ist schweißüberströmt. Die Wachen wollen dem Mädchen kaltes Wasser ins Gesicht gießen, damit sie wieder zu sich kommt und wir weitere Geständnisse bekommen, aber der Inquisitor hält sie zurück.

»Es reicht. Ich denke, das Gericht hat genug gehört. Bedeckt sie mit ihrem Unterkleid, und bringt sie zurück in die Zelle.«

Die Wachen heben das blaue Unterkleid vom Boden auf und tragen das Mädchen weg. Der Inquisitor wendet sich an die Männer am Tisch neben ihm.

»Nun brauche ich Ihre schriftliche Urteilsbestätigung, meine Herren. Oder will einer der Anwesenden etwas zugunsten der Beklagten vorbringen? Wenn ja, würden wir die Anklage überdenken.«

Wieder wenden sich alle Blicke mir zu. Einige hoffen, dass ich schweigen, andere, dass ich für das Mädchen einstehe werde und sie rette, denn wie sie selbst gesagt hat, kenne ich sie schließlich.

Warum musste sie all das aussprechen? Warum hat sie diese Gefühle wieder wachgerufen, die so schwer zu vergessen waren, als ich beschloss, Gott zu dienen und der Welt zu entsagen? Warum hat sie mir nicht erlaubt, sie zu retten, als ich es noch konnte? Würde ich jetzt etwas zu ihren Gunsten aussagen, würde sich am nächsten Tag die ganze Stadt das Maul darüber zerreißen, dass ich sie nur verschont hätte, weil sie mir ihre Liebe gestanden hat. Mein Ruf und meine Karriere wären ruiniert.

»Wenn sich nur eine Stimme zu ihrer Verteidigung erhebt, bin ich bereit, im Namen der Mutter Kirche Milde walten zu lassen.«

Ich bin nicht der Einzige im Saal, der ihrer Familie in irgendeiner Weise verbunden ist. Einige sind ihnen einen Gefallen schuldig, andere Geld, wieder andere bewegt nur der Neid. Niemand wird den Mund aufmachen. Höchstens einer, der ihnen nichts schuldig ist.

»Soll ich in diesem Fall das Verfahren für abgeschlossen erklären?«

Fast scheint es, als wolle mich der Inquisitor, obwohl er gebildeter und gottesfürchtiger ist als ich, um Hilfe bitten. Aber immerhin hat das Mädchen vor allen im Saal gesagt, dass sie mich liebt!

»Sprich nur ein Wort, so wird mein Knecht gerettet«,

sagte der Hauptmann zu Jesus. Ein einziges Wort von mir, und das Mädchen hätte nichts mehr zu befürchten.

Kein Laut kommt über meine Lippen.

Der Inquisitor lässt sich nichts anmerken, aber ich weiß auch so, dass er mich jetzt verachtet.

»Die Kirche, die durch mich, ihren demütigen Ankläger, vertreten ist, erwartet die Bestätigung des Todesurteils.«

Die Männer versammeln sich in einer Ecke des Raumes, ich höre den Dämon immer lauter in meinen Ohren brüllen. Immerhin habe ich an keinem der vier anderen Mädchen bleibende Spuren hinterlassen. Ich habe schon Brüder erlebt, die den Hebel bis zum Anschlag gebracht haben – die Verurteilten sterben, ihre Körper um mehr als dreißig Zentimeter gestreckt, mit zerfetzten Organen, und das Blut quillt ihnen aus dem Mund.

Die Männer kommen mit einem von allen unterzeichneten Papier zurück. Das Urteil ist das Gleiche wie die letzten vier Male: Tod auf dem Scheiterhaufen.

Der Inquisitor bedankt sich bei allen und geht wortlos an mir vorbei aus dem Saal. Die Männer, die verantwortlich für das weltliche Gesetz und die Rechtsprechung sind, folgen ihm, einige schon in den neuesten Klatsch vertieft, andere mit gesenktem Kopf. Ich gehe zum Kamin, nehme eine der rotglühenden Kohlen heraus und drücke sie mir unter meinem Habit auf die Haut. Es riecht nach verbranntem Fleisch, und mein Körper krümmt sich vor Schmerz, aber ich höre nicht auf.

»Herr«, sage ich, als der Schmerz etwas nachlässt, »mögen diese Brandmale auf ewig meinen Körper zeichnen, damit ich niemals vergesse, wer ich an diesem Tage war.«

Kraft neutralisieren, ohne sich zu bewegen

Die Party ist ein voller Erfolg: Eine Frau in Landestracht, auffällig geschminkt und von beeindruckender Körperfülle, singt Volkslieder der Region, und alle amüsieren sich bestens. Ich fühle mich mit jedem zurückgelegten Zugkilometer euphorischer.

Am Nachmittag hat es einen kurzen Moment gegeben, in dem ich in eine Depression abzurutschen drohte, aber ich habe mich schnell wieder gefangen. Warum soll ich mich schuldig fühlen, wo Hilal mir doch verziehen hat? In die Vergangenheit zurückzukehren und an alten Wunden zu rühren, ist nicht nur schmerzhaft, sondern zudem nicht einmal das Entscheidende. Für eine solche Rückkehr spricht nur, dass das dort erlangte Wissen mir helfen wird, die Gegenwart besser zu verstehen.

Seit der Signierstunde am Nachmittag suche ich nach den richtigen Worten, um Hilal schonend die Wahrheit beizubringen. Das Schlimme an Worten ist, dass sie das trügerische Gefühl vermitteln, wir könnten uns einander verständlich machen, uns tatsächlich verstehen. Aber wenn es darauf ankommt, reichen sie meist nicht aus. Ich kenne so viele Menschen, die hervorragend reden und mit Worten umgehen können, aber nicht leben, was sie predigen! Schließlich ist von etwas reden auch nicht das Gleiche, wie es zu erleben.

Ein »Krieger des Lichts« lässt sich auf der Suche nach seinem Traum durch seine Taten inspirieren und nicht durch das, was er sich vorstellt zu tun. Es hat keinen Sinn, wenn ich versuche, Hilal zu erzählen, was wir gemeinsam durchgemacht haben, denn Worte können das nicht wiedergeben.

Jenen Keller, die Folter und den Tod auf dem Scheiterhaufen jedoch selbst zu erleben wird ihr auch nicht weiterhelfen, sondern könnte ihr sogar schaden. Wir haben noch etliche Tage vor uns, ich werde schon einen Weg finden, wie ich erklären kann, was uns verbindet, ohne dass sie all die Schmerzen noch einmal erleben muss.

Das Einfachste wäre, sie weiterhin im Dunkeln zu lassen und gar nichts zu erzählen. Aber ich habe das Gefühl, dass die Wahrheit sie auch von vielem befreien wird, das sie in ihrem gegenwärtigen Leben belastet. Ich habe mich nicht von ungefähr auf meine Reise begeben, als alles um mich herum zu stagnieren drohte und mein Leben nicht mehr wie ein Fluss zum Meer hin strömte. Und dass es ihr ähnlich erging, ist ebenfalls kein Zufall.

Also muss Gott mir helfen, diesen Weg zu finden. Mit jedem Tag, der vergeht, erleben alle in unserem Waggon, wie ihr Leben auf einer neuen Stufe ankommt: Meine Lektorin wirkt jetzt nicht mehr so unnahbar und auch weniger angriffslustig. Auch für Yao, der in diesem Moment neben mir steht, eine Zigarette raucht und die Menschen auf der Tanzfläche betrachtet, ist es zweifellos ein Gewinn, dass er sein eigenes Wissen auffrischen konnte, indem er mich an Vergessenes erinnerte. Wir haben den Vormittag in einem Sportstudio zugebracht und Aikido geübt. Zum Schluss sagte er:

»Wir müssen jederzeit auf Angriffe des Feindes vorbereitet sein und darauf, dem Tod ins Auge zu sehen, damit das Wissen um unsere Sterblichkeit unseren Weg erleuchtet.«

Ueshiba hat viele Sätze hinterlassen, die die Schritte derjenigen auf dem Weg des Friedens lenken. Aber Yao hat einen ausgewählt, der unmittelbar mit einem Erlebnis der vorangegangenen Nacht zusammenhängt: Während Hilal in meinen Armen lag, sah ich ihren Tod, und das Wissen darum erleuchtete meinen Weg.

Auch Yao scheint in Parallelwelten überwechseln und nachvollziehen zu können, was gerade mit mir geschieht. Obwohl er von all meinen Reisegefährten derjenige ist, mit dem ich mich zurzeit am meisten austausche – Hilal spricht immer weniger mit mir, obwohl wir zusammen Außergewöhnliches erlebt haben –, kenne ich ihn kaum. Ich glaube, es hat wenig gebracht, ihm zu sagen, dass die Menschen, die wir lieben, nicht verschwinden, sondern nur in eine andere Dimension überwechseln. Seine Gedanken sind wohl noch immer ganz auf seine Frau fixiert, und alles, was ich jetzt noch tun kann, ist, den Kontakt mit einem mir bekannten hervorragenden Medium in London herzustellen. Dort wird er alle Antworten finden, die er braucht, und alle Zeichen, die bestätigen, was ich über die Ewigkeit der Zeit gesagt habe.

Meine Entscheidung, Asien im Zug zu durchqueren, mag spontan gewesen sein, aber ich bin sicher, dass jeder von uns einen Grund hat, warum er oder sie heute in Irkutsk ist. Erlebnisse wie dieses sind nur möglich, wenn alle Beteiligten sich schon irgendwo irgendwann begegnet und auf einem gemeinsamen Weg sind.

Hilal tanzt mit einem Mann in ihrem Alter. Sie wirkt aufgekratzt, hat ein bisschen zu viel getrunken und bereits mehr als einmal an diesem Abend bereut, dass sie ihre Geige nicht mitgebracht hat. Das ist auch wirklich schade. Die Leute hier hätten es verdient, von der großen Ersten Geigerin eines der renommiertesten Konservatorien Russlands verzaubert zu werden.

***

Die mollige Sängerin tritt von der Bühne ab, die Musikgruppe spielt weiter, und bald hüpft das Publikum im Saal herum und schreit »Kalaschnikow! Kalaschnikow!«, den Refrain zu Goran Bregovićs gleichnamigem Song. Wäre dessen Musik hier nicht so bekannt, müsste es für jeden Passanten wie eine Party von Terroristen klingen.

Der junge Mann und Hilal halten sich eng umschlungen, und es sieht so aus, als würden sie sich gleich küssen. Doch anders als meine Reisegefährten jetzt vermutlich denken, bin ich kein bisschen eifersüchtig.

Im Gegenteil. Ich finde es wunderbar.

Wenn sie doch nur einen Mann fände, der sie glücklich macht und nicht versucht, ihre brillante Karriere zu unterbinden; jemanden, der sie bei Sonnenuntergang in den Arm nimmt und nie vergisst, das heilige Feuer zu entzünden, wenn sie Hilfe braucht. Sie hätte es so verdient.

»Ich kann diese Male auf Ihrem Körper heilen«, sagt Yao, während wir auf die Tanzenden schauen. »Die chinesische Medizin kennt ein Mittel dagegen.«

Nein. Das kann nicht sein.

»So schlimm ist es gar nicht. Sie kommen und gehen in

immer unregelmäßigeren Abständen. Das nummuläre Ekzem ist nicht heilbar.«

»In China sagt man, sie tauchen nur bei Menschen auf, die als Soldaten in einem früheren Leben während der Schlacht verbrannt wurden.«

Ich lächle. Yao schaut mich an und lächelt zurück. Ich weiß nicht, ob ihm klar ist, was er gerade gesagt hat. Das sind die Male, die ich seit jenem fernen Morgen im Keller immer behalten werde. Ich habe dieselbe Läsion auf der Hand des französischen Schriftstellers gesehen, der ich im 19. Jahrhundert gewesen bin. Es ähnelt in der Form jenen kleinen römischen Münzen, *nummuli* genannt, denen es auch seinen Namen verdankt.

Oder einem kleinen Brandmal.

Die Musik verstummt. Es ist Zeit, zum Abendessen zu gehen. Ich schlendere zu Hilal hinüber und lade ihren Tanzpartner ein, uns zu begleiten. Er wird einer der an diesem Abend ausgewählten Leser sein.

»Aber du hast doch schon andere Leute eingeladen.«

»Ein zusätzlicher Platz findet sich immer«, erwidere ich.

»Nicht immer. Nicht alles im Leben ist wie ein langer Zug, für den jeder eine Fahrkarte kaufen kann«, kontert Hilal.

Auch wenn er die Bemerkung nicht recht versteht, merkt der junge Mann doch, dass etwas zwischen uns beiden nicht stimmt. Er sagt, er habe bereits seiner Familie versprochen, zum Abendessen nach Hause zu kommen.

Ich erlaube mir einen kleinen Spaß mit ihm.

»Haben Sie Majakowski gelesen?«, frage ich.

»Der ist an russischen Schulen nicht mehr Pflichtlektüre. Eine Zeitlang war er sowjetischer Vorzeigedichter.«

Der junge Mann hat ja recht. Dennoch habe ich in seinem Alter Majakowski geliebt. Und ich weiß daher ein bisschen was über sein Leben.

Meine Verleger kommen herüber, weil sie befürchten, vor ihren Augen würde sich gleich eine Eifersuchtsszene abspielen. Doch wie so oft sind die Dinge nicht, wie sie scheinen.

»Er hat sich in die Ehefrau seines Verlegers, eine Ballerina, verliebt«, sage ich herausfordernd. »Sie hatten eine leidenschaftliche Affäre, die wesentlich dafür verantwortlich war, dass Majakowskis Werk weniger politisch und dafür menschlicher wurde. Obwohl ihr Name immer verändert war, wusste der Verleger nur zu gut, dass in den Gedichten von seiner Frau die Rede war, gab aber weiterhin Majakowskis Bücher heraus. Die Ballerina liebte ihren Mann und den Dichter. Die Lösung, die sie schließlich fanden, war, zu dritt zusammenzuleben. Und sie waren glücklich.«

»Ich liebe auch meinen Mann und Sie!«, witzelt die Frau meines Verlegers. »Warum ziehen Sie nicht nach Russland?«

Der junge Mann versteht die Botschaft.

»Ist sie Ihre Freundin?«, fragt er.

»Ich liebe sie seit mindestens fünfhundert Jahren. Aber die Antwort ist nein. Sie ist frei wie ein Vogel. Eine junge Frau, die eine brillante Karriere vor sich hat und bislang niemanden gefunden hat, der sie mit der Liebe und dem Respekt behandelt, die sie verdient.«

»Was redest du da für einen Unsinn? Glaubst du, du musst mir einen Mann beschaffen?«

Der junge Mann wiederholt, dass seine Familie ihn zum Abendessen erwartet, bedankt sich und geht. Die anderen eingeladenen Leser schließen sich uns an, und wir gehen los.

»Entschuldigen Sie, dass ich mich einmische«, beginnt Yao, als wir über die Straße gehen, »aber Sie haben sich Hilal, dem jungen Mann und sich selbst gegenüber ungerecht verhalten. Hilal gegenüber, weil Sie es in diesem Moment versäumt haben, die Liebe, die sie für Sie empfindet, angemessen zu achten. Dem jungen Mann gegenüber, weil er Ihr Leser ist und Sie ihn vorgeführt haben. Und sich selbst gegenüber, weil Sie unbedingt zeigen wollten, dass Sie bedeutender sind als er. Eifersucht hätte ich ja noch verstehen können. Dabei ging es Ihnen einzig darum, uns allen weiszumachen, dass Ihnen Hilal egal ist. Was aber nicht stimmt.«

Ich nicke beschämt. Nicht immer gehen spirituelle Entwicklung und Weisheit Hand in Hand.

»Und wenn wir schon mal dabei sind«, fährt Yao fort. »Für mich *war* Majakowski noch Pflichtlektüre. Und wir alle wissen, dass diese *ménage à trois* ganz und gar nicht gutgegangen ist: Er hat sich im Alter von sechsunddreißig Jahren mit einem Schuss ins Herz das Leben genommen.«

***

Wir haben inzwischen eine Zeitdifferenz von fünf Stunden zum Ausgangspunkt der Reise. Während wir in Irkutsk mit dem Abendessen beginnen, beenden die Leute in Moskau gerade ihr Mittagessen. Obwohl die Stadt ihren Zauber hat, scheint mir die Stimmung hier im Restaurant angespannter als im Zug. Vielleicht sind wir inzwischen alle so an unser kleines Universum mit dem Tisch als Mittelpunkt gewöhnt, auf dem Weg an ein bestimmtes Ziel, dass wir jeden Halt als unliebsame Störung empfinden.

Hilal ist nach dem Zwischenfall auf der Party schlecht gelaunt. Mein Verleger streitet wütend mit jemandem am Handy. Yao beruhigt mich, es gehe ausschließlich um ein Vertriebsproblem. Die drei Leser, die uns begleiten, wirken noch schüchterner, als es sonst der Fall ist.

Wir bestellen Drinks. Einer von ihnen rät uns, vorsichtig zu sein, es handele sich um eine Mischung aus mongolischem und sibirischem Wodka und die Folgen am Tag darauf seien nicht ohne. Aber alle brauchen etwas zu trinken, um die Anspannung zu lockern. Wir kippen das erste, das zweite Glas, und bevor das Essen aufgetragen wird, bestellen wir bereits die zweite Flasche. Am Ende beschließt der Leser, der uns wegen des Wodkas gewarnt hat, dass er nicht als Einziger nüchtern bleiben möchte, und kippt unter dem Applaus aller gleich drei Gläser hintereinander. Nur Hilal stimmt in die allgemeine Heiterkeit nicht ein, sondern schaut weiterhin finster, obwohl sie genauso viel getrunken hat wie der Rest der Gruppe.

»Diese Stadt ist ein grässlicher Ort«, sagt der Leser, der bis vor zwei Minuten keinen Alkohol getrunken hatte und jetzt schon blutunterlaufene Augen hat. »Sie haben ja gesehen, wie es vor dem Restaurant aussieht.«

Mir war eine Reihe außergewöhnlich schöner Holzhäuser aufgefallen, ein nicht gerade alltäglicher Anblick. Ein Architekturmuseum unter freiem Himmel gewissermaßen.

»Ich meine nicht die Häuser, ich meine die Straße.«

Tatsächlich war der Belag hier und da schadhaft, und an einigen Stellen hatte ich den Gestank der offenen Abwasserleitungen gerochen.

»Wissen Sie, die Mafia kontrolliert diesen Teil der Stadt«,

fährt er fort. »Sie wollen alles kaufen und abreißen, um ihre grauenhaften Wohnblocks zu bauen. Da die Leute bis jetzt nicht bereit sind, ihre Grundstücke und Häuser zu verkaufen, rächen sie sich, indem sie jegliche Sanierungsmaßnahmen verhindern. Diese Stadt gibt es seit vierhundert Jahren, sie hat Ausländer immer mit offenen Armen empfangen, Kontakte nach China gepflegt, sie war wegen ihrer Diamanten-, Leder- und Pelzhändler geachtet. Aber seit die Mafia hier Fuß zu fassen versucht, geht alles den Bach runter – obwohl die Regierung sie bekämpft.«

Das Wort ›Mafia‹ kennt man überall auf der Welt. Der Verleger hängt noch immer am Telefon, die Lektorin beklagt sich, weil die Speisekarte nicht kommt, und Hilal behandelt uns wie Luft. Yao und mir aber fällt plötzlich eine Gruppe von Männern auf, die am Nebentisch sitzt und interessiert unserem Gespräch folgt.

Paranoia. Reine Paranoia.

Der Leser trinkt und schimpft weiter. Seine zwei Freunde geben ihm in allem recht. Sie kritisieren die Regierung, den Zustand der Straßen, die schlechte Wartung des Flughafens. Nichts, was nicht jeder von uns auch über seine eigene Stadt sagen würde, nur dass bei ihnen in jeder Beschwerde das Wort ›Mafia‹ vorkommt. Ich versuche, das Thema zu wechseln, indem ich sie über die Schamanen in der Region ausfrage – sehr zu Yaos Freude, da ich offenbar seinen Vorschlag nicht vergessen habe. Doch wie auf ein Stichwort beginnen die jungen Männer von der ›Schamanenmafia‹ und der ›Mafia der Touristenführer‹ zu reden. Inzwischen steht schon die dritte Flasche mongolisch-sibirischen Wodkas auf dem Tisch, und alle diskutieren aufgeregt über Politik –

auf Englisch, damit ich verstehe, was sie sagen, oder aber damit die Gäste am Nebentisch das Gespräch nicht mitbekommen. Mein Verleger klappt endlich sein Handy zu und beteiligt sich ebenfalls, und auch meine Lektorin ist begeistert dabei, während Hilal schweigend ein Glas Wodka nach dem anderen kippt. Nur Yao bleibt nüchtern, den Blick wie nachdenklich in die Ferne gerichtet, um so seine Besorgnis zu verbergen. Ich habe beim dritten Glas aufgehört und die Absicht, es dabei zu belassen.

Und da wird, was eine Paranoia zu sein schien, Wirklichkeit. Einer der Männer vom Nebentisch erhebt sich und kommt zu uns.

Er sagt nichts. Er schaut nur schweigend die jungen Männer an, die wir zum Abendessen eingeladen haben, und sie verstummen sofort. Mein Verleger, der vom Alkohol und dem Vertriebsproblem in Moskau ein bisschen verwirrt ist, fragt etwas auf Russisch.

»Nein, ich bin nicht sein Vater«, antwortet der Fremde. »Aber ich weiß nicht, ob er schon alt genug ist, um so viel zu trinken. Und Dinge zu sagen, die einfach nicht stimmen.«

Sein Englisch ist perfekt, seine Aussprache hat den leicht affektierten Akzent desjenigen, der eine der exklusiven englischen Schulen besucht hat. Sein Tonfall ist kühl, aber nicht aggressiv.

Nur ein Narr droht. Nur ein anderer Narr fühlt sich bedroht. Wenn jemand in diesem Ton spricht, bedeutet das Gefahr, denn den Worten können bei Bedarf schnell Taten folgen.

»Sie haben sich das falsche Restaurant ausgesucht«, fährt er fort. »Hier ist das Essen schlecht und der Service noch schlechter. Sie sollten sich besser etwas anderes suchen. Die Rechnung geht auf mich.«

In der Tat ist das Essen nicht besonders gut, der Wodka kündigt schon jetzt die Nebenwirkungen an, vor denen uns der junge Mann gewarnt hat, und die Bedienung könnte unfreundlicher nicht sein. Aber hier sorgt sich niemand um unsere Gesundheit oder unser Wohlergehen, wir werden schlicht und ergreifend hinausgeworfen.

»Lasst uns gehen«, sagt der junge Mann.

Ehe wir uns versehen, sind er und seine Freunde verschwunden. Der Mann wendet sich zufrieden ab und will zu seinem Tisch zurückgehen. Für den Augenblick ist die Spannung gewichen.

»Mir schmeckt das Essen hier sehr gut, und ich habe keineswegs vor, das Restaurant zu wechseln.«

Yao sagt das mit der gleichen emotionslosen Stimme wie der Mann vom Nebentisch und ebenfalls ohne die Spur einer Drohung. Es gab keinen Grund für eine solche Äußerung, das Problem hatte nur die jungen Männer betroffen – wir hätten in Ruhe zu Ende essen können. Der Mann dreht sich zu Yao um. Einer seiner Begleiter holt sein Handy hervor und geht hinaus. Die Gespräche im Restaurant verstummen.

Yao und der Fremde blicken sich unverwandt in die Augen.

»An einer Lebensmittelvergiftung kann man auch sterben.«

Yao rührt sich nicht.

»Glaubt man der Statistik, sind in den drei Minuten, die wir miteinander geredet haben, dreihundertzwanzig Menschen auf der Welt gestorben und sechshundertfünfzig wurden geboren. So ist das Leben. Ich weiß nicht, wie viele davon an einer Lebensmittelvergiftung gestorben sind, ein paar waren es ganz bestimmt. Andere erlagen einer langen Krankheit, wieder andere hatten einen tödlichen Unfall, einige Mütter sind im Kindbett gestorben, während ihre neugeborenen Kinder Teil der Geburtsstatistik wurden, und sicher sind auch ein paar Prozent erschossen worden. Nur die Lebenden sterben.«

Der Mann mit dem Handy, der hinausgegangen ist, kommt wieder herein. Derjenige, der an unserem Tisch steht, verzieht keine Miene. Eine Ewigkeit scheint niemand im Restaurant zu sprechen.

»Eine Minute«, sagt schließlich der Fremde. »Da werden noch weitere hundert gestorben sein und etwa zweihundert geboren.«

»Genau.«

Zwei Männer erscheinen in der Tür des Restaurants und kommen auf unseren Tisch zu. Der Fremde schickt sie mit einer Kopfbewegung wieder hinaus.

»Auch wenn das Essen schlecht ist und der Service miserabel, haben Sie sich dieses Restaurant ausgesucht, daran kann ich nichts ändern. Guten Appetit.«

»Danke. Und da Sie sich schon bereit erklärt haben, die Rechnung zu bezahlen, nehmen wir das dankend an.«

»Machen Sie sich deswegen keine Sorgen«, erwidert er in Yaos Richtung, als gäbe es sonst niemanden im Raum. Er steckt die Hand in die Tasche, und wir sehen ihn schon eine Waffe ziehen, aber es kommt nur eine harmlose Visitenkarte zum Vorschein.

»Sollten Sie irgendwann mal einen Job brauchen oder Lust auf ein bisschen Veränderung haben, wenden Sie sich an uns. Unsere Immobilienfirma hat mehrere Niederlassungen hier in Russland, und wir brauchen Leute wie Sie. Leute, die begriffen haben, dass der Tod nur eine Statistik ist.«

Er reicht Yao die Visitenkarte, die beiden geben einander die Hand, und der Fremde kehrt an seinen Tisch zurück. Allmählich kommt wieder Leben in das Restaurant, die Gäste setzen ihre Unterhaltungen fort, und wir alle blicken staunend auf Yao, unseren Helden, der den Feind besiegt hat, ohne eine einzige Kugel abzufeuern. Auf einmal scheinen sich alle brennend für ausgestopfte Vögel und die Qualität mongolisch-sibirischen Wodkas zu interessieren. Sogar Hilals Laune ist mit einem Schlag besser, und sie lässt sich auf das vollkommen unsinnige Gespräch ein. Der Adrenalinschub, ausgelöst von der Angst, hat uns von einem Augenblick auf den anderen nüchtern werden lassen.

Ich muss diese Gelegenheit nutzen. Yao kann ich später noch fragen, warum er seiner selbst so sicher gewesen ist.

»Ich bin vom Vertrauen des russischen Volkes in die Religion beeindruckt. Siebzig Jahre lang hat der Kommunismus gepredigt, sie sei Opium fürs Volk, und was hat er damit erreicht? Nichts.«

»Marx hatte offensichtlich keine Ahnung von der wunderbaren Wirkung des Opiums«, sagt meine Lektorin.

Alle lachen. Ich lasse mich nicht beirren.

»Genau so war es mit der Kirche, der ich angehöre. Wir haben im Namen Gottes getötet, im Namen Jesu gefoltert, Frauen zur Bedrohung für die Gesellschaft erklärt und alle Formen weiblicher Begabung unterdrückt, wir haben Wucher betrieben, Unschuldige ermordet und uns mit dem Teufel verbündet. Dennoch sind wir auch nach zweitausend Jahren immer noch da.«

»Ich mag überhaupt keine Kirchen«, sagt Hilal, die angebissen hat. »Der unangenehmste Moment dieser ganzen Reise war für mich der, als du mich in Nowosibirsk gezwungen hast, diese Kirche zu betreten.«

»Stell dir vor, dass du an vergangene Leben glaubst und dass du in einer dieser Existenzen von der Inquisition auf dem Scheiterhaufen verbrannt worden wärest – im Namen des Glaubens, den der Vatikan den Menschen aufzuzwingen versucht hat. Würdest du die Kirche dann nicht hassen?«

Ihre Antwort kommt wie aus der Pistole geschossen.

»Nein. Sie wäre mir weiterhin gleichgültig. Yao hat den Mann, der an unseren Tisch gekommen ist, auch nicht gehasst; er war nur bereit, für einen Grundsatz einzutreten.«

»Aber nehmen wir einmal an, du wärst unschuldig gewesen …«

Mein Verleger mischt sich ein. Möglicherweise hat er auch zu diesem Thema ein Buch veröffentlicht.

»Das erinnert mich an Giordano Bruno. Er wurde von der Kirche als Gelehrter geachtet und dennoch in Rom bei lebendigem Leibe verbrannt. Während der Gerichtsverhandlung sagte er in etwa die folgenden Worte: ›Ich fürchte mich nicht vor dem Scheiterhaufen. Aber ihr fürchtet euch vor eurem Urteil.‹ Heute steht eine Statue von ihm auf dem Platz, auf dem er von seinen sogenannten Glaubensbrüdern ermordet wurde. Er hat am Ende recht behalten, denn Menschen haben ihn gerichtet, nicht Jesus.«

»Mir scheint, Sie versuchen etwas zu rechtfertigen, das ein Unrecht und ein Verbrechen gewesen ist«, sagt meine Lektorin.

»Überhaupt nicht. Die Mörder kennt niemand mehr, aber Giordano Bruno beeinflusst noch heute mit seinen Ideen die Welt. Sein Mut wurde belohnt. Ein Leben, in dem man nicht für ein Ziel eintritt, ist ein vergeudetes Leben.«

Fast könnte man denken, dass dieses Gespräch genau in die Richtung gelenkt würde, in die ich es haben will.

»Wärest du Giordano Bruno«, jetzt schaue ich Hilal direkt an, »wärest du dann imstande, deinen Henkern zu vergeben?«

»Worauf willst du hinaus?«

»Ich gehöre einer Religion an, die in der Vergangenheit Entsetzliches getan hat. Aber trotz allem, und darauf will ich hinaus, empfinde ich für Jesus immer noch eine Liebe, die stärker ist als der Hass auf jene, die sich seine Nachfolger nannten. Und ich glaube immer noch an die Wandlung von Brot und Wasser.«

»Das kannst du halten, wie du willst. Ich bleibe Kirchen, Priestern und Sakramenten lieber fern. Meine ›Religion‹ ist die Musik und die Versenkung in den Anblick der Natur. Aber spielst du auf das an, was du gesehen hast, als …« Sie sucht nach Worten. »… hat es mit dem Ring aus Licht zu tun, von dem du mir erzählt hast?«

Sie erwähnt nicht, dass wir dabei zusammen in einem Bett gelegen haben. Trotz ihres oft ungezügelten Temperaments und ihres Eigensinns will sie mich nicht bloßstellen.

»Ich weiß nicht. Wie ich schon im Zug sagte: Alles, was sich in der Vergangenheit ereignet hat und in der Zukunft geschehen wird, steht in Verbindung zu dem, was in der Gegenwart geschieht. Möglicherweise sind wir uns begegnet, weil ich dein Henker war und du mein Opfer und weil jetzt der Augenblick gekommen ist, dich um Vergebung zu bitten.«

Alle lachen und ich mit ihnen.

»Dann sei ein bisschen netter zu mir, ein bisschen aufmerksamer. Wie wäre es zum Beispiel, wenn du mir hier, vor allen, die berühmten drei Worte sagen würdest, die ich so gern hören möchte.«

Ich weiß, dass sie hören möchte: ›Ich liebe dich.‹

»Ich werde dir drei Mal drei Worte sagen: 1.) Du bist beschützt. 2.) Sorge dich nicht. 3.) Ich verehre dich.«

»Dem möchte ich etwas hinzufügen: ›Ich vergebe dir‹ kann nur sagen, wer auch ›Ich liebe dich‹ sagen kann.«

Alle applaudieren. Wir kehren zum mongolisch-sibirischen Wodka zurück, sprechen über Liebe, Verfolgung, Verbrechen im Namen der Wahrheit, das Essen im Restaurant. Ich werde heute nicht weiterkommen. Hilal versteht nicht, worauf ich hinauswill – aber den ersten Schritt, den schwierigsten, habe ich getan.

***

Beim Hinausgehen frage ich Yao, warum er sich so verhalten und damit alle in Gefahr gebracht hat.

»*Ist* denn etwas passiert?«

»Nein. Aber es *hätte* etwas passieren können. Leute wie dieser Mann am Nebentisch sind es nicht gewohnt, respektlos behandelt zu werden.«

»Ich bin als junger Mann ständig irgendwo rausgeflogen und habe mir geschworen, dass es mir als Erwachsenem nicht wieder passieren würde. Ich habe den Mann nicht respektlos behandelt, sondern ihm nur gebührend Kontra gegeben. Augen lügen nicht, und er wusste, dass ich nicht bluffe.«

»Dennoch haben Sie ihn herausgefordert. Wir befinden uns in einer Provinzstadt, und er hätte es so deuten können, als würden Sie seine Autorität in Frage stellen.«

»Als wir aus Nowosibirsk weggefahren sind, haben Sie mir etwas über dieses Aleph erzählt. Vor ein paar Tagen kam mir plötzlich in den Sinn, dass die Chinesen auch ein Wort dafür haben: *Qi.* Wir beide befanden uns im selben Energiezentrum. Ohne darüber zu spekulieren, was hätte passieren können, weiß jeder, der sich mit Gefahr auskennt, dass er immer und überall auf einen Gegner treffen kann. Ich sage nicht Feind, ich sage Gegner. Wenn Gegner sich ihrer Macht sicher sind, wie es bei diesem Mann der Fall war, ist eine solche Konfrontation notwendig, weil wir ohne Übung beim nächsten Mal allzu leicht unterliegen könnten. Das Wissen darüber, wie wir unsere Gegner zu würdigen und zu ehren haben, ist das Gegenteil von dem, wie sich Schmeichler, Schwächlinge oder Verräter verhalten.«

»Aber Sie wussten, dass er –«

»Es ist gleichgültig, wer er ist, wichtig ist, wie er seine Kraft einsetzt. Mir gefiel seine Art zu kämpfen, und ihm hat meine gefallen. Das war alles.«

Die goldene Rose

Vom mongolisch-sibirischen Wodka habe ich unerträgliche Kopfschmerzen, da helfen auch keine Tabletten und sonstigen Wundermittel. Die Sonne scheint, der Himmel ist wolkenlos, aber übers Wasser fegt ein eiskalter Wind. Die Kiesel am Strand sind immer noch von einer dünnen Eisschicht überzogen, obwohl der Frühling bereits fortgeschritten ist. Trotz der diversen Kleidungsstücke, die ich übereinandergezogen habe, ist die Kälte kaum auszuhalten.

Aber mein einziger Gedanke ist: ›Mein Gott, ich bin zu Hause!‹

Vor mir liegt ein See, dessen anderes Ufer ich kaum erkennen kann, vor schneebedeckten Bergen läuft auf dem kristallklaren Wasser ein Fischerboot aus, um später in der Dämmerung zurückzukehren. Ich möchte ganz und gar hier sein, ganz in der Gegenwart, denn ich weiß nicht, ob ich je an diesen Ort zurückkommen werde. Ich atme immer wieder tief ein, versuche, alles in mich aufzunehmen.

»Das gehört zum Schönsten, was ich in meinem Leben je gesehen habe«, sage ich andächtig.

Yao versteht meine Bemerkung als Ermunterung, mich mit Informationen über den See zu versorgen. Er erklärt mir, dass der Baikalsee in alten chinesischen Texten als ›Meer des Nordens‹ bezeichnet wird, dass er zwanzig Prozent des

Süßwassers der Erde enthält und fünfundzwanzig Millionen Jahre alt ist. Doch mich interessiert das alles nicht.

»Stören Sie mich nicht. Ich möchte diese ganze Landschaft in meine Seele aufnehmen.«

»Warum springen Sie nicht einfach rein und lassen Ihre Seele mit der des Sees verschmelzen?«

Anders ausgedrückt: Riskieren Sie einen Kälteschock, und sterben Sie an Unterkühlung in Sibirien. Immerhin ist ihm meine Aufmerksamkeit jetzt sicher. Ich habe immer noch einen schweren Kopf nach dem Wodka vom Vorabend, und der Wind geht uns durch Mark und Bein, darum beschließen wir, unsere Unterkunft für die Nacht aufzusuchen.

»Danke, dass Sie mitgekommen sind. Sie werden es nicht bereuen.«

Wir gehen zum Gasthaus des kleinen Ortes, über Straßen aus gestampfter Erde und vorbei an Häusern, die denen in Irkutsk nicht unähnlich sind. Vor dem Gasthof befindet sich ein Brunnen, aus dem ein kleines Mädchen gerade versucht, Wasser zu schöpfen. Hilal will ihr helfen, doch anstatt am Seil zu ziehen, hebt sie das Kind gefährlich nah an den Brunnenrand.

»Das *I-Ging* sagt: ›Du kannst eine Stadt versetzen, aber keinen Brunnen.‹ Ich sage, du kannst den Eimer woanders hinstellen, aber nicht das Kind. Pass auf!«

Die Mutter des Kindes kommt herbeigeeilt und macht Hilal Vorwürfe. Ich lasse die beiden allein und gehe in mein Zimmer. Yao war strikt dagegen, dass Hilal mitkommt, da Frauen dort, wo wir den Schamanen treffen wollen, keinen Zutritt haben. Ich erinnere ihn daran, dass mein Interesse an diesem Besuch nicht übermäßig ist: Mir sind die Lehren der Schamanen bekannt, die überall auf der Welt verbreitet sind, und ich habe mich auch in meinem Heimatland schon mit mehreren von ihnen getroffen. Ich habe nur eingewilligt hierherzukommen, weil Yao mir auf dieser Reise bisher eine große Hilfe war und mich viele Dinge gelehrt hat.

»Ich muss so viel Zeit mit Hilal verbringen wie irgend möglich«, hatte ich noch in Irkutsk zu ihm gesagt. »Ich weiß, was ich tue. Ich bin auf dem Weg zurück in mein Reich. Wenn sie mir jetzt nicht hilft, werde ich in diesem ›Leben‹ nur noch drei Gelegenheiten haben.«

Er wusste nicht genau, wovon ich sprach, gab aber nach.

Ich lege den Rucksack in eine Ecke des Zimmers, stelle die Heizung auf die höchste Stufe, schließe die Vorhänge und werfe mich aufs Bett. Hoffentlich vergehen die Kopfschmerzen bald. Hilal kommt herein.

»Du hast mich draußen mit dieser Frau stehenlassen. Du weißt, dass ich keine fremden Leute mag.«

»Wir sind hier die Fremden.«

»Ich hasse es, die ganze Zeit abgeschätzt zu werden und meine Angst, meine Gefühle, meine Verletzlichkeit verbergen zu müssen. Du siehst mich als talentierte, mutige junge Frau, die sich durch nichts einschüchtern lässt. Da irrst du dich! Alles schüchtert mich ein. Ich vermeide direkten Blickkontakt oder jemanden anzulächeln, alles, was andere ermutigen könnte, sich mir zu nähern. Wirklich geredet habe ich nur mit dir. Oder hast du das nicht bemerkt?«

Der Baikalsee, schneebedeckte Berge, klares Wasser – einer der schönsten Orte der Welt –, und jetzt diese idiotische Diskussion.

»Lass uns etwas ausruhen. Anschließend können wir einen Spaziergang machen. Heute Abend werde ich den Schamanen treffen.«

Sie will gerade ihren Rucksack abstellen, aber ich halte sie zurück:

»Du hast dein eigenes Zimmer.«

»Aber im Zug …«

Sie beendet den Satz nicht, sondern geht hinaus und knallt die Tür zu. Ich schaue an die Decke und frage mich, was ich tun soll. Ich darf mich nicht durch Schuldgefühle leiten lassen. Das darf ich nicht und will ich auch nicht – denn ich liebe eine andere Frau, die in diesem Augenblick weit weg ist und mir vertraut, obwohl sie ihren Ehemann nur zu gut kennt. Alle meine bisherigen Erklärungsversuche sind fehlgeschlagen, vielleicht ist hier der richtige Ort, das diesem besessenen, aber vielseitigen und starken und doch so zerbrechlichen Mädchen klarzumachen.

Ich bin nicht schuld an dem, was geschieht. Auch Hilal nicht. Das Leben hat uns in diese Lage gebracht und hoffentlich zu unserem Besten. Hoffe ich es? Ich bin mir dessen sicher. Ich spreche ein Gebet und schlafe kurz darauf ein.

Nach dem Aufwachen gehe ich zu ihrem Zimmer und höre sie Geige spielen. Ich warte, bis sie das Stück zu Ende gespielt hat, bevor ich anklopfe.

»Lass uns einen Spaziergang machen.«

Sie schaut mich überrascht und glücklich an.

»Geht es dir besser? Hältst du den Wind und die Kälte aus?«

»Ja, es geht mir besser. Komm, wir gehen.«

Wir laufen durch das Dorf, das aussieht, als wäre es die Kulisse eines Märchens. Eines Tages werden Touristen hierherkommen und mit ihnen riesige Hotels, Läden, die T-Shirts, Feuerzeuge, Postkarten und Modelle der Holzhäuser verkaufen. Dann werden weitläufige Parkplätze für zweistöckige Reisebusse gebaut, deren Passagiere bewaffnet mit Digitalkameras sind und entschlossen, den ganzen See auf einen Chip zu bannen. Der Brunnen, den wir gesehen haben, wird zerstört und durch einen anderen dekorativeren ersetzt werden, der die Einwohner aber nicht mehr mit Wasser versorgen wird – all das auf Anordnung der Stadtverwaltung, damit keine Touristenkinder hineinfallen. Das Fischerboot, das ich heute Morgen gesehen habe, wird es nicht mehr geben. Das Wasser des Sees wird von modernen Jachten durchpflügt werden, die Eintages-Kreuzfahrten zur Mitte des Sees anbieten – Mittagessen inklusive. Berufsfischer und -jäger werden in die Region kommen, mit Lizenzen versehen, für die sie pro Tag so viel zahlen, wie die Jäger und Fischer der Region in einem Jahr verdienen.

Aber noch ist es einfach nur ein entlegenes Dorf in der sibirischen Steppe, in dem ein Mann mit einer Frau, die halb so alt ist wie er, an einem Bach entlangwandert, den das Tauwetter geschaffen hat. Sie setzen sich an seinen Rand.

»Erinnerst du dich an unser Gespräch gestern Abend im Restaurant?«

»Mehr oder weniger. Ich hatte ziemlich viel getrunken. Ich weiß noch, dass Yao sich nicht hat einschüchtern lassen, als dieser Engländer an unseren Tisch kam.«

»Ich habe über die Vergangenheit gesprochen.«

»Stimmt. Und ich habe genau verstanden, was du gesagt hast, denn in dem Augenblick, in dem wir im Aleph waren, habe ich deinen Blick gesehen, der zugleich Liebe und Gleichgültigkeit ausdrückte, dein Kopf war von einer Kapuze bedeckt. Ich fühlte mich verraten, gedemütigt. Aber Beziehungen aus vergangenen Leben interessieren mich nicht. Wir sind hier, in der Gegenwart.«

»Siehst du den Bach vor uns? Im Wohnraum meines Apartments in Rio de Janeiro hängt ein Bild mit einer Rose, das einmal in einen Bach wie diesen gelegt wurde. Die Hälfte der Farbe wurde von der Witterung fortgetragen und später vom Wasser abgewaschen, so dass es an manchen Stellen aufgequollen und ganz verblasst ist. Dennoch sind immer noch Teile der schönen roten Rose auf goldenem Grund zu sehen. Ich kenne die Künstlerin. 2003 sind wir in einem Wald in den Pyrenäen gewandert, haben den Bach entdeckt, der damals kein Wasser führte, und das Bild unter den Steinen seines Bettes versteckt.

Die Künstlerin ist meine Frau. In diesem Augenblick ist sie Tausende von Kilometern weit weg. Sie wird noch schlafen, denn in ihrer Stadt ist es noch lang bis zum Sonnenaufgang, obwohl wir hier schon vier Uhr nachmittags haben. Wir sind seit mehr als einem Vierteljahrhundert zusammen. Als ich sie kennenlernte, dachte ich mir: ›Das wird nicht lange halten.‹ In den ersten zwei Jahren unserer Beziehung rechnete ich jeden Moment damit, dass einer von uns gehen würde. In den fünf darauffolgenden Jahren dachte ich, wir seien nur aus Bequemlichkeit noch immer zusammen, und sobald das einer von uns bemerkte, würde jeder wieder seines Weges gehen. Ich hatte mir eingeredet, dass jede ernstere

Verbindung mich meiner Freiheit berauben und daran hindern würde, das zu erleben, was ich noch erleben wollte.«

Ich merke, dass sich die junge Frau an meiner Seite unbehaglich zu fühlen beginnt.

»Und was hat das mit dem Bach und der Rose zu tun?«

»Es war im Sommer 2002, und ich war bereits ein bekannter Schriftsteller, dem es finanziell an nichts mangelte. Dennoch war ich überzeugt, dass sich meine Einstellung zu dem, was im Leben wichtig ist, nicht verändert hätte. Aber wie soll man sich da hundertprozentig sicher sein? Man muss es ausprobieren. Wir mieteten ein kleines Zimmer in einem einfachen Hotel in Frankreich, in dem wir fünf Monate verbringen wollten. Es gab nur einen schmalen Schrank, also mussten wir unsere Garderobe auf das Notwendigste reduzieren. Wir haben lange Wanderungen durch die Wälder und die Berge gemacht, in kleinen Gasthöfen zu Abend gegessen, stundenlang miteinander geredet, sind jeden Tag ins Kino gegangen. So zu leben hat uns bestätigt, dass die begehrenswertesten Dinge auf der Welt genau die sind, die jeder haben kann.

Wir beide gehen vollkommen in unserer Arbeit auf. Während ich dazu nur meinen Laptop brauche, ist eine Malerin auf riesige Ateliers angewiesen, um ihre Arbeiten zu schaffen und aufzubewahren. Ich wollte um keinen Preis, dass sie ihre Berufung meinetwegen vernachlässigt, also habe ich ihr vorgeschlagen, etwas Entsprechendes für sie zu mieten. Aber als sie sich umschaute, die Berge, die Täler, die Flüsse, die Seen, die Wälder sah, dachte sie sich: ›Warum verwahre ich die Bilder nicht dort? Und warum lasse ich die Natur nicht mit mir zusammenarbeiten?‹«

Hilal starrt weiter in den Bach.

»So entstand die Idee, die Bilder unter freiem Himmel zu ›lagern‹. Ich nahm meinen Laptop mit und schrieb. Sie kniete im Gras und malte. Im Jahr darauf, als wir zu diesen Bildern zurückkehrten, war das Ergebnis originell und großartig. Das erste Bild, das sie hervorholte, war die Rose. Selbst heute, da wir ein Haus in den Pyrenäen haben, ›vergräbt‹ sie ihre Bilder, wo immer sie sich auf der Welt befindet, und gräbt sie später wieder aus. Aus einer Notwendigkeit ist ihre besondere Technik geworden. Wenn ich jetzt auf diesen Bach schaue, erinnere ich mich an die Rose und spüre eine fast greifbare Liebe, so real, als wäre meine Frau hier.«

Der Wind hat nachgelassen, und jetzt wärmt auch die Sonne ein wenig. Das Licht ringsum könnte nicht vollkommener sein.

»Ich verstehe und respektiere das«, entgegnet Hilal. »Aber du hast im Restaurant, als du über die Vergangenheit gesprochen hast, etwas über die Liebe gesagt, die größer als ein einzelner Mensch ist.«

»Ja. Aber die Liebe besteht aus Entscheidungen.«

»In Nowosibirsk hast du mich dazu gebracht, dir zu vergeben, und ich habe es getan. Jetzt bitte ich dich: Sag mir, dass du mich liebst.«

Ich nehme ihre Hand. Wir schauen beide auf den Bach.

»Keine Antwort ist auch eine Antwort«, sagt sie.

Ich lege meinen Arm um sie und bette ihren Kopf an meine Schulter.

»Ich liebe dich. Ich liebe dich, weil jede Liebe auf der Welt wie ein Fluss ist, und alle Flüsse fließen in ein und dasselbe Meer. Dort treffen sie aufeinander und verwandeln sich in eine einzige Liebe, die zu Regen wird und die Erde segnet.

Ich liebe dich wie ein Fluss, der an seinen Ufern Bäume, Büsche und Blumen wachsen lässt. Ich liebe dich wie ein Fluss, der den Durstigen zu trinken gibt und die Menschen dorthin trägt, wohin sie gelangen wollen.

Ich liebe dich wie ein Fluss, der gelernt hat, über Wasserfälle zu fließen und in Senken zu ruhen. Ich liebe dich, weil wir alle am selben Ort geboren sind, eine einzige Quelle ist unser Ursprung, die uns immer weiter mit Wasser versorgt. Wenn wir uns schwach fühlen, müssen wir nur ein wenig warten, denn schon bald kehrt der Frühling zurück, der Schnee taut und gibt uns neue Energie.

Ich liebe dich wie ein Fluss, der als kleines Rinnsal in einem Gebirge entsteht, der wächst und wächst und sich mit anderen Flüssen vereinigt, bis er so groß wird, dass er jedes Hindernis umfließen kann, um dahin zu gelangen, wohin auch immer er will.

Ich empfange deine Liebe und gebe dir meine. Nicht die Liebe eines Mannes für eine Frau, nicht die Liebe eines Vaters für seine Tochter, nicht die Liebe Gottes für seine Geschöpfe. Sondern eine namenlose Liebe, für die es keine Erklärung gibt, so wie auch ein Fluss seinen Lauf nicht erklären kann, sondern diesem nur folgt. Eine Liebe, die nichts erbittet und nichts gibt, die sich nur offenbart. Ich werde nie dein sein, du wirst nie mein sein, aber dennoch kann ich voller Überzeugung sagen: Ich liebe dich, ich liebe dich, ich liebe dich.«

Vielleicht ist es das Licht dieses Nachmittags, aber in

diesem Augenblick scheint das Universum endlich vollkommene Harmonie erreicht zu haben. Wir bleiben sitzen, ohne die geringste Lust, ins Gasthaus zurückzukehren, wo Yao mich sicher schon erwartet.

Der Adler vom Baikalsee

Es kann jeden Augenblick dunkel werden. Wir stehen zu sechst neben einem kleinen Boot, das am Ufer festgemacht ist: Hilal, Yao, der Schamane, ich und zwei ältere Frauen. Die Unterhaltung wird auf Russisch geführt. Der Schamane schüttelt den Kopf. Yao versucht es noch einmal, aber der Schamane kehrt ihm den Rücken zu und geht zum Boot.

Jetzt diskutieren Yao und Hilal. Er wirkt ungehalten, aber ich glaube, dass ihn die Situation eigentlich amüsiert. Wir sind inzwischen mehr als einmal gemeinsam auf dem Weg des Friedens gegangen, und ich kann seine Körpersprache lesen. Er täuscht den Ärger nur vor.

»Worüber redet ihr?«

»Offenbar darf ich nicht mit«, sagt Hilal. »Ich soll bei diesen beiden Frauen bleiben, die ich in meinem Leben noch nie zuvor gesehen habe, und die ganze Nacht hier in dieser Kälte verbringen, weil niemand da ist, der mich zurück ins Gasthaus bringen kann.«

»Du wirst hier mit ihnen dasselbe erleben wie wir auf der Insel«, erklärt Yao. »Aber wir können nicht mit einer Tradition brechen. Ich habe es euch gesagt, aber er hat darauf bestanden, dich mitzunehmen. Wir müssen los, denn wir dürfen den richtigen Augenblick nicht verpassen: das, was ihr Aleph nennt und ich Qi, und was die Schamanen zweifellos unter einem weiteren Namen kennen. Es dauert nicht lange, wir sind in wenigen Stunden wieder zurück.«

»Lassen Sie uns aufbrechen«, sage ich und nehme Yao am Arm. Dann wende ich mich lächelnd an Hilal:

»Nichts hätte dich im Gasthaus gehalten, wenn du dadurch eine neue Erfahrung verpasst hättest. Ich weiß nicht, ob es eine gute oder eine schlechte Erfahrung sein wird, aber glaubst du nicht, dass es in jedem Fall besser ist, als allein zu Abend zu essen?«

»Und du glaubst wahrscheinlich, dass deine schönen Worte ausreichen, um einem Herzen Nahrung zu geben? Ich verstehe vollkommen, dass du deine Frau liebst, aber könntest du mir nicht wenigstens eine kleine Gegenleistung für all die Universen geben, die ich dir zu Füßen lege?«

Ich wende mich ab und gehe zum Boot. Noch so eine idiotische Diskussion.

***

Der Schamane lässt den Motor an und übernimmt das Ruder. Wir fahren auf eine Art Felsen zu, der in etwa zweihundert Meter Entfernung vom Ufer liegt. Ich nehme an, dass wir nur ein paar Minuten brauchen werden.

»Nun, wo ich nicht mehr zurückkann, hätte ich gern gewusst, warum Sie unbedingt wollten, dass ich den Schamanen kennenlerne. Es war das Einzige, worum Sie mich auf dieser Reise gebeten haben, obwohl Sie mir so viel gegeben haben. Ich meine damit nicht nur das Aikido-Training. Immer wenn es darauf ankam, haben Sie die Stimmung im Zug gerettet, Sie haben meine Worte übersetzt, als wären es Ihre eigenen, und erst gestern haben Sie gezeigt, wie wichtig es ist, aus Respekt vor dem Gegner einen Kampf aufzunehmen.«

Yao schüttelt den Kopf und scheint sich unbehaglich zu fühlen.

»Ich dachte, es würde Ihren eigenen Interessen entgegenkommen …«

»Sie wissen, dass das nicht stimmt. Hätte ich ihn kennenlernen wollen, hätte ich darum gebeten.«

Er schaut mich an und nickt schließlich.

»Ich habe Sie darum gebeten, weil ich versprochen habe, bei meiner nächsten Reise in diese Region hierher zurückzukommen. Ich hätte auch allein gehen können, aber meine Vereinbarung mit Ihrem Verlag sieht vor, dass ich Ihnen ständig zur Verfügung stehe. Dem Verleger hätte ein solcher Alleingang nicht gefallen.«

»Ich brauche keine ständige Begleitung. Und es hätte dem Verleger sicher nichts ausgemacht, wenn ich in Irkutsk geblieben wäre.«

Die Dunkelheit bricht unerwartet schnell herein. Yao setzt zu einer neuen Erklärung an:

»Der Mann, der das Boot lenkt, kann mit meiner Frau sprechen. Ich weiß, dass das kein Schwindel ist, denn bestimmte Dinge kann kein Mensch auf der Welt wissen. Außerdem hat er meine Tochter gerettet. Er hat geschafft, was keinem der Ärzte in den besten Krankenhäusern in Moskau, Peking, Shanghai oder London gelungen ist. Und er hat keine Gegenleistung dafür verlangt, außer dass ich ihn wieder besuche. Und das tue ich jetzt in Ihrer Begleitung.

Vielleicht schaffe ich es so endlich, die Dinge zu verstehen, die mein Gehirn nicht akzeptieren will.«

Die kleine Insel draußen im See kommt schnell näher; bis zur Ankunft wird es sicher nicht mehr lange dauern.

»Diese Antwort akzeptiere ich, und ich danke Ihnen für Ihr Vertrauen. Es ist ein wunderbarer Abend, und ich bin an einem der schönsten Orte der Welt, höre die Wellen gegen das Boot schlagen … Den Schamanen zu treffen wird eine weitere außergewöhnliche Erfahrung auf dieser Reise sein.«

Außer an dem Tag, an dem er über den Verlust seiner Frau sprach, hat Yao nie irgendeine Gefühlsregung gezeigt. Jetzt nimmt er meine Hand und drückt sie an seine Brust. Das Boot läuft auf einen schmalen Kieselstrand auf, der als Ankerplatz dient.

»Danke. Vielen Dank.«

***

Wir steigen auf den Felsen hinauf, gerade noch rechtzeitig, um die Sonne rotglühend am Horizont versinken zu sehen. Um uns herum gibt es nur Gestrüpp und im Osten drei oder vier Bäume, die noch keine Blätter tragen. In einem von ihnen hängen Opfergaben und sogar das Gerippe eines Tieres. Ich habe großen Respekt vor der Weisheit des alten Schamanen, und doch wird er mir nichts Neues zeigen, denn ich bin bereits viele Wege gegangen und weiß, dass sie alle zum selben Ort führen. Dennoch kann ich sehen, dass seine Absichten aufrichtig sind. Während er das Ritual vorbereitet, versuche ich mich an alles zu erinnern, was ich über die Rolle der Schamanen in der Geschichte der Zivilisation gelernt habe.

***

In alten Zeiten gab es immer zwei herausragende Persönlichkeiten in jedem Stamm. Das war zum einen der Anführer: der Mutigste, der stark genug war, jeden Herausforderer zu besiegen, der intelligent genug war, um Verschwörungen zu entgehen, denn der Kampf um die Macht wird seit Anbeginn der Menschheit geführt. Einmal in sein Amt eingesetzt, ist der Anführer für den Schutz und das Wohlergehen seines Volkes in der physischen Welt zuständig. Im Lauf der Zeit wurde seine Wahl, bei der ursprünglich die Eigenschaften des Kandidaten an erster Stelle standen, zunehmend von anderen Faktoren bestimmt, und der Posten des Anführers schließlich vom Vater auf den Sohn vererbt. Das war der Beginn jener Politik des Machterhalts, die Kaiser, Könige, Diktatoren hervorbrachte.

Wichtiger als der Anführer war jedoch der Schamane. Schon immer spürten die Menschen die Gegenwart einer höheren Kraft, fähig, Leben zu spenden, aber auch zu nehmen, ohne jedoch erklären zu können, woher diese Kraft kam. Als die Menschen begannen, Liebe füreinander zu empfinden, spürten sie auch den Drang, das Mysterium des Lebens zu erforschen. Die ersten Schamanen waren Frauen, die Quelle des Lebens. Da sie nicht mit der Jagd oder dem Fischfang beschäftigt waren, konnten sie sich der Kontemplation widmen und in die heiligen Mysterien eintauchen. Die Tradition wurde immer an diejenigen weitergegeben, die am fähigsten schienen. Die Schamaninnen lebten einsam und waren deshalb zumeist Jungfrauen. Sie wirkten auf einer anderen Ebene, brachten die Kräfte der spirituellen Welt und die Kräfte der physischen Welt ins Gleichgewicht.

Um das zu erreichen, wurde fast immer ein ähnliches Ritual zelebriert: Die Schamanin der Gruppe versetzte sich durch Musik (meist durch Trommeln) in Trance, bereitete sich und anderen Tränke, deren Zutaten sie in der Natur fand. Ihre Seele trat aus dem Körper heraus und ging in ein paralleles Universum über. Dort traf sie die Geister der Pflanzen, der Tiere, der Toten und der Lebenden – die alle in einer einzigen Zeit versammelt sind, in dem, was Yao Qi nennt und ich als Aleph bezeichne. Dort begegnete die Schamanin auch ihren Führern und war in der Lage, die Energien ins Gleichgewicht zu bringen, Krankheiten zu heilen, es regnen zu lassen, den Frieden wieder herzustellen. Sie konnte die von der Natur geschickten Symbole und Zeichen deuten und bestrafte jeden, der den Kontakt des Stammes mit dem ›umfassenden Ganzen‹ störte. Damals, als die Suche nach Nahrung den Stamm zwang, ständig weiterzuziehen, war es nicht möglich, Tempel zu bauen oder Altäre aufzustellen. Es gab nur das ›umfassende Ganze‹, in dessen Schoß der Stamm aufgehoben war.

Ähnlich wie die des Anführers wurde mit der Zeit auch die Stellung der Schamanin korrumpiert. Da Gesundheit und Schutz der Gruppe vom Einklang mit der Natur abhängig waren, stattete man die Frauen, die für den spirituellen Kontakt verantwortlich waren – der Seele des Stammes –, mit großer Autorität aus, häufig größer als die des Anführers. Ab einem nicht genau bestimmbaren Zeitpunkt in der

Geschichte (wahrscheinlich kurz nach dem Übergang zur Landwirtschaft, dem Ende des Nomadentums) eignete sich der Mann unrechtmäßig die weibliche Rolle an. Kraft siegte schließlich über Harmonie. Es ging nicht mehr um die natürlichen Gaben dieser Frauen, sondern nur noch um die Macht, die ihre Position mit sich brachte.

Der nächste Schritt war die Verankerung des nunmehr männlichen Schamanentums in der Sozialstruktur: Die ersten Religionen entstanden. Die Gesellschaft hatte sich verändert, hatte das Nomadentum aufgegeben, doch die Achtung und die Furcht vor Anführern und Schamanen waren für immer in den Seelen der Menschen verankert. Die Priester, die das erkannt hatten, konnten nun zusammen mit den Anführern die Menschen in Abhängigkeit halten. Wer die Regierenden herausforderte, dem drohte die Strafe der Götter. Doch die Zeit kam, in der die Frauen ihre Rolle als Schamaninnen zurückverlangten, weil die Welt sich ohne sie beständig in Konflikt befand. Doch jeder Versuch endete mit ihrer Bestrafung als Ketzerinnen und Huren. Fühlte man sich durch sie bedroht, zögerten die Machthaber nicht, sie mit dem Scheiterhaufen zu bestrafen, sie zu steinigen und, wenn man sich barmherzig zeigte, zu verbannen. In der Geschichte der Zivilisation sind keine Spuren weiblicher Religionen mehr zu finden; wir wissen nur, dass die ältesten bisher von Archäologen entdeckten magischen Objekte Göttinnen darstellen. Doch die gingen im Sand der Geschichte verloren. Ebenso wie ihre magische Kraft, die, nur für irdische Zwecke verwendet, allmählich schwächer wurde und schließlich ihre Macht verlor. Geblieben ist allein die Furcht vor göttlichen Strafen.

Und so steht vor mir ein Mann und keine Frau – obwohl die Frauen, die mit Hilal am Ufer zurückgeblieben sind, genauso viel spirituelle Kraft haben wie er. Ich habe nichts dagegen, dass er das Ritual ausführen wird. Beide Geschlechter besitzen die gleiche Gabe, mit dem Unbekannten in Kontakt zu treten, solange sie für ihre »weibliche Seite« offen sind. Meine fehlende Begeisterung hierherzukommen rührt einzig daher, dass ich weiß, wie weit sich die Menschheit von ihren Ursprüngen entfernt hat, vom dem, was einmal der Traum Gottes war.

Der Schamane zündet ein Feuer in einer Vertiefung im Boden an, um die Flammen vor dem unablässig wehenden Wind zu schützen. Dann stellt er eine Trommel neben sich und öffnet eine Flasche, die eine mir unbekannte Flüssigkeit enthält. Der Schamane – die Bezeichnung stammt übrigens aus Sibirien – folgt dem gleichen Ritual wie ein *pajé* im Urwald Amazoniens und ein *bruxo* in Mexiko, ein Priester des afrikanischen *candomblé,* ein Spiritist in Frankreich, ein Medizinmann der Eingeborenenstämme in Nordamerika, ein Aborigine in Australien, ein Charismatiker der katholischen Kirche, ein Mormone in Utah und so fort.

Und genau das ist das Überraschende an all diesen Traditionen, die eine solche Ähnlichkeit niemals zugeben würden.

Sie befinden sich auf derselben spirituellen Ebene und sind auf der ganzen Welt zu finden, obwohl sie auf der physischen Ebene keinerlei Kontakt untereinander haben. Die Große Mutter sagt:

»Oft haben meine Kinder Augen, sehen aber nichts. Sie haben Ohren, hören aber nichts. Also werde ich von einigen fordern, mir gegenüber nicht blind oder taub zu sein. Auch wenn sie dafür einen hohen Preis zahlen müssen, werden sie dafür verantwortlich sein, die Tradition am Leben zu erhalten, und eines Tages werden meine Segnungen auf die Erde zurückkehren.«

Der Schamane beginnt rhythmisch seine Trommel zu schlagen und wird dabei ganz allmählich schneller. Er sagt etwas zu Yao, der es mir gleich übersetzt.

»Er hat nicht dieses Wort benutzt, aber das Qi kommt mit dem Wind.«

Wie auf ein Stichwort frischt der Wind auf. Obwohl ich dick eingepackt bin – Wetterjacke, Handschuhe, dicke Wollmütze und Schal, der mein Gesicht bis zu den Augen verdeckt –, hält das die Kälte nicht ab. Meine Nase hat jegliches Gefühl verloren, und kleine Eiskristalle bilden sich auf meinen Augenbrauen. Yao sitzt elegant auf seinen untergeschlagenen Beinen. Ich versuche das auch, muss aber ständig die Stellung wechseln, denn die Kälte des Bodens dringt durch den Stoff meiner Hose und lässt die Muskeln einschlafen, was zu schmerzhaften Krämpfen führt.

Die Flammen tanzen wild, aber das Feuer geht nicht aus. Der Rhythmus der Trommel wird schneller. Der Schamane versucht, sein Herz dem Rhythmus seiner Hände auf dem Leder der Trommel anzupassen, die unten offen ist, um die

Geister einzulassen. In den afro-brasilianischen Traditionen ist dies der Augenblick, in dem das Medium oder der Priester seine Seele aus seinem Körper entlässt und ein anderes, erfahreneres Wesen von ihm Besitz ergreift. Der einzige Unterschied ist, dass es in Brasilien keinen bestimmten Augenblick gibt, in dem sich das, was Yao das Qi nennt, manifestiert.

Ich beschließe, meine Rolle als bloßer Zuschauer aufzugeben und mich ebenfalls in Trance zu versetzen. Ich versuche meinen Herzschlag an den Trommelrhythmus anzupassen, schließe die Augen, leere meine Gedanken, aber die Kälte und der Wind hindern mich daran weiterzumachen. Ich muss mich erneut anders hinsetzen. Als ich die Augen öffne, bemerke ich, dass der Schamane ein paar Federn in der Hand hat, die die Trommel hält. Möglicherweise gehörten sie einem seltenen einheimischen Vogel. Überall auf der Welt sind den Traditionen zufolge Vögel die Botschafter des Göttlichen. Sie helfen dem Schamanen oder seinesgleichen, sich aufzuschwingen und mit den Geistern zu sprechen.

Auch Yao hat die Augen offen: Die Ekstase gehört nur dem Schamanen, nur ihm allein. Der Wind wird noch stärker, mir wird immer kälter, aber den Schamanen scheint das nicht zu stören. Das Ritual geht weiter: Er öffnet die Flasche mit der grünlichen Flüssigkeit, trinkt davon, reicht sie Yao, der ebenfalls einen Schluck davon nimmt und sie an mich weitergibt. Aus Respekt probiere ich die süße, leicht alkoholische Mixtur und reiche dem Schamanen die Flasche zurück. Er unterbricht sein Trommeln nur, um Zeichen in die Erde zu ritzen. Ich habe diese Symbole noch nie gesehen, sie erinnern an eine Schrift, die vor langer Zeit verschwunden ist. Aus seiner Kehle kommen seltsame Laute, die wie um ein Vielfaches verstärkte Vogelstimmen klingen. Die Trommel wird immer noch lauter und schneller, die Kälte stört mich jetzt nicht mehr, und – plötzlich – ist es windstill.

Niemand braucht mir das zu erklären: Yaos Qi ist jetzt da. Wir blicken einander an, und eine unbeschreibliche Ruhe ergreift uns. Der Schamane ist nicht mehr der Mann, der das Schiff geführt und Hilal gebeten hat, am Ufer zurückzubleiben: Seine Züge haben sich verändert, er sieht jünger, weiblicher aus.

Eine Zeitlang, wie lange, kann ich nicht genau sagen, reden er und Yao miteinander auf Russisch. Der Horizont schimmert hell, und der Mond geht auf. Ich verfolge seinen Weg am Himmel, sein silbriger Schein spiegelt sich im Wasser des Sees, der von einem Augenblick auf den anderen ganz glatt daliegt. Links von mir beginnen die ersten Lichter des Dorfes zu funkeln. Ich bin vollkommen ruhig und versuche, so viel wie möglich von diesem Augenblick in mir aufzunehmen. Ich hatte nicht mit so etwas gerechnet, wie mit so vielem anderem in meinem Leben. Es wäre schön, wenn das Unerwartete immer derart schön und friedlich wäre.

Schließlich fragt mich der Schamane über Yao als Dolmetscher, warum ich hier sei.

»Um einen Freund zu begleiten, der versprochen hat, an diesen Ort zurückzukommen. Um Ihren Fähigkeiten Respekt zu zollen. Und um mich gemeinsam mit Ihnen in das Mysterium zu versenken.«

»Der Mann neben mir glaubt an gar nichts«, sagt der Schamane, für den Yao weiter übersetzt. »Er ist bereits mehrfach hierhergekommen, um mit seiner Frau zu sprechen, und dennoch glaubt er nicht. Arme Frau! Anstatt die Zeit bis zu ihrer Rückkehr auf Erden an der Seite Gottes zu verbringen, muss sie ständig zurückkommen, um diesen unglücklichen Mann zu trösten. Die Wärme der Göttlichen Sonne verlassen und diese erbärmliche Kälte Sibiriens ertragen, nur weil seine Liebe sie nicht gehen lässt.«

Der Schamane lacht in sich hinein.

»Warum erklären Sie *ihm* das nicht?«, frage ich.

»Das habe ich bereits getan. Aber er kann sich einfach nicht mit dem abfinden, was er, wie viele andere Menschen in dieser Situation auch, für einen Verlust hält.«

»Reiner Egoismus.«

»Ja, reiner Egoismus. Leute wie er wollen, dass die Zeit stehenbleibt oder gar rückwärts läuft.«

Der Schamane lacht abermals.

»In dem Augenblick, als seine Frau auf die andere Ebene überging, war Gott für ihn gestorben. Er wird noch ein-, zwei-, zehnmal zu mir kommen und wieder und immer wieder versuchen, mit ihr zu sprechen. Nicht, damit ich ihm helfe, das Leben besser zu verstehen. Er will, dass die Dinge sich seiner Sichtweise darüber anpassen.«

Er macht eine Pause. Blickt um sich. Es ist inzwischen vollkommen dunkel, nur das Licht der Flammen beleuchtet die Szene.

»Ich kann Verzweiflung nicht heilen, wenn die Leute in ihr Trost suchen.«

»Mit wem spreche ich gerade?«, frage ich den Schamanen.

»Du bist ein Gläubiger.«

Ich wiederhole die Frage.

»Valentina«, antwortet er schließlich.

Eine Frau.

»Der Mann neben mir mag etwas töricht sein, was spirituelle Dinge angeht, aber er ist ein großartiger Mensch, imstande, fast alles zu ertragen, nur nicht, was er den ›Tod‹ seiner Ehefrau nennt. Der Mann neben mir ist ein guter Mensch.«

Der Schamane nickt.

»Du auch. Du bist mit einem Freund zu mir gekommen, der schon lange dein Freund ist. Lange bevor ihr euch in diesem Leben begegnet seid. So wie ich auch dich bereits sehr lange kenne.«

Wieder lacht er.

»Es war an einem anderen Ort, doch wir erlitten dasselbe Schicksal in einer Schlacht: das, was dein Freund ›Tod‹ nennt. Ich weiß nicht, in welchem Land es war, aber wir wurden von Kugeln getroffen. Krieger begegnen einander wieder. Das ist Teil des Göttlichen Gesetzes.«

Er wirft einige Kräuter ins Feuer und erklärt, dass wir schon in einem anderen Leben um ein Feuer gesessen und uns unsere Abenteuer erzählt haben.

»Dein Geist spricht mit dem Adler des Baikalsees, der über allem wacht, der Feinde angreift und Freunde beschützt.«

Gleichsam als Bestätigung seiner Worte ertönt in der Ferne der Schrei eines Vogels. Die Kälte ist einem Wohlgefühl gewichen. Der Schamane reicht noch einmal die Flasche herum.

»Gegorene Getränke sind lebendig, sie entwickeln sich

von der Jugend zum Alter. Im richtigen Moment genossen, können sie den Geist der Schüchternheit, den Geist der Einsamkeit, den Geist der Angst, den Geist der Besorgnis bekämpfen. Trinkt man jedoch zu viel davon, bewirken sie das Gegenteil und bringen den Geist der Niederlage und der Aggression mit sich. Man muss den Punkt kennen, den man nicht überschreiten darf.«

Wir trinken und erfreuen uns an diesem Moment.

»In diesem Augenblick ist dein Körper auf der Erde, aber dein Geist ist zusammen mit mir in der Höhe. Das ist alles, was ich dir anbieten kann: einen Streifzug durch den Himmel über dem Baikalsee. Du bist nicht gekommen, um etwas zu erbitten, also werde ich dir nur das geben. Ich hoffe, dass es dich dazu bringt, mit dem weiterzumachen, was du gerade tust.

Sei gesegnet. So, wie du dein Leben veränderst, veränderst du das der Menschen um dich herum. Wenn jemand dich um etwas bittet, vergiss nicht, zu geben. Wenn jemand an deine Tür klopft, mache ihm auf. Wenn jemand etwas verloren hat und zu dir kommt, tue alles, um wiederzufinden, was verlorenging. Aber vor allem bitte auch du, klopfe an Türen, und finde heraus, was in deinem Leben fehlt. Ein Jäger weiß genau, was ihn erwartet: Friss oder werde gefressen.«

Ich nicke.

»Du hast so etwas bereits erlebt und wirst es noch oft erleben«, fährt der Schamane fort. »Ein Freund deiner Freunde ist auch ein Freund des Adlers vom Baikalsee. Heute Abend wird nichts Besonderes geschehen. Du wirst keine Visionen oder magischen Erlebnisse haben und auch nicht in Trance fallen – weder um mit den Lebenden noch um mit den Toten zu kommunizieren. Du wirst nur Freude empfinden, wenn der Adler deiner Seele den Baikalsee zeigt. Du selber wirst nichts sehen, aber dein Geist in der Höhe wird in diesem Augenblick erfüllt sein.«

So ist es tatsächlich, auch wenn ich wirklich nichts sehe. Das ist auch nicht notwendig: Ich weiß, dass der Schamane die Wahrheit sagt. Wenn meine Seele in meinen Körper zurückkehrt, wird sie weiser und ruhiger sein denn je.

Die Zeit scheint stehengeblieben zu sein, denn ich kann sie nicht länger spüren. Die Flammen flackern, werfen unheimliche Schatten auf das Gesicht des Schamanen, aber ich bin kaum noch hier. Ich lasse meinen Geist wandern, das braucht er nach all den Anstrengungen, die ich ihm zugemutet habe. Mir ist schon lange nicht mehr kalt. Ich fühle überhaupt nichts mehr – ich bin frei und werde es bleiben, solange der Adler des Baikalsees über dem Wasser und den verschneiten Bergen schwebt. Schade, dass der Geist mir nicht erzählen kann, was er sieht; aber ich muss wirklich nicht alles wissen, was mit mir geschieht.

Der Wind hat wieder aufgefrischt. Der Schamane verbeugt sich tief vor der Erde und dem Himmel. Das Feuer geht unvermittelt aus. Ich schaue zum Mond, der jetzt hoch am Himmel steht, und kann in seinem Licht die Umrisse von Vögeln ausmachen. Der Schamane ist wieder ein alter Mann, der müde wirkt, als er seine Trommel in einen bestickten Beutel steckt.

Yao geht zu ihm und gibt ihm eine Handvoll Münzen und Scheine. Ich tue es ihm gleich.

»Wir haben für den Adler vom Baikalsee gebettelt. Hier ist, was wir bekommen haben.«

Der Schamane verbeugt sich und nimmt dankend das Geld entgegen. Anschließend gehen wir ohne Eile zum Boot zurück. Die heilige Insel der Schamanen hat ihren ganz eigenen Geist. Und sie ist so stockfinster, dass wir nicht erkennen können, wohin wir unsere Füße setzen.

Am Ufer angekommen, finden wir nur noch die zwei Frauen vor. Sie richten uns aus, Hilal sei bereits ins Gasthaus zurückgegangen. Erst da bemerke ich, dass der Schamane kein einziges Wort über sie verloren hat.

Die Angst vor der Angst

Die Heizung im Zimmer ist voll aufgedreht, die Luft riecht stickig und ist verbraucht. Noch bevor ich nach dem Lichtschalter taste, lege ich Jacke, Mütze und Schal ab und reiße das Fenster auf. Der Gasthof liegt auf einem kleinen Hügel, und ich beobachte, wie unten im Ort ein Licht nach dem anderen verlöscht. Ich bleibe eine ganze Weile so stehen und versuche mir die Wunder vorzustellen, die mein Geist in dieser Nacht erfahren hat. Als ich mich gerade umdrehen will, höre ich eine Stimme.

»Bleib stehen.«

Es ist Hilal. Und ihr Ton erschreckt mich: Es scheint ihr todernst zu sein.

»Ich bin bewaffnet.«

Nein, das kann nicht sein. Oder haben diese Frauen ihr etwa …?

»Mach einen Schritt zurück.«

Ich tue, was sie gesagt hat.

»Noch einen Schritt. So ist es gut. Und jetzt einen Schritt nach rechts. Gut so. Stopp.«

Ich habe aufgehört zu denken – mein Instinkt hat die Befehlsgewalt über meine Reaktionen übernommen. Blitzschnell bietet mein Geist mir meine Optionen an: mich auf den Boden werfen, versuchen, Hilal in ein Gespräch zu verwickeln oder schlicht abwarten, was passiert. Wenn sie tatsächlich entschlossen ist, mich zu töten, wird sie kurzen Prozess machen. Doch wenn sie in den nächsten Minuten nicht schießt, wird sie anfangen zu reden, und dann habe ich eine Chance.

Ein hoher, schriller Ton, ein Knall wie von einer Explosion, und ich bin über und über von Glasscherben übersät. Die Glühbirne über meinem Kopf ist zerborsten.

»Ich halte den Bogen in der rechten Hand, die Geige in der linken. Nein, nicht umdrehen!«

Ich rühre mich nicht von der Stelle, atme aber erleichtert auf. Keine Magie, kein *special effect:* Opernsängerinnen bringen das ebenfalls zustande, indem sie auf einer so hohen Frequenz singen, dass scheinbar mühelos Champagnergläser zerspringen.

Wieder streicht der Bogen über die Saiten, wieder gibt es einen hohen, schrillen Ton.

»Ich weiß alles, was passiert ist. Ich hab's gesehen. Die Frauen haben mich hingeführt, und ich brauchte auch keinen Lichtring dazu.«

Sie hat es gesehen.

Eine Riesenlast fällt von meinen mit Glasscherben bedeckten Schultern. Die Fahrt zur Insel war, ohne dass Yao davon wusste, auch Teil der Reise zurück zu meinem Reich gewesen. Ich brauchte nichts zu sagen. Sie hatte es gesehen.

»Du hast mich im Stich gelassen, als ich dich am meisten brauchte. Deinetwegen musste ich sterben, und jetzt bin ich wiedergekommen, um dich heimzusuchen.«

»Du kannst mich nicht heimsuchen. Mir wurde vergeben.«

»Du hast meine Vergebung erzwungen. Ich habe dir vergeben, ohne genau zu wissen, was ich tat.«

Noch ein schriller Akkord.

»Wenn du willst, dann nimm deine Vergebung zurück.«

»Das will ich nicht. Ich *habe* dir vergeben. Und wenn ich dir noch siebzig mal sieben Mal vergeben müsste, so würde ich es doch immer wieder tun. Aber die Bilder in meinem Kopf sind so undeutlich. Erzähl mir, bitte, was genau passiert ist. Ich erinnere mich nur daran, dass ich nackt war und dass du mich angeschaut hast. Daraufhin habe ich allen gesagt, dass ich dich liebe, und deshalb wurde ich dann zum Tode verurteilt. Meine Liebe war der Grund dafür, dass ich verurteilt wurde.«

»Darf ich mich jetzt umdrehen?«

»Noch nicht. Erst musst du mir sagen, was geschehen ist. Ich weiß nur, dass ich in einem vergangenen Leben deinetwegen gestorben bin. Es kann hier gewesen sein, es kann irgendwo sonst auf der Welt gewesen sein, aber ich habe mich geopfert, um dich zu retten. Weil ich dich liebte.«

Meine Augen haben sich inzwischen an die Dunkelheit gewöhnt, aber bei geschlossenem Fenster ist die Hitze im Zimmer unerträglich.

»Was genau haben die Frauen mit dir gemacht?«

»Wir haben uns ans Ufer des Sees gesetzt, sie haben ein Feuer angezündet, eine Trommel geschlagen, sind in Trance gefallen und haben mir irgendetwas zu trinken gegeben. Schon nach dem ersten Schluck begannen diese wirren Visionen. Sie dauerten nicht lange. Ich erinnere mich nur an das, was ich dir erzählt habe. Ich dachte, es sei nur ein Alptraum, aber die Frauen versicherten mir, wir beide seien schon in einem früheren Leben zusammen gewesen. Genau das hattest du mir auch gesagt.«

»Nein. Es ist in der Gegenwart geschehen; es geschieht jetzt. Ich bin in diesem Augenblick in einem Gasthof in Sibirien, in einem Ort, dessen Namen ich nicht kenne. Ich bin *auch* in einem Kerker in Córdoba. Ich bin bei meiner Frau in Brasilien, bei den vielen Frauen, die ich sonst gekannt habe, und in einigen dieser Leben bin ich selbst auch eine Frau. – Spiel mir etwas vor.«

Ich ziehe den Pullover aus. Hilal beginnt eine Sonate zu spielen, die ursprünglich nicht für die Geige geschrieben wurde. Meine Mutter hatte sie auf dem Klavier gespielt, als ich klein war.

»Es gab eine Zeit vor der Zeit, in der die Welt weiblich war. Ihre Energie war reine Schönheit, die Menschen glaubten an Wunder und kannten nur den gegenwärtigen Augenblick. Die Griechen hatten dann zwei Wörter für die Zeit: *Kairos,* das göttliche Zeit, Ewigkeit bedeutet, und *Kronos,* nach dem gleichnamigen Gott der Zeit benannt, der seine eigenen Kinder verschlang und der für den Zeitablauf steht, die messbare Zeit. Der Kampf ums Überleben und die Notwendigkeit zu wissen, wann wir pflanzen müssen, um ernten zu können, schufen den Zeitbegriff, wie wir ihn heute kennen und der uns fortan zu Sklaven der Erinnerung machte. – Spiel weiter, dann erkläre ich es dir genauer.«

Hilal spielt weiter. Ich fange an zu weinen, schaffe es aber, weiterzusprechen.

»In diesem Moment befinde ich mich in einem Garten in einer Stadt, sitze auf einer Bank hinter dem Haus, in dem ich wohne, blicke in den Himmel und versuche herauszubekommen, was die Leute meinen, wenn sie davon sprechen, dass man ›Luftschlösser baut‹. Ich bin sieben Jahre alt, und eine Stunde zuvor hat ein Erwachsener diesen Ausdruck gebraucht. Ich versuche ein goldenes Schloss zu bauen, kann mich aber nur schwer konzentrieren. Die Nachbarskinder sitzen bereits mit ihren Eltern beim Abendessen, und meine Mutter spielt dieselbe Musik wie du, aber auf dem Klavier. Wenn ich nicht das Bedürfnis hätte, alles zu erklären, würde ich jetzt ganz dort sein. Es duftet nach Sommer, in den Bäumen zirpen Zikaden, und ich sitze als kleiner Junge auf der Bank im Garten und denke an das Mädchen, in das ich gerade verliebt bin.

Ich bin nicht in der Vergangenheit, ich bin in der Gegenwart. Ich bin der Junge, der ich einmal war. Ich werde immer dieser Junge bleiben, wir alle werden die Kinder, die Erwachsenen, die Alten sein, die wir einmal waren und die wir sein werden. Ich ERINNERE mich nicht. Ich ERLEBE diese Zeit NOCH EINMAL.«

Ich kann nicht weitersprechen. Ich bedecke mein Gesicht mit den Händen und fange an zu schluchzen, während Hilal immer eindringlicher, vollkommener spielt und mich zu den vielen Personen führt, die ich in diesem Leben bin und die ich in anderen war. Ich weine nicht um meine verstorbene Mutter, weil sie jetzt hier ist und für mich spielt. Ich weine nicht um das Kind, das versucht, sein goldenes Luftschloss zu bauen, das immer wieder verschwindet. Denn das Kind ist auch hier, und es hört die wunderbare Musik von Chopin, die es schon so oft gehört hat und immer wieder hören möchte. Ich weine, weil ich dieses Gefühl nicht anders ausdrücken kann: Ich lebe, mit jeder Pore, jeder Zelle meines

Körpers lebe ich, als gäbe es keinen Anfang und kein Ende, als wäre ich nie geboren worden und würde nie sterben.

Es mag Momente geben, in denen ich traurig oder verwirrt bin, aber da ist noch etwas Größeres, ein Ich, das alles versteht und über meine Qualen lacht. Ich weine um das Vergängliche und das Ewige, weil ich weiß, dass Worte weniger ausdrücken können als Musik, und darum werde ich diesen Augenblick auch nie beschreiben können. Ich lasse mich von Chopin, Beethoven und Wagner in die Vergangenheit tragen, die die Gegenwart ist – ihre Musik kann mich weiter tragen als der Ring aus Licht.

Ich weine, während Hilal spielt. Und sie spielt, bis ich mich beruhigt habe und nicht mehr weine.

***

Hilal geht zum Lichtschalter. Wegen der zerborstenen Glühbirne brennt die Sicherung durch. Es bleibt dunkel im Zimmer. Sie geht zum Nachttisch und schaltet die Lampe dort an.

»So. Jetzt darfst du dich umdrehen.«

Als sich meine Augen an die Helligkeit gewöhnt haben, sehe ich sie nackt dastehen, die Arme ausgebreitet, in der einen Hand die Geige, in der anderen den Bogen.

»Du hast heute zu mir gesagt, dass du mich wie ein Fluss liebst. Jetzt möchte ich dir sagen, dass meine Liebe zu dir ist wie die Musik von Chopin. Intensiv und groß und tief wie der See, imstande –«

»Die Musik spricht für sich selber. Du brauchst nichts weiter zu sagen.«

»Ich habe Angst. Große Angst. Was genau habe ich gesehen?«

Ich beschreibe ihr in allen Einzelheiten, was in jenem Keller geschehen ist. Erzähle ihr von meiner Feigheit und dem Mädchen, das ich genau so sah wie jetzt sie, nur dass ihre Hände mit Stricken gefesselt waren und sie keine Geige in Händen hielt. Hilal hört schweigend zu, die Arme noch immer ausgebreitet, nimmt jedes meiner Worte in sich auf. Wir stehen beide in der Mitte des Raumes, ihr Körper ist so weiß wie der des fünfzehnjährigen Mädchens, das in diesem Augenblick zu einem Scheiterhaufen in der Nähe der Stadt Córdoba gebracht wird. Ich werde sie nicht retten können, weiß, dass sie zusammen mit ihren Freundinnen in den Flammen sterben wird. Das ist schon einmal geschehen und geschieht immer wieder und wird so lange immer wieder geschehen, wie die Welt besteht. Ich erzähle Hilal, dass jenes Mädchen Schamhaar hatte, während sie ihres rasiert hat, etwas, das ich entsetzlich finde, als ob alle Männer lieber mit einem Kind Sex haben als mit einer erwachsenen Frau. Ich bitte sie darum, sich nicht wieder zu rasieren, und sie verspricht es mir.

Ich zeige ihr meine Ekzeme, die in diesem Moment besonders deutlich zu sehen sind, und erkläre ihr, dass es sich dabei um Male vom selben Ort, aus derselben Vergangenheit handelt. Ich frage sie, ob sie sich an die Worte erinnert, die sie oder die anderen Mädchen auf dem Weg zum Scheiterhaufen zu mir gesagt haben. Sie schüttelt den Kopf.

»Begehrst du mich?«

»Sehr. Wir sind hier ganz allein an diesem wunderbaren Ort, und du stehst nackt vor mir. Ja, ich begehre dich sehr.«

»Ich habe Angst vor meiner Angst. Ich bitte mich selbst um Vergebung, nicht weil ich hier bin, sondern weil ich in meinem Schmerz egoistisch war. Anstatt zu vergeben, habe ich Rache gesucht. Nicht weil ich mich stärker als die anderen, sondern weil ich mich schwächer fühlte. Indem ich andere verletzte, verletzte ich mich im Grunde selbst. Ich habe Menschen gedemütigt, um mich gedemütigt zu fühlen. Ich habe andere angegriffen, um zu spüren, wie meinen Gefühlen Gewalt angetan wurde.

Ich weiß, dass ich nicht die Einzige bin, die als Kind missbraucht wurde. Ich habe es schon bei dem Essen in der brasilianischen Botschaft in Moskau gesagt, dass solche Missbrauchsfälle relativ häufig sind und dass wahrscheinlich einige der anderen Frauen am Tisch in ihrer Kindheit ebenfalls missbraucht worden waren. Aber andere mögen damit besser zurechtkommen als ich. Ich jedenfalls kann dieses Erlebnis immer noch nicht hinter mir lassen.«

Sie atmet tief durch, sucht nach Worten, fährt fort:

»Ich kann über etwas nicht hinwegkommen, worüber alle anderen durchaus hinwegkommen. Du bist jemand, der auf der Suche nach seinem Schatz ist, und ich bin ein Teil dieses Schatzes. Dennoch fühle ich mich in meiner Haut wie eine Fremde. Es gibt nur einen Grund, warum ich mich dir nicht in die Arme werfe, dich küsse und auf der Stelle mit dir schlafe: Ich habe nicht den Mut dazu, ich habe Angst, dich zu verlieren. Während du dich auf die Suche nach deinem Reich begeben hast, bin ich auf die Suche nach mir selbst gegangen; doch kam ich an einem bestimmten Punkt der Reise nicht mehr weiter. Von da an wurde ich immer aggressiver, denn ich fühlte mich zurückgewiesen und nutzlos, und auch du wirst mich nicht vom Gegenteil überzeugen können.«

Ich setze mich auf den einzigen Stuhl im Zimmer und bitte sie, sich auf meinen Schoß zu setzen. Ihr Körper ist schweißbedeckt, so heiß ist es im Zimmer. Sie hält noch immer die Geige und den Bogen.

»Ich habe vor vielem Angst«, sage ich. »Und das werde ich immer haben. Ich werde nicht versuchen, es dir zu erklären. Aber würdest du etwas für mich tun?«

»Ich möchte mir nicht immer wieder sagen müssen, dass alles dies eines Tages vorbei sein wird. Es wird nie vorbei sein. Ich muss lernen, mit meinen Dämonen zu leben!«

»Warte. Ich habe diese Reise nicht gemacht, um die Welt zu retten, und noch viel weniger, um dich zu retten. Aber es heißt, dass es möglich ist, Schmerz umzuleiten. Er verschwindet nicht gleich, aber er verschwindet allmählich und in dem Maße, wie es dir gelingt, ihn woandershin zu verlagern. Unbewusst hast du das schon dein ganzes Leben lang getan. Jetzt schlage ich dir vor, es ganz bewusst zu tun.«

»Willst du nicht mit mir schlafen?«

»Doch, ich will es sogar unbedingt. Dort, wo sich unsere Körper berühren, spüre ich eine noch größere Hitze, als hier im Zimmer ohnehin schon herrscht. Ich bin kein Superman. Deshalb bitte ich dich, beides zu übertragen, deinen Schmerz und mein Begehren.

Ich bitte dich aufzustehen, in dein Zimmer zu gehen und dort Geige zu spielen, bis du nicht mehr kannst. Wir sind die einzigen Gäste hier, also wird niemand sich wegen des Lärms beschweren. Lege all dein Gefühl in die Musik, und morgen wieder. Und denk beim Spielen immer daran, dass das, was dich verletzt hat, dich stark gemacht und sich in eine Gabe verwandelt hat. Anders als du meinst, haben andere Menschen ihr Trauma nicht etwa überwunden, sie haben es nur an einem Ort verwahrt, den sie nie aufsuchen. Aber dir hat Gott einen Weg gezeigt, wie du tatsächlich nach und nach damit fertigwerden kannst. Du hältst den Schlüssel dazu in Händen.«

»Ich liebe dich, wie ich Chopin liebe. Ich wollte immer Pianistin werden, aber damals konnten sich meine Eltern nur eine Geige leisten.«

»Und ich liebe dich wie ein Fluss.«

Sie steht auf und beginnt zu spielen. Der Himmel hört die Musik, und die Engel steigen herunter, um mit mir dieser nackten Frau zu lauschen, deren Körper sich im Takt der Musik bewegt. Ich habe Hilal begehrt und sie geliebt, ohne sie zu berühren und ohne einen Orgasmus zu haben. Nicht weil ich der treueste Ehemann der Welt bin, sondern weil dies die Art war, in der unsere Körper sich begegnet sind – während die Engel dabei zusahen.

Zweimal ist an diesem Tag schon die Zeit stehengeblieben – als mein Geist mit dem Adler vom Baikalsee geflogen ist und als ich die Musik meiner Kindheit hörte, um jetzt noch ein drittes Mal stehenzubleiben. Ich bin ganz in diesem Augenblick, ohne Vergangenheit und ohne Zukunft, nehme zusammen mit Hilal die Musik in mich auf, wie ein unerwartetes Gebet, und bin froh, dass ich mich auf die Suche nach meinem Reich gemacht habe. Hilal spielt immer weiter, während ich mich aufs Bett lege und irgendwann zum Klang der Geige einschlafe.

Beim ersten Sonnenstrahl wache ich auf. Ich gehe in Hilals Zimmer. Sie schläft noch, und ich sehe in ihr Gesicht, das mit geschlossenen Augen tatsächlich wie das einer Einundzwanzigjährigen aussieht. Ich wecke sie behutsam und bitte sie, sich anzuziehen, weil Yao unten mit dem Frühstück auf uns wartet und wir nach Irkutsk zurückmüssen, von wo der Zug in wenigen Stunden weiterfährt.

Wir gehen hinunter, essen eingelegten Fisch (etwas anderes gibt es um diese Zeit nicht), und bald hören wir den Wagen vorfahren, der uns abholen kommt. Der Fahrer begrüßt uns, nimmt unsere Rucksäcke auf und legt sie in den Kofferraum.

Draußen strahlt die Sonne. Ein wolkenloser Himmel, kein Wind und in der Ferne die schneebedeckten Berge. Ich bleibe stehen, um mich vom See zu verabschieden, im Bewusstsein, dass ich vielleicht nie wieder herkommen werde. Yao und Hilal steigen in den Wagen, der Chauffeur lässt den Motor an …

… aber ich stehe wie festgenagelt da und kann mich nicht von der Stelle rühren.

»Kommen Sie. Ich habe eine Stunde mehr eingerechnet, falls es irgendwo unterwegs einen Unfall gibt, aber ich möchte kein Risiko eingehen.«

Der See ruft mich.

Yao steigt wieder aus dem Wagen und kommt zu mir.

»Vielleicht haben Sie mehr vom Treffen mit dem Schamanen erwartet. Aber für mich war es wichtig.«

Nein, ich hatte weniger erwartet. Später werde ich ihm erzählen, was ich in der Nacht mit Hilal erlebt habe. Jetzt aber schaue ich wie hypnotisiert auf den See, in dem sich die Morgensonne spiegelt. Mein Geist hat ihn mit dem Adler vom Baikalsee besucht, aber ich muss ihn besser kennenlernen.

»Manchmal laufen die Dinge eben nicht so, wie wir denken«, fährt er fort. »Aber trotzdem vielen Dank, dass Sie mitgekommen sind.«

»Kann man von dem Weg, den Gott vorgezeichnet hat, abweichen? Schon, aber es ist immer ein Fehler. Kann man durchs Leben gehen, ohne zu leiden? Schon, aber man lernt nichts dabei. Gibt es Erkenntnis ohne eigene Erfahrung? Ja, aber die Erkenntnis wird nie wirklich innerlich sein.«

Und mit diesen Worten, ganz langsam, Schritt für Schritt, bewege ich mich auf das Wasser zu, das nicht aufhört, mich zu rufen. Dann, als die Vernunft sich einschaltet und mich bremsen will, beginne ich zu laufen, schneller und immer schneller, reiße mir im Laufen Schicht um Schicht die Winterkleidung vom Leib. Als ich am Ufer anlange, bin ich nackt bis auf die Unterhose. Ein kurzes Zögern, als meine Zehen das eiskalte Wasser berühren, dann stolpere ich über den steinigen Grund …

… und springe schließlich kopfüber in den See hinein!

Als ich eintauche, fühlt es sich an wie tausend spitze Nadeln auf meiner Haut. Ich bleibe so lange wie möglich unter Wasser – nur wenige Sekunden, die mir aber wie eine Ewigkeit vorkommen –, und als ich wieder auftauche:

Sommer! Wärme!

Ich mache mir nicht bewusst, dass es einem immer so geht, wenn man aus extremer Kälte in wärmere Temperaturen kommt. Ich stehe da, bis zu den Knien im Baikalsee, und freue mich wie ein Kind, weil ich einen Teil der Energie, die mich umgeben hat, nun in mich aufgenommen habe.

Yao und Hilal, die mir gefolgt sind, wollen ihren Augen nicht trauen, als sie mich so sehen.

»Los! Kommt rein!«, rufe ich ihnen zu.

Die beiden ziehen sich aus. Hilal trägt keine Unterwäsche und steht einmal mehr nackt vor mir. Doch was macht das schon? Ein paar Leute versammeln sich am Pier und beobachten uns. Aber auch das, was macht das schon? Der See gehört uns. Die Welt gehört uns.

Yao geht als Erster ins Wasser, aber er hat nicht mit dem steinigen Untergrund gerechnet, fällt hin, rappelt sich wieder hoch, macht ein paar weitere Schritte und taucht dann unter. Hilal scheint gleichsam über die Steine zu schweben, denn sie läuft schnell und weiter hinein als wir beide, taucht lange unter. Als sie wieder hochkommt, reckt sie die Arme zum Himmel und lacht wie verrückt.

Von dem Augenblick an, in dem ich auf den See zugelaufen bin und bis wir wieder herauskamen, sind nicht mehr als fünf Minuten vergangen. Der Fahrer läuft uns voller Sorge mit ein paar Handtüchern entgegen, die er aus dem Hotel geholt hat. Wir drei hüpfen ausgelassen herum, fallen einander in die Arme, singen und rufen, wie heiß es hier draußen sei – wie die Kinder, die wir ein Leben lang bleiben werden.

Die Stadt

Ich muss zum letzten Mal auf dieser Reise die Uhr umstellen. Es ist fünf Uhr morgens am 30. Mai 2006. Bei sieben Stunden Zeitunterschied essen die Leute in Moskau noch am 29. Mai zu Abend.

Alle im Waggon sind schon früh wach oder haben überhaupt nicht schlafen können. Am Schaukeln des Zuges kann es nicht liegen, denn daran sind wir mittlerweile gewöhnt, höchstens an unserer Aufregung, denn wir werden in Kürze in Wladiwostok, dem Endbahnhof, ankommen. Wir haben die letzten zwei Tage im Waggon verbracht, zumeist um den Tisch im Salon herum, der im Laufe dieser nicht enden wollenden Reise zum Zentrum unseres Universums geworden ist. Wir haben hier gegessen, Geschichten ausgetauscht, und ich habe hier von meinem Bad im Baikalsee berichtet, obwohl alle viel lieber erfahren hätten, wie das Treffen mit dem Schamanen verlaufen war.

Meine Verleger hatten eine wunderbare Idee gehabt: Sie hatten den nächsten Städten, in denen der Zug hielt, jeweils Bescheid gegeben, wann wir ankommen würden. So wurde ich immer, egal ob am Tag oder nachts, auf den Bahnsteigen von meinen russischen Lesern erwartet, die mir Bücher zum Signieren entgegenhielten, sich für mein Kommen bedankten, und ich dankte ihnen. Manchmal hielt der Zug nur fünf, manchmal zwanzig Minuten in einem Bahnhof. Einige Menschen segneten mich, alte Frauen in langen Mänteln, Stiefeln und Kopftüchern, aber auch junge Männer, die gerade auf dem Weg zur Arbeit oder auf dem Heimweg waren, meist nur mit einer einfachen Jacke bekleidet, als wollten sie allen verkünden: ›Mir kann die Kälte nichts anhaben.‹

Am Tag zuvor war ich einmal durch den ganzen Zug gegangen. Ich hatte es mir schon die ganze Zeit vorgenommen, aber es immer verschoben, weil ich dachte, ich hätte noch Zeit. Bis ich merkte, dass wir schon fast am Ziel unserer Reise waren.

Ich bat Yao, mich zu begleiten. Wir öffneten und schlossen unzählige Türen. Erst jetzt begriff ich, dass ich mich nicht in einem Zug, sondern in einer Art Stadt auf Rädern befand, tatsächlich ein in sich geschlossenes Universum. Warum hatte ich den Zug nicht schon früher erkundet? Meine Reise wäre um vieles reicher gewesen, ich hätte noch mehr interessante Leute kennenlernen und den Geschichten aus ihren Leben lauschen können – Stoff für weitere Bücher.

Einen ganzen Nachmittag bin ich so durch den Zug gewandert und jeweils am nächsten Halt nur ausgestiegen, um meine Leser zu treffen, die mich am Bahnsteig erwarteten. Ich bin durch diese große Stadt gegangen, wie ich durch viele andere Städte auf dieser Welt gegangen bin, und habe ähnliche Szenen erlebt wie überall: ein Mann, der ins Handy spricht; ein kleiner Junge, der in den Speisewagen rennt, weil er dort etwas vergessen hat; eine Mutter mit ihrem Baby im Arm; zwei junge Leute, die sich in dem engen Gang vor den Abteilen küssen, ohne auf die Landschaft zu achten, die draußen vorbeizieht; auch Szenen, die ich nicht deuten kann, Leute, die offenbar etwas zum Verkauf anbieten oder um etwas bitten; ein Mann mit Goldzahn, der mit seinen Freunden lacht; eine Frau mit Kopftuch, die ins Leere blickt und weint. Ich habe mit ein paar Leuten in einem der kleinen Verbindungsräume zwischen den Waggons Zigaretten geraucht, und ich habe ein paar ernst blickende Männer mit Sakko und Schlips beobachtet, die die ganze Welt auf ihren Schultern zu tragen schienen.

Ich bin durch diese Stadt gewandert, die sich wie ein ewig fließender, stählerner Fluss dahinwindet. Ich spreche zwar die Landessprache nicht, aber was macht das schon? Ich höre alle möglichen Sprachen und Laute, und doch sprechen die meisten Leute mit gar niemandem, so wie die Menschen in den großen Städten, eingesponnen in ihre eigenen Probleme und Träume. Sie sitzen stumm in ihrem Abteil, das sie mit anderen Fahrgästen teilen müssen, mit Leuten, die sie nie wiedersehen werden. Doch so elend oder allein sie sich auch fühlen mögen und sosehr sie sich auch danach sehnen, einen Erfolg oder auch ihre Trauer mit jemandem zu teilen, ziehen sie es doch vor zu schweigen.

Ich beschließe, jemanden anzusprechen – eine Frau, die ungefähr so alt sein dürfte wie ich selbst. Ich frage sie nach der Landschaft, an der wir gerade vorbeifahren. Yao will übersetzen, aber ich bremse ihn; ich will mir vorstellen, wie es wäre, diese Reise allein zu machen. Hätte ich es allein bis ans Ende geschafft? Die Frau bedeutete mir mit einer Geste, dass sie mich bei dem Lärm der Räder nicht hören kann. Ich wiederhole meine Frage, diesmal hört sie, versteht mich aber nicht. Sie hält mich wohl für verrückt, denn sie steht plötzlich auf und geht eilig davon.

Ich versuche es bei einer zweiten, einer dritten Person. Ich ändere meine Frage. Jetzt will ich wissen, warum sie diese Reise mit der Transsib machen. Niemand versteht, was ich will, und letztlich ist mir das ganz recht, denn im Grunde genommen ist die Frage irrelevant. Man kann zwar nach dem Ziel der Reise fragen, aber ob es erreicht wird, bleibt offen. Denn schließlich bin auch ich nicht genau dorthin gelangt, wohin ich anfangs wollte. Jemand, der sich auf dem engen Gang an uns vorbeidrängt, hört mich englisch sprechen, bleibt stehen und fragt ruhig:

»Kann ich Ihnen helfen? Haben Sie sich verlaufen?«

»Nein, ich habe mich nicht verlaufen. Aber können Sie mir sagen, wo wir da gerade vorbeifahren?«

»Wir sind an der Grenze zu China, bald werden wir nach rechts abbiegen und in südlicher Richtung nach Wladiwostok weiterfahren.«

Ich bedanke mich bei ihm und gehe weiter, froh darüber, dass es mir gelungen ist, mit jemandem ein Gespräch anzufangen. Ich hätte also auch allein reisen können, wäre ohne die anderen nicht völlig verloren gewesen und würde es auch niemals sein – solange es Menschen gab, die bereit waren zu helfen.

Nachdem ich die sich schier endlos hinziehende Stadt bis zur Lokomotive durchwandert habe, kehre ich um und zum Ausgangspunkt zurück. Ich bringe Bilder von Flüssen mit, Blicke, Küsse, Musik, Worte in vielen unterschiedlichen Sprachen, den Wald, der draußen vorbeizieht und den ich wohl nie wiedersehen, aber dennoch in meinem Herzen und vor meinem geistigen Auge in mir bewahren werde.

Ich kehre an den Tisch im Salon zurück, schreibe ein

paar Zeilen, die ich an die Stelle hefte, die sonst Yaos täglichen Gedanken vorbehalten ist.

***

Ich lese, was ich gestern nach meiner Wanderung durch den Zug geschrieben habe:

> *Ich bin kein Fremder, weil ich nicht für eine sichere Rückkehr gebetet habe. Ich habe meine Zeit nicht damit vertan, mir mein Haus, meinen Tisch, meine Seite des Bettes vorzustellen. Ich bin kein Fremder, weil wir alle immer auf Reisen sind, alle gleich müde, mit den gleichen Fragen, den gleichen Ängsten, der gleichen Selbstsucht und der gleichen Großzügigkeit. Ich bin kein Fremder, denn als ich etwas brauchte, bekam ich es. Als ich klopfte, wurde mir aufgetan. Als ich suchte, fand ich.*

Ich erinnere mich daran, dass dies die Worte des Schamanen gewesen sind. Bald würde der Waggon an seinen Ausgangspunkt zurückkehren. Dieses Stück Papier würde verschwinden, sobald die Putzfrau kam, um den Waggon sauberzumachen. Aber ich würde niemals vergessen, was ich geschrieben habe; weil ich kein Fremder bin und niemals einer sein werde.

***

Hilal ist die meiste Zeit in ihrem Abteil geblieben und hat wie besessen Geige gespielt. Manchmal hört es sich an, als spräche sie noch einmal mit den Engeln, dann wieder übt sie ein ums andere mal dieselben Takte.

Auf der Fahrt im Wagen zurück nach Irkutsk war ich mir sicher gewesen, dass ich auf meinem Flug mit dem Adler vom Baikalsee nicht allein gewesen war. Unser beider Geist hatte gemeinsam dieselben Wunder geschaut.

Letzte Nacht habe ich Hilal erneut gebeten, in meinem Bett zu schlafen. Ich hatte versucht, mit dem Ring aus Licht allein irgendwohin zu gelangen, doch ohne Erfolg – außer einem versehentlichen Besuch bei dem Schriftsteller, der ich im 19. Jahrhundert in Frankreich gewesen war. Er (oder ich) hatte gerade folgenden Absatz beendet:

Der Moment kurz vor dem Einschlafen ist ähnlich wie der Tod. Uns überkommt eine Mattigkeit, und es ist unmöglich zu entscheiden, wann unser ›Ich‹ anfängt, in einer anderen Form zu existieren. Unsere Träume sind unser zweites Leben, und ich kann die Tore, die in die unsichtbare Welt führen, nicht ohne Schaudern durchschreiten.

In dieser vergangenen Nacht hat Hilal sich neben mich gelegt, mein Kopf ruhte auf ihrer Brust – als kennten unsere Seelen sich schon seit langer Zeit und als seien Worte nicht mehr nötig, nur diese Berührung. Und tatsächlich hat mich der Ring aus Licht genau dorthin gebracht, wohin ich wollte: in einen kleinen Ort in der Nähe von Córdoba.

Das Urteil wird mitten auf dem Dorfplatz wie bei einem großen Volksfest öffentlich verkündet. Die acht jungen Frauen tragen knöchellange weiße Gewänder und zittern vor Kälte. Doch bald schon werden sie die Hitze des Höllenfeuers spüren, das jene Männer anzünden werden, die glauben, im Namen des Himmels zu handeln. Ich habe meinen Superior gebeten, nicht zusammen mit den anderen Angehörigen der Kirche an der Hinrichtung teilnehmen zu müssen. Es brauchte nicht viel Überzeugung von meiner Seite, denn er war noch immer zornig über meine Feigheit und froh, mich nicht sehen zu müssen. Nun stehe ich, immer noch in meinem Dominikanerhabit, inmitten der Menschenmenge und versuche, mein Gesicht unter meiner Kapuze zu verbergen.

Den ganzen Tag über sind Neugierige aus den benachbarten Städten angereist, und bei Einbruch der Dunkelheit ist der Platz schwarz von Menschen. Die Adligen sitzen in ihren Festgewändern auf gepolsterten Stühlen in der ersten Reihe. Die Frauen haben offensichtlich viel Zeit darauf verwendet, sich zurechtzumachen, um ihre vermeintliche Schönheit von allen bewundert zu sehen. Im Blick der Anwesenden liegt etwas, das über reine Neugier hinausgeht: ein Bedürfnis nach Rache. Sie sind nicht einfach erleichtert, weil hier die Schuldigen ihre gerechte Strafe bekommen, sie strahlen vielmehr eine hämische Genugtuung aus, weil es sich dabei um junge hübsche, sinnliche Töchter reicher Leute handelt. Sie verdienen es, bestraft zu werden, für alles das, was die meisten entweder mit ihrer Jugend verloren oder nie gehabt haben. Lasst uns also Rache nehmen an der Schönheit, Rache an Freude, Lachen, Hoffnung. Wir wollen nicht darauf gestoßen werden, was wir eigentlich sind: erbärmlich, frustriert, ohnmächtig.

Der Inquisitor zelebriert die lateinische Messe. Während der Predigt, in der er vor den schrecklichen Strafen warnt, die all jene zu erwarten haben, die der Ketzerei beschuldigt werden, ertönen plötzlich laute Rufe und Schreie. Es sind die Eltern der jungen Frauen, die gleich verbrannt werden sollen. Man hatte ihnen den Zugang zum Platz verweigert, doch offenbar ist es ihnen gelungen, die Barrieren zu durchbrechen.

Der Inquisitor hält in seiner Ansprache inne, aus der Menge werden Buhrufe laut, die Wachen stürzen sich auf die Eltern und schleifen sie weg.

Ein Ochsenkarren erreicht den Platz. Den jungen Frauen werden die Arme auf dem Rücken gefesselt, und Dominikanermönche helfen ihnen aufzusteigen. Die Wachen stellen sich um das Gefährt auf, die Menge tritt zur Seite, und die Ochsen mit ihrer makabren Fracht werden zum Scheiterhaufen geführt, der auf einem nahen Feld angezündet werden wird.

Die jungen Frauen halten den Kopf gesenkt. Von meinem Platz aus kann ich nicht sehen, ob in ihren Augen Angst oder Traurigkeit ist. Eine von ihnen ist so barbarisch gefoltert worden, dass sie sich ohne Hilfe ihrer Gefährtinnen nicht allein auf den Beinen halten kann. Die Soldaten haben Mühe, die grölende und Verwünschungen ausstoßende Menge zu bändigen. Als ich merke, dass der Ochsenkarren unmittelbar vor mir vorbeikommen wird, versuche ich mich wegzustehlen, doch es ist bereits zu spät. Ich bin zwischen den dicht gedrängt stehenden Männern, Frauen und Kindern eingekeilt.

Der Karren kommt immer näher. Die weißen Gewänder der jungen Frauen sind jetzt von Eiern, Bier, Wein, Kartoffelschalen besudelt, mit denen der Pöbel sie beschmutzt hat. ›Gott, erbarme dich ihrer‹, bete ich. Ich hoffe, dass sie in dem Augenblick, in dem der Scheiterhaufen angezündet wird, noch einmal um Vergebung für ihre Sünden bitten – Sünden, die sich dereinst in Tugenden verwandeln werden, auch wenn wir uns dies niemals vorstellen können. Sofern sie dann um Absolution bitten, wird ein Mönch ihnen noch einmal die Beichte abnehmen, ihre Seelen Gott überantworten, worauf sie mit einem Seil erdrosselt und nur ihre Leichen auf dem Scheiterhaufen verbrannt werden.

Bestehen sie jedoch auf ihrer Unschuld, werden sie bei lebendigem Leibe verbrannt.

Ich habe schon an anderen Autodafés teilgenommen. Ich hoffe inständig, dass die Eltern der Mädchen dem Henker Geld gegeben haben. Er wird dann etwas Öl über das Holz schütten, damit es schneller brennt und der Rauch sie vergiftet, bevor das Feuer erst ihr Haar, dann ihre Füße, die Hände, das Gesicht, die Beine und schließlich den Leib verbrennt. Wenn es keine Gelegenheit für eine Bestechung gegeben haben sollte, verbrennen sie langsam, und ihr Leiden ist unbeschreiblich.

Der Ochsenkarren ist jetzt unmittelbar vor mir. Ich senke den Kopf, aber eine von ihnen erkennt mich trotzdem. Nun wenden sie sich alle mir zu, und ich mache mich darauf gefasst, beschimpft und beleidigt zu werden; denn ich habe es von allen am meisten verdient, habe meine Hände in Unschuld gewaschen und es vorgezogen zu schweigen, als ein einziges Wort genügt hätte, alles zu verändern.

Die jungen Frauen rufen mir etwas zu. Einige Leute drehen sich überrascht nach mir um: Kenne ich diese Hexen etwa? Ohne mein Dominikanerhabit hätten sie mich möglicherweise verprügelt. Dann dämmert es den Umstehenden, dass ich einer derjenigen sein muss, die sie verurteilt haben, worauf mir jemand auf die Schulter klopft, und eine Frau sagt sogar: »Gut gemacht. Das ist der wahre Glauben.«

Die verurteilten Mädchen rufen weiter zu mir herüber. Ich bin es leid, noch länger ein Feigling zu sein, hebe den Kopf und schaue sie an.

In diesem Augenblick verschwimmt das Bild vor meinen Augen, und ich kann nichts mehr sehen.

Ich überlege, ob ich Hilal noch einmal mit zum Aleph nehmen soll. Aber dann verwerfe ich die Idee wieder. Sollte das wirklich der Sinn meiner Reise sein? Jemanden, der mich liebt, zu benutzen, um die Antwort auf eine quälende Frage zu erhalten? Kann ich so wieder zum König meines Reiches werden? Doch auch wenn ich es jetzt nicht schaffe, weiß ich inzwischen, dass ich die Antwort später finden werde; irgendwo auf meinem Weg warten die anderen drei Frauen auf mich – sofern ich den Mut habe, ihn bis zum Ende zu gehen. Ich werde diese Inkarnation ganz sicher nicht verlassen, ohne eine Antwort erhalten zu haben.

***

Es ist bereits hell, und wir können die große Stadt aus den Zugfenstern heraus sehen. Die meisten Mitreisenden stehen gleichgültig von ihren Sitzen auf, ohne ein Zeichen der Freude über die bevorstehende Ankunft. Vielleicht beginnt eine jede Reise wirklich erst an ihrem Ende.

Der Zug wird langsamer, die stählerne Stadt auf Rädern kommt zum Stillstand, diesmal endgültig. Ich wende mich Hilal zu und sage:

»Steig mit mir aus.«

Sie stellt sich neben mich. Draußen warten Leute. Ein Mädchen mit großen Augen hält ein Plakat mit der brasilianischen Fahne und ein paar auf Portugiesisch geschriebenen Worten hoch. Vor versammelter Presse danke ich Russland und allen Russen für die Gastfreundschaft, die ich auf meiner Reise durch ihr Land erfahren durfte. Ich bekomme Blumen, und die Fotografen bitten mich, vor einer großen Bronzesäule zu posieren, die von einem doppelköpfigen Adler gekrönt ist und an deren Fuß nur eine Zahl steht:

9288.

Die Ergänzung ›Kilometer‹ erübrigt sich. Alle, die hier ankommen, wissen, was diese Zahl bedeutet.

Der Anruf

Das Schiff gleitet ruhig über den Pazifik, während die Sonne hinter den Hügeln von Wladiwostok untergeht. Die Traurigkeit, die ich bei unserer Ankunft am Bahnhof in den Augen meiner Reisegefährten zu sehen glaubte, hat sich in ungestüme Euphorie verwandelt. Wir benehmen uns, als sähen wir zum ersten Mal das Meer, niemand möchte daran denken, dass wir uns gleich voneinander verabschieden werden mit dem Versprechen, uns bald wiederzusehen – ausgesprochen nur dazu, um es uns leichter zu machen.

Die Reise geht zu Ende, das Abenteuer hört hier auf. Schon in drei Tagen werden wir alle wieder zu Hause sein, unsere Familienangehörigen umarmen und die Post durchsehen, die sich inzwischen angesammelt hat. Wir werden die Hunderte von Fotos zeigen, die wir gemacht haben, Geschichten über die Transsib erzählen, über die Städte, durch die wir gekommen sind, die Menschen, die uns unterwegs begegnet sind.

Hauptsächlich, um uns selbst davon zu überzeugen, dass die Reise auch tatsächlich stattgefunden hat. In drei Tagen, wenn wir zur Alltagsroutine zurückgekehrt sind, werden wir das Gefühl haben, dass es diese Reise niemals gegeben hat. Selbstverständlich haben wir die Fotos, die Fahrkarten, die Souvenirs, die wir unterwegs gekauft haben, aber die Zeit – die einzige, absolute, ewige Herrin unseres Lebens – sagt uns: Du warst nie fort, du bist zu Hause geblieben, in diesem Zimmer, an diesem Laptop.

Was sind schon zwei Wochen gemessen an einem ganzen Leben? In unserer Straße hat sich inzwischen kaum etwas geändert, die Nachbarn reden immer noch über die gleichen Dinge wie vor unserer Abreise, auch die Zeitungen haben dieselben Themen: die Fußballweltmeisterschaft, die in Kürze in Deutschland beginnen wird, der Iran, der angeblich die Atombombe hat, den Konflikt zwischen Israelis und Palästinensern, Politiker, die ihre Wahlversprechen nicht einhalten.

Nein, nichts hat sich verändert. Nur wir, die wir ausgezogen sind, um nach unserem Reich zu suchen, und dabei Länder entdeckt haben, in denen wir noch nie gewesen waren – nur wir wissen, dass wir nicht mehr dieselben sind. Doch je öfter wir diese Veränderung in Worte zu fassen versuchen, desto mehr sind wir davon überzeugt, dass all das nur in unserer Erinnerung existiert. Vielleicht werden wir dereinst unseren Enkeln davon erzählen oder ein Buch darüber schreiben. Doch was genau werden wir sagen?

Nichts. Allenfalls gelingt es uns, die äußeren Ereignisse zu beschreiben, aber nicht, was sich in uns abgespielt hat.

Wahrscheinlich werden wir uns alle nie wiedersehen. Die einzige Person, die immer noch unterwegs ist, den Blick fest auf den Horizont gerichtet, ist Hilal. Sie wird darüber nachdenken, wie sie mit dem Erlebten fertigwerden kann. Nein, für sie ist die Reise mit der Transsib hier nicht zu Ende. Trotzdem lässt sie sich ihre Gefühle nicht anmerken, und wenn sie jemand anspricht, gibt sie höflich und freundlich Auskunft. Was sie in der ganzen Zeit, die wir zusammen unterwegs waren, nicht ein einziges Mal getan hat.

***

Yao möchte sie nicht allein lassen. Er hat schon zwei- oder dreimal versucht, ein Gespräch anzufangen, aber jedes Mal entzieht sie sich schon nach wenigen Worten. Nach einer Weile gibt er es auf und kommt zu mir.

»Was kann ich tun?«

»Ihr Schweigen respektieren, denke ich.«

»Das denke ich eigentlich auch. Aber Sie wissen doch ...«

»Ja, ich weiß. Aber warum denken Sie zur Abwechslung nicht einmal an sich selbst? Vergessen Sie die Worte des Schamanen nicht. Sie haben Gott getötet. Es ist an der Zeit, ihn wieder auferstehen zu lassen. Sonst war die ganze Reise umsonst. Ich kenne viele Menschen, die versuchen, anderen zu helfen, um sich nicht mit den eigenen Problemen beschäftigen zu müssen.«

Yao klopft mir auf die Schulter, als wollte er sagen, ›ich habe verstanden‹, und überlässt mich meinem Blick auf den Ozean.

Jetzt, wo ich am weitesten von ihr weg bin, ist meine Frau mir ganz nah. Am Nachmittag war wie immer Signierstunde mit anschließender Party, ich wurde vom Bürgermeister empfangen und hielt zum ersten Mal eine echte Kalaschnikow in Händen, seine eigene, die er im Büro verwahrt. Im Hinausgehen erhasche ich einen Blick auf die Tageszeitung auf seinem Schreibtisch. Ich brauche kein

Russisch zu können, um zu verstehen, worum es geht: Fußballer.

In wenigen Tagen beginnt die Fußballweltmeisterschaft in Deutschland! Meine Frau erwartet mich bereits in München, und wenn wir uns wiedersehen, werde ich ihr sagen, wie sehr ich sie vermisst habe, und ihr im Detail alles erzählen, was zwischen mir und Hilal passiert ist.

Sie wird antworten: ›Diese Geschichte habe ich schon viermal gehört.‹ Und dann werden wir losziehen, um in einer deutschen Kneipe ein Bier zu trinken.

Ich habe die Reise nicht unternommen, um die Worte zu finden, die in meinem Leben fehlen, sondern, um wieder König meines Reiches zu sein. Und das habe ich geschafft, denn ich stehe wieder in Verbindung mit mir selbst und mit dem magischen Universum, das mich umgibt.

Ja, ich hätte zu demselben Ergebnis kommen können, ohne Brasilien jemals zu verlassen, aber wie der Hirte Santiago in einem meiner Bücher musste ich in die Ferne reisen, um das zu finden, was ganz nah war. Wenn der Regen zur Erde zurückkehrt, bringt er Dinge aus der Luft mit sich. Das Magische, das Außergewöhnliche ist immer präsent, aber zuweilen vergessen wir es und müssen uns wieder daran erinnern, indem wir beispielsweise den größten Kontinent der Erde von einem Ende bis zum anderen durchqueren. Wir kehren mit Schätzen beladen wieder zurück, die möglicherweise bald wieder vom Alltag begraben werden, und dann müssen wir irgendwann erneut aufbrechen, um sie zu suchen. Und genau das macht das Leben interessant: an Schätze und Wunder zu glauben.

»Lasst uns feiern. Gibt es Wodka an Bord?«

Es gibt keinen, und Hilal blickt mich wütend an.

»Was gibt's denn schon zu feiern? Etwa die Tatsache, dass du mich hier zurücklässt? Oder dass ich allein wieder in den Zug steigen und auf der Rückfahrt tage- und nächtelang an all das denken muss, was wir zusammen erlebt haben?«

»Nein. Ich möchte feiern, was ich erlebt habe, ein Glas auf mich selbst trinken. Und du musst auf deinen Mut anstoßen. Du bist auf die Suche nach einem Abenteuer aufgebrochen und hast eines gefunden. Du wirst vielleicht eine Weile traurig sein, aber dann wird bestimmt jemand auf einem nahen Berg ein Feuer anzünden.

Du wirst dieses Feuer sehen und hingehen und dem Mann begegnen, den du schon dein ganzes Leben lang gesucht hast. Du bist noch jung. Und gestern Nacht hast du so intensiv und wunderbar gespielt, als würde nicht deine, sondern Gottes Hände den Bogen über die Saiten führen. Lass Gott deine Hände führen, und du wirst glücklich sein, auch wenn du jetzt verzweifelt bist.«

»Du willst einfach nicht begreifen, was ich fühle. Du bist ein solcher Egoist, der glaubt, die Welt sei ihm etwas schuldig. Ich habe mich dir ganz und gar hingegeben, und trotzdem lässt du mich einfach im Stich.«

Es bringt nichts, mich mit ihr zu streiten. Doch ich weiß, dass das, was ich ihr eben vorausgesagt habe, irgendwann eintreffen wird. Ich bin neunundfünfzig, sie einundzwanzig.

***

Wir kehren zu unserer Unterkunft zurück. Diesmal ist es nicht einfach ein Hotel, sondern ein riesiges Gebäude, das 1974 für ein Abrüstungstreffen zwischen dem damaligen Generalsekretär der Kommunistischen Partei Russlands, Leonid Breschnew, und dem Präsidenten der Vereinigten Staaten, Gerald Ford, gebaut wurde. Es ist ganz aus weißem Marmor, mit einer riesigen Halle in der Mitte und einer Vielzahl von Räumen ringsum, die wohl einst von politischen Delegationen genutzt wurden und jetzt für Touristen bereitstehen.

Wir haben vor, ein Bad zu nehmen, uns umzuziehen und dann so schnell wie möglich dieser musealen Atmosphäre zu entfliehen und zum Abendessen in die Stadt zu fahren. Doch in der Halle steht ein Mann, der sichtlich auf uns gewartet hat. Meine Verleger gehen zu ihm, während Yao und ich in diskretem Abstand stehen bleiben.

Der Mann holt sein Handy hervor, tippt eine Nummer ein und reicht es meinem Verleger. Dieser spricht ehrerbietig in den Apparat, und seine Augen leuchten vor Glück. Meine Lektorin lächelt. Die Stimme meines Verlegers hallt zwischen den Marmorwänden wider.

»Verstehen Sie, was gesprochen wird?«, frage ich Yao.

»Ja«, antwortet er. »Und Sie werden es auch gleich erfahren.«

Mein Verleger kommt mit einem strahlenden Lächeln auf mich zu.

»Gleich morgen früh geht's zurück nach Moskau«, sagt er. »Wir müssen um siebzehn Uhr dort sein.«

»Wollten wir nicht noch ein paar Tage hierbleiben? Ich hatte noch gar keine Zeit, die Stadt zu erkunden. Außerdem sind es neun Stunden Flugzeit. Wie sollen wir da um siebzehn Uhr dort sein?«

»Der Zeitunterschied beträgt sieben Stunden. Wenn wir um zwölf Uhr mittags abfliegen, kommen wir um vierzehn Uhr dort an. Ausreichend Zeit. Ich werde im Restaurant die Reservierung annullieren und Ihnen Ihr Abendessen aufs Zimmer bringen lassen. Ich habe noch einiges zu erledigen.«

»Aber warum denn auf einmal diese Eile? Mein Flug nach Deutschland geht –«

Er unterbricht mich mitten im Satz.

»Es sieht so aus, als hätte Präsident Putin alles über Ihre Reise gelesen und möchte Sie kennenlernen.«

Die Seele der Türkei

Und ich?«

Der Verleger wendet sich zu Hilal um.

»Sie sind mitgekommen, weil Sie es so gewollt haben. Wann Sie zurückfahren, ist Ihnen überlassen. Wir haben damit nichts zu tun.«

Der Mann mit dem Handy ist schon wieder verschwunden. Meine Verleger gehen auf ihre Zimmer, und Yao folgt ihrem Beispiel. Hilal und ich bleiben allein in der riesigen, bedrückenden Halle zurück.

Alles ist so schnell gegangen, dass wir noch gar keine Zeit hatten, uns von der Überraschung zu erholen. Ich hätte nicht erwartet, dass Putin überhaupt etwas von meiner Reise wusste.

Hilal ihrerseits kann nicht glauben, dass alles so abrupt endet und sie keine Gelegenheit mehr haben würde, mit mir über ihre Liebe zu reden oder darüber, wie wichtig unsere gemeinsame Reise für unser beider Leben sei oder dass wir unbedingt weitermachen sollten, auch wenn ich verheiratet bin. Das vermute ich zumindest. Und plötzlich schreit sie los:

»Das kannst du nicht mit mir machen! Du kannst mich nicht einfach im Stich lassen! Du hast mich schon einmal getötet, weil du nicht den Mut hat-

TEST, NEIN ZU SAGEN. DU KANNST MIR DAS KEIN ZWEITES MAL ANTUN!«

Damit rennt sie auf ihr Zimmer, und ich mache mich auf das Schlimmste gefasst. Es ist ihr ernst, alles kann passieren. Ich will meinen Verleger anrufen und ihn bitten, ein Ticket für sie zu kaufen – andernfalls käme es zu einer Tragödie, und dann würde es erst recht kein Treffen mit Putin geben, und auch keine Rückeroberung meines Reiches, keine Erlösung. Das große Abenteuer würde mit einem Selbstmord enden! Ich eile hinauf zu ihrem Zimmer im zweiten Stock, aber sie hat schon das Fenster aufgerissen und steht auf der Brüstung.

»Hilal! Wenn du aus dieser Höhe springst, wirst du nicht sterben, sondern dich höchstens für den Rest deines Lebens zum Krüppel machen.«

Sie hört mir nicht zu. Ich muss ruhiger werden, die Situation in den Griff bekommen und ebenso viel Autorität ausstrahlen wie sie selbst wenige Tage zuvor am Baikalsee, als sie mir verbot, mich umzudrehen, damit ich sie nicht nackt sah. Tausend Möglichkeiten schießen mir in diesem Moment durch den Kopf. Am Ende wähle ich die einfachste.

»Hör zu. Ich liebe dich. Niemals würde ich dich hier allein zurücklassen.«

Sie weiß, dass es nicht stimmt, aber die Liebesworte zeitigen umgehend Wirkung.

»Du liebst mich wie ein Fluss. Aber ich liebe dich so, wie eine Frau einen Mann liebt.«

Hilal will nicht sterben, sonst hätte sie geschwiegen. Was mir ihre Stimme aber noch verrät, ist: ›Du bist ein Teil von mir, der wichtigste, der zurückbleibt. Ich werde nie mehr diejenige sein, die ich einmal war.‹ Sie irrt sich, aber jetzt ist nicht der geeignete Moment, ihr etwas zu erklären, das sie ohnehin nicht begreifen wird.

»Und ich liebe dich, so wie ein Mann eine Frau liebt. So wie ich dich zuvor geliebt habe und immer weiter lieben werde. Wie oft muss ich es dir noch erklären? Die Zeit vergeht nicht.«

Sie dreht sich zu mir um.

»Das stimmt nicht. Das Leben ist ein Traum, aus dem wir in dem Augenblick erwachen, in dem wir sterben. Die Zeit vergeht, während wir leben. Ich bin Musikerin. Ohne Zeit gäbe es keine Musik.«

Sie redet wieder etwas ruhiger. Ich liebe sie. Nicht so, wie sie es sich wünscht, aber dennoch liebe ich sie.

»Die Musik ist keine Abfolge von Noten einer bestimmten Länge. Sie ist der sich von einer Note zur nächsten vollziehende Wechsel von Klang und Stille«, versuche ich ihr zu widersprechen.

»Was weißt du schon von Musik? Selbst wenn du recht hättest, was hat das schon zu bedeuten? Du bist ein Gefangener deiner Vergangenheit, und ich bin es auch! Wenn ich dich in einem Leben geliebt habe, werde ich niemals aufhören, dich zu lieben! Ich habe kein Herz, keinen Körper, keine Seele mehr, nichts! Ich habe nur noch meine Liebe. Du glaubst, es gibt mich, aber das ist eine Illusion! Was du vor dir siehst, ist Liebe in ihrer reinsten Form, die sich so sehr nach Entfaltung sehnt, wozu es für sie aber weder Zeit noch Raum gibt.«

Hilal tritt vom Fenster zurück und beginnt im Zimmer auf und ab zu gehen. Sie hat ganz offensichtlich nicht mehr die Absicht, sich umzubringen. Neben ihren Schritten auf dem Holzboden höre ich nur das laute Ticken einer Uhr, der unleugbare Beweis, dass es ›die Zeit‹ durchaus gibt und dass sie gerade dabei ist, uns zu verschlingen. Wäre doch nur Yao hier! Er könnte mir helfen, Hilal zu beruhigen. Der arme Mann mit dem einsamen Herzen, der sich immer gut fühlt, wenn er etwas für andere tun kann.

»Geh zu deiner Frau zurück! Geh zu der zurück, die in guten wie in schlechten Zeiten an deiner Seite war! Sie ist großzügig, zärtlich, tolerant. Ich bin alles, was du verabscheust: kompliziert, aggressiv, besessen, zu allem fähig!«

»Welches Recht hast du, von meiner Frau zu sprechen?«

Wieder einmal habe ich die Situation nicht mehr im Griff.

»Ich kann sagen, was ich will! Du hast mich nie beherrschen können.«

Ruhe. Rede weiter, und sie wird sich beruhigen. Noch nie habe ich jemanden so außer sich erlebt.

»Sei froh, dass niemand dich beherrschen kann. Freue dich darüber, dass du den Mut hattest, deine Karriere riskiert hast, um ein Abenteuer zu suchen und zu finden. Vergiss nicht, was ich auf dem Schiff gesagt habe: Jemand wird das heilige Feuer für dich anzünden. Von nun an werden es nicht mehr nur deine Hände sein, die musizieren, sondern auch die der Engel. Lass zu, dass Gott sich deiner Hände bedient. Die Bitterkeit wird früher oder später vergehen, und jemand, den das Schicksal dir geschickt hat, wird schließlich mit einem Strauß voller Glück in den Händen kommen, und alles wird gut. Glaub mir, auch wenn du jetzt gerade völlig verzweifelt bist. Ich lüge nicht.«

Zu spät.

Ich habe genau das Falsche gesagt, nämlich im Klartext: ›Mädchen, werde erwachsen.‹ Keine Frau, die ich kenne, hätte mit dieser Art Zuspruch etwas anfangen können.

Hilal packt eine schwere Metalllampe, reißt das Kabel aus der Steckdose und schleudert sie in meine Richtung. Ich kann sie gerade noch abfangen, bevor sie mein Gesicht trifft. Sofort fängt Hilal an, wie besessen auf mich einzuschlagen. Ich lasse die Lampe fallen und versuche, ihre Arme zu packen, ohne Erfolg. Ein Fausthieb trifft meine Nase, und Blut spritzt in alle Richtungen.

Sie und ich sind beide voller Blut.

Die Seele der Türkei wird Ihrem Mann alle Liebe geben, die sie besitzt. Aber sie wird sein Blut vergießen, bevor sie enthüllt, was er sucht.

»Na gut, komm mit!«

***

Mein Tonfall ist urplötzlich ein anderer. Hilal hört sofort auf, mich zu schlagen. Ich packe sie am Arm und ziehe sie aus dem Zimmer.

»Komm mit mir!«

Ich halte mich nicht mit Erklärungen auf, sondern laufe einfach wortlos die Treppe hinunter, Hilal hinter mir her. Sie wirkt plötzlich eher erschrocken als wütend. Mein Herz klopft heftig. Wir verlassen eilig das Gebäude. Der Wagen, der mich ursprünglich zum Abendessen fahren sollte, steht noch immer dort.

»Zum Bahnhof!«

Der Chauffeur schaut mich verständnislos an. Ich reiße den Wagenschlag auf, stoße Hilal hinein und steige hinter ihr ein.

»Sag ihm, er soll sofort zum Bahnhof fahren!«

Sie wiederholt den Satz auf Russisch. Der Chauffeur fährt los.

»Sag ihm, er braucht sich nicht ans Tempolimit zu halten. Ich regle das hinterher. Wichtig ist nur, dass wir schnell dort sind!«

Dem Mann scheinen meine Anweisungen zu gefallen. Er rast los, geht mit quietschenden Reifen in die Kurven, die anderen Wagen bremsen, als sie das offizielle Nummernschild sehen. Zu meiner Überraschung hat er ein Blaulicht mit Sirene dabei, das er jetzt auf dem Dach anbringt. Meine Finger krallen sich in Hilals Arm.

»Aua! Du tust mir weh!«

Ich lasse sie los und bete zu Gott, dass wir es noch rechtzeitig schaffen und dass alles noch am selben Ort ist.

Jetzt redet Hilal auf mich ein, damit ich mich beruhige, entschuldigt sich für ihr Benehmen, sie habe im Zimmer nicht ernstlich vorgehabt, aus dem Fenster zu springen, sie habe nur so getan als ob. Wer liebt, zerstört nicht und lässt sich auch nicht zerstören. Sie würde nie zulassen, sagt sie, dass ich in künftigen Inkarnationen erneut leide und mich schuldig fühle – einmal sei genug. Ich würde ihr gern antworten, kann ihren Worten aber nicht wirklich folgen.

Zehn Minuten später bremst der Wagen vor dem Bahnhof.

Ich öffne die Tür, zerre Hilal aus dem Wagen und hinein in den Bahnhof – doch der Bahnsteig ist geschlossen. Ich will gerade über die Absperrung klettern, als zwei stämmige

Wachleute auftauchen. Hilal lässt mich stehen und geht davon, und ich fühle mich zum ersten Mal auf dieser Reise verloren, unsicher, was als nächstes zu tun ist. Ich brauche Hilal an meiner Seite, ohne sie werde ich nichts mehr erreichen.

Ich setze mich auf den Boden. Die Männer schauen wütend zu mir herüber, auf mein Gesicht, meine blutverschmierten Kleider, sie kommen näher, bedeuten mir mit Gesten aufzustehen und fangen schließlich an, mir Fragen zu stellen. Ich versuche ihnen begreiflich zu machen, dass ich kein Russisch kann, aber sie werden nur immer aggressiver. Andere Leute kommen hinzu und gaffen.

Hilal kommt mit dem Chauffeur zurück. Ohne die Stimme zu erheben, sagt er etwas zu den beiden Wachleuten, die von einem Moment zum anderen ganz freundlich werden. Doch ich habe keine Zeit zu verlieren. Ich muss weiter. Die Wachen scheuchen die Gaffer weg, und ich packe Hilal bei der Hand und renne mit ihr den Bahnsteig entlang bis ganz nach hinten. Hier ist es stockdunkel, aber ich kann den letzten Waggon gerade noch erkennen.

Ja, er steht noch da!

Ich umarme Hilal, während ich versuche, wieder zu Atem zu kommen. Mein Herz rast wegen der körperlichen Anstrengung und des Adrenalins in meinem Blut. Mir ist schwindlig, auch weil ich mittags kaum etwas gegessen habe. Doch ich darf jetzt auf gar keinen Fall ohnmächtig werden! Die Seele der Türkei wird mir zeigen, was ich sehen muss. Hilal streichelt mich, als wäre ich ihr Kind. Sagt, ich solle mich beruhigen, mir könne nichts Böses geschehen, denn sie sei bei mir.

Ich atme tief durch, mein Herzschlag normalisiert sich allmählich.

»Komm! Komm mit mir!«

Die Zugtüren sind nicht verschlossen – niemand würde es wagen, in Russland in einen Zug einzudringen, um etwas zu stehlen. Wir betreten den engen Vorraum, ich bitte sie, sich mit dem Rücken zur Wand zu stellen, so wie ich es ganz am Anfang dieser endlosen Reise getan hatte. Unsere Gesichter berühren sich fast, als würden wir uns gleich küssen. Ein fernes Licht, eine einzelne Lampe auf einem anderen Bahnsteig, spiegelt sich in ihren Augen.

Und obwohl die Dunkelheit um uns fast vollkommen ist, sind sie und ich in der Lage zu sehen. Denn hier befindet sich das Aleph. Die Zeit ändert ihre Frequenz, wir geraten mit ungeheurer Geschwindigkeit in einen dunklen Tunnel – diesmal weiß sie, was geschehen wird, und wird nicht erschrecken.

»Nimm meine Hand, wir werden beide zusammen in die andere Welt gehen, JETZT!«

Es erscheinen Kamele und Wüsten, Regen und Wind, ein Brunnen in einem Dorf in den Pyrenäen und der Wasserfall beim Kloster Piedra, die Küsten Irlands, eine Straßenecke, die so aussieht, als läge sie in London; wir sehen Frauen auf Motorrädern, einen Propheten vor dem Fünften Berg, die Kathedrale von Santiago de Compostela, Prostituierte, die in Genf auf Freier warten; wir sehen auch Hexen, die nackt um ein Feuer tanzen, einen Mann, der gleich seine Frau und ihren Liebhaber mit dem Revolver erschießen wird, und eine Steppe in einem asiatischen Land, in der eine Frau, während sie auf die Rückkehr ihres Mannes wartet, schöne Teppiche webt; und schließlich Irre in einem psychiatrischen Krankenhaus, die Weltmeere mit all ihren Fischen und das Universum mit jedem einzelnen Stern. Wir hören auch den ersten Schrei eines Kindes unmittelbar nach seiner Geburt, das letzte Stöhnen eines alten Menschen kurz vor dem Sterben, wir hören Autos bremsen, Frauen singen, Männer fluchen, und Türen über Türen schlagen.

Ich gehe in all meine vergangenen und zukünftigen Leben und auch in das Leben, das ich jetzt lebe. Ich bin ein Mann mit einer Frau in einem Zug, ein Schriftsteller des ausgehenden 19. Jahrhunderts in Frankreich, bin die vielen, die ich einmal war und sein werde. Hilal und ich gehen Hand in Hand durch die Tür, in die ich eintreten will. Und plötzlich ist ihre Hand verschwunden.

Und ich befinde mich inmitten einer nach Bier und Wein stinkenden, grölenden Menschenmenge.

Ich höre Frauenstimmen, die nach mir rufen. Ich schäme mich, will ihnen nicht ins Gesicht sehen, aber sie rufen immer weiter. Die Leute neben mir beglückwünschen mich: Ich sei doch derjenige, der die Stadt vor Gottlosigkeit und Sünde bewahrt hätte. Die Stimmen rufen weiter meinen Namen.

Aber ich bin an jenem Tag für den Rest meines Lebens feige genug gewesen. Langsam hebe ich den Kopf.

Der Ochsenkarren ist schon fast vorbei, noch eine Sekunde, und das Rufen würde endlich aufhören. Aber ich schaue hoch und sehe sie an. Trotz aller Erniedrigungen, die sie durchmachen mussten, wirken sie ruhig, gereift, als wären sie inzwischen erwachsen, hätten geheiratet, Kinder bekommen und würden nun langsam dem Tod entgegengehen, dem Schicksal aller Menschen. Sie haben gekämpft, so lange sie konnten, aber irgendwann begriffen, dass sie ihr Schicksal annehmen mussten, dass es schon geschrieben stand, bevor sie geboren wurden. Denn nur zwei Dinge können die großen Geheimnisse des Lebens offenbaren: das Leid und die Liebe. Sie haben beides erlebt.

Und Liebe sehe ich auch in ihren Augen. Wir haben als Kinder zusammen gespielt und davon geträumt, dass wir Edelleute sind und Prinzessinnen, haben Pläne für die

Zukunft geschmiedet wie alle Kinder. Das Leben hat uns unterschiedliche Wege gehen lassen. Ich hatte den gewählt, Gott zu dienen, sie gingen einen anderen.

Ich bin neunzehn Jahre alt, nur wenig älter als die Mädchen, die mich nun dankbar anschauen, weil ich den Kopf gehoben habe. Aber auf meiner Seele liegt eine große Last, eine große Schuld, weil ich aufgrund eines absurden Gehorsams nicht den Mut aufbrachte, nein zu sagen. Eines Gehorsams, den ich gern für wahr und folgerichtig gehalten hätte.

Die jungen Mädchen schauen mich an, und diese Sekunde scheint eine Ewigkeit zu dauern. Eines der Mädchen ruft meinen Namen. Leise formen meine Lippen, so dass nur sie es hören können:

»Vergebt mir!«

»Das ist nicht mehr nötig«, kommt es als Antwort. »Wir haben mit den Geistern gesprochen. Sie haben uns enthüllt, was geschehen wird. Die Zeit der Angst ist vorüber, jetzt wird es nur noch Hoffnung geben. Sind wir schuldig? Eines Tages wird die Welt uns richten, und die Schande wird nicht unsere sein.

Wir werden uns in der Zukunft wiederbegegnen, wenn dein ganzes Leben und deine ganze Arbeit denen gewidmet ist, die heute so schmerzlich missverstanden sind. Deine Stimme wird laut ertönen, und viele werden dich hören.«

Der Karren entfernt sich. Ich laufe nebenher, obschon die Wachen mich wegdrängen wollen.

»Die Liebe wird den Hass besiegen«, fährt ein anderes der Mädchen ganz ruhig fort, als befänden wir uns noch in den Forsten und Wäldern unserer Kindheit. »Wenn die Zeit gekommen ist, werden diejenigen, die heute auf dem Scheiterhaufen sterben müssen, gelobt und gepriesen werden. Magier und Alchimisten werden zurückkehren, die Göttin wird wieder verehrt, die Hexen gefeiert werden. Alles im Namen von Gottes Weisheit. Und diesen Segen sprechen wir nun über dich bis zum Ende der Zeiten –«

Einer der Wachleute rammt mir plötzlich seine Faust in den Magen, ich krümme mich, bekomme keine Luft, doch es gelingt mir, den Kopf zu heben. Der Karren entfernt sich, ich werde ihn nicht mehr einholen können.

Ich schiebe Hilal zur Seite. Wir sind wieder im Zug.

»Ich habe nicht alles genau sehen können«, sagt sie. »Aber mir kam es so vor, als wäre da eine große Menschenmenge gewesen, viel Geschrei, und mittendrin ein Mann mit einer Kapuze. Er sah aus wie du, aber ich bin mir nicht sicher.«

»Mach dir keine Sorgen.«

»Hast du die Antwort erhalten, die du brauchtest?«

Ich würde gern sagen: ›Ja, endlich habe ich verstanden, was mein Schicksal ist‹, doch meine Stimme versagt.

»Sag, du willst mich doch nicht wirklich allein in dieser Stadt zurücklassen, oder?«

Ich lege den Arm um sie.

»Auf gar keinen Fall.«

Moskau, den 1. Juni 2006

Als wir an jenem Abend in unsere Unterkunft zurückkommen, wartet Yao schon mit den Flugtickets nach Moskau auf uns. Wir fliegen im selben Flugzeug, aber nicht in derselben Klasse. Meine Verleger können mich nicht zur Audienz von Präsident Wladimir Putin begleiten, dafür aber ein befreundeter, eigens zu diesem Zweck akkreditierter Journalist.

Nach der Landung steige ich vorn aus, Hilal hinten. Ich werde in einen gesonderten Raum geführt, in dem mich mein Freund, der Journalist, sowie zwei mir unbekannte Männer erwarten. Ich bitte um die Erlaubnis, in das Terminal zu gehen, wo die anderen Passagiere ankommen, weil ich mich von einer Freundin und meinen Verlegern verabschieden möchte. Einer der Männer sagt, dafür hätten wir keine Zeit, doch mein Freund entgegnet, es sei doch erst vierzehn Uhr. Das Treffen ist erst für siebzehn Uhr in der Datscha des Staatspräsidenten außerhalb Moskaus anberaumt, wo er um diese Jahreszeit die Amtsgeschäfte führt. In weniger als fünfzig Minuten wären wir dort.

»Notfalls haben Sie doch bestimmt Blaulicht«, scherzt der Journalist.

Wir gehen zum anderen Terminal. Unterwegs kaufe ich in einem Blumenladen ein Dutzend Rosen. Wir erreichen die Ankunftshalle, wo eine Menschenmenge diejenigen erwartet, die aus der Ferne kommen.

»Wer von Ihnen versteht hier Englisch?«, frage ich laut.

Die Leute sehen mich erschrocken an. Ich bin in Begleitung von drei ziemlich kräftigen Männern.

»Wer von Ihnen versteht Englisch?«

Einige Hände gehen hoch. Ich zeige auf den Rosenstrauß.

»Gleich wird ein Mädchen kommen, das ich sehr liebe. Ich brauche elf Freiwillige, die mir helfen, ihr diese Blumen zu übergeben.« Schnell haben sich die elf gefunden, und wir bilden eine Reihe. Hilal kommt durch die Haupttür, sieht mich, lächelt und kommt auf mich zu. Die Leute überreichen ihr, einer nach dem anderen, eine Rose. Sie wirkt verwirrt und erfreut zugleich. Als sie vor mir steht, überreiche ich ihr die zwölfte Rose und schließe sie zärtlich in die Arme.

»Willst du mir etwa sagen, dass du mich liebst?«, fragt sie, um ihre Rührung zu überspielen.

»Ja. Ich liebe dich wie ein Fluss. Leb wohl.«

»Adieu?«, fragt sie mit einem Lachen. »So schnell wirst du mich aber nicht loswerden.«

Die beiden Männer, die auf mich warten, um mich zum Präsidenten zu bringen, sagen etwas auf Russisch zueinander. Mein Freund lacht. Ich frage, was sie gesagt haben, und Hilal übersetzt es mir:

»Sie haben gesagt, sie hätten auf diesem Flughafen noch nie etwas so Romantisches erlebt.«

Johannistag 2010

Anmerkung des Autors

Ich habe Hilal noch einmal im September 2006 wiedergesehen, als ich sie einlud, an einem Treffen in der Abtei Melk teilzunehmen. Von dort aus sind wir nach Barcelona gereist, anschließend nach Pamplona und Burgos. In einer dieser Städte erzählte sie mir davon, dass sie das Konservatorium aufgegeben habe und die Geige an den Nagel hängen werde. Ich versuchte sie zuerst umzustimmen, aber tief im Inneren begriff ich, dass auch sie wieder Herrscherin ihres Reiches geworden war und es jetzt regieren musste.

Während ich an diesem Buch schrieb, schickte mir Hilal zwei E-Mails. Sie schrieb, dass sie geträumt habe, dass ich unsere Geschichte erzähle. Ich bat sie, sich noch eine Weile zu gedulden, und habe es erst bestätigt, als ich mit dem Buch fertig war. Sie war nicht überrascht.

Ich frage mich, ob ich recht damit hatte, dass es noch drei weitere Gelegenheiten gegeben hätte, wenn ich die Chance mit Hilal nicht hätte nutzen können (schließlich wurden an jenem Tag acht Mädchen verbrannt, und ich war schon fünf von ihnen begegnet). Ich bezweifle, ob ich so die Antwort je erfahren hätte: Von den acht Verurteilten war die einzige, die mich wirklich liebte, das namenlose Mädchen.

Auch wenn wir nicht mehr zusammenarbeiten, danke

ich Lena, Yuri Smirnow und der Sofia Editora für das einzigartige Erlebnis, Russland mit der Transsib zu durchqueren.

Das Gebet, das Hilal gesprochen hat, als sie mir in Nowosibirsk vergab, wurde bereits von anderen Menschen gechannelt. Wenn ich im Buch sage, ich hätte es schon in Brasilien gehört, dann beziehe ich mich auf den Geist eines kleinen Jungen namens André Luis.

Schließlich möchte ich vor der Übung mit dem Ring aus Licht warnen. Wie ich bereits erwähnte, kann eine Rückkehr in die Vergangenheit ohne Kenntnis des Verfahrens dramatische und unheilvolle Konsequenzen haben.

*Bitte beachten Sie
auch die folgenden Seiten*

Das Diogenes Hörbuch zum Buch

Paulo Coelho
Aleph

Ungekürzt gelesen von Sven Görtz

7 CD, Spieldauer 514 Min.

Paulo Coelho im Diogenes Verlag

Der Alchimist

Roman. Aus dem Brasilianischen von Cordula Swoboda Herzog

Santiago, ein andalusischer Hirte, hat einen wiederkehrenden Traum: Am Fuß der Pyramiden liege ein Schatz für ihn bereit. Soll er das Vertraute für möglichen Reichtum aufgeben? War er nicht zufrieden mit seiner bescheidenen Existenz? Santiago ist mutig genug, seinen Traum nicht einfach beiseite zu wischen. Er wagt sich hinaus und begibt sich auf eine Reise, die ihn nicht nur von den Souks in Tanger über Palmen und Oasen bis nach Ägypten führt, er findet in der Stille der Wüste auch immer mehr zu sich selbst und erkennt, was das Leben für Schätze bereithält, die nicht einmal mit Gold aufzuwiegen sind.

»Ein Märchen mit orientalisch-südländischem Charme, einfach und bezwingend in der Sprache, ein Seelenbalsam in unsicheren Zeiten. Hoffnungsvoller könnte ein Buch nicht sein.« *Focus, München*

Auch als Diogenes Hörbuch erschienen, gelesen von Christian Brückner

Am Ufer des Rio Piedra saß ich und weinte

Roman. Deutsch von Maralde Meyer-Minnemann

Sie waren Jugendfreunde, ehe sie sich aus den Augen verloren. Elf Jahre später treffen sie sich in Madrid bei einem Vortrag wieder: sie, eine angehende Richterin, die das Leben gelehrt hat, stark und vernünftig zu sein und sich nicht von Gefühlen mitreißen zu lassen; er, Weltenbummler und sehr undogmatischer Seminarist, der vor seiner Ordination Pilar noch einmal wiedersehen will. Beide verbindet ihr Drang, aus ihrem sicheren Leben auszubrechen und ihre Träume zu wagen.

»Eine Fabel grenzenloser Innerlichkeit, voller Beobachtungen und Reflexionen, Träume und Visionen, mit denen Coelho Mut machen will, auf die eigene innere Stimme zu hören.« *Südkurier, Konstanz*

Auch als Diogenes Hörbuch erschienen,
gelesen von Ursula Illert

Der Fünfte Berg

Roman. Deutsch von
Maralde Meyer-Minnemann

Paulo Coelho erzählt in einfacher, moderner Sprache die Geschichte des Propheten Elia, die wir alle kennen, ›so wie wir sie nicht kennen‹: Sein Roman *Der Fünfte Berg* versetzt uns zurück ins Jahr 870 v. Chr., als Gott Elia befahl, Israel zu verlassen und ins Exil zu gehen. Ausgehend von einer kurzen Bibelstelle erzählt Paulo Coelho die Geschichte des jungen Rebellen und Propheten wider Willen.

»Paulo Coelho gelingt es in diesem Buch, uns ein Stück biblischer Geschichte nahezubringen, ohne uns bekehren zu wollen. Er regt uns an zum Nachdenken, über uns selbst, über die Zeit, in der wir leben, über die Vergangenheit und ihre Bedeutung für die Gegenwart.« *Bernd Graul/Radio Bremen*

Veronika beschließt zu sterben

Roman. Deutsch von
Maralde Meyer-Minnemann

Die Geschichte einer unglücklichen jungen Frau, die sterben will und erst angesichts des Todes entdeckt, wie schön das Leben sein kann, wenn man darum kämpft und etwas riskiert. Ein wunderbares Buch über die Prise ›Verrücktheit‹, die es braucht, um den eigenen Lebenstraum Wirklichkeit werden zu lassen, und eine große Liebeserklärung an das Glück in jedem von uns.

»Mir gefällt Paulo Coelhos Roman *Veronika beschließt zu sterben* am besten. Er hat mich wirklich tief berührt.« *Umberto Eco / Focus, München*

Auch als Diogenes Hörbuch erschienen,
gelesen von Ursula Illert

Der Dämon und Fräulein Prym

Roman. Deutsch von
Maralde Meyer-Minnemann

Ein Ort in den Pyrenäen, gespalten von Habgier, Feigheit und Angst. Ein Mann, der von den Dämonen seiner schmerzvollen Vergangenheit nicht loskommt. Eine junge Frau auf der Suche nach ihrem Glück. Sieben Tage, in denen das Gute und das Böse sich einen erbitterten Kampf liefern und in denen jeder für sich entscheiden muß, ob er bereit ist, für seinen Lebenstraum etwas zu riskieren und sich zu ändern.

»Ein Buch voller kleiner Lebensweisheiten, wunderbar leicht und klar erzählt. Eine Geschichte auch, die von den Mythen vergangener Tage lebt, von übersinnlichen und magischen Kräften. Schön ist dieser Roman zu lesen.«
Silke Arning / Südwestdeutscher Rundfunk, Stuttgart

Auch als Diogenes Hörbuch erschienen,
gelesen von Markus Hoffmann

Elf Minuten

Roman. Deutsch von
Maralde Meyer-Minnemann

Wie berührt man die Seele? Durch Liebe oder durch Lust? Kann man die Seele wie einen Körper berühren und umgekehrt? Ein provozierendes modernes Märchen über die Alchimie der Liebe.

»Wie im *Alchimisten* ist sich Coelho auch in *Elf Minuten* treu geblieben – als Meister der gleichnishaften Erzählung über eine Reise, an deren Ziel die spirituelle Selbstfindung steht.«
Christian Korff / Focus, München

Auch als Diogenes Hörbuch erschienen, gelesen von Nadja Schulz-Berlinghoff und Markus Hoffmann

Der Zahir

Roman. Deutsch von
Maralde Meyer-Minnemann

Der Zahir ist die Geschichte einer Suche. Sie handelt von der Beziehung zweier Menschen, die im gleichen Abstand wie Eisenbahnschienen nebeneinanderher leben und einander verlieren. Eine gleichnishafte Erzählung über eine innere und äußere Reise, an deren Ziel jeder sich selbst findet – und vielleicht auch wieder die Liebe.

»Paulo Coelhos Meisterstück. Ein literarisches Großereignis. Die parabelhafte Geschichte führt Coelhos Lebensthemen zu einem (vorläufigen) Höhepunkt: Sinnfindung durch Selbstfindung. Liebe, Verlust, Verfallenheit, Tod. Ein faszinierender Wegweiser durch das Leben und die Liebe.«
Dagmar Kaindl / News, Wien

Die Hexe von Portobello

Roman. Deutsch von
Maralde Meyer-Minnemann

Was macht eine Hexe von heute aus? Für Paulo Coelho ist sie eine Grenzgängerin zwischen den Welten, mit seherischen und heilenden Fähigkeiten. Die Heldin seines Romans ist eine junge Rumänin, die als Kind von libanesischen Christen adoptiert wurde.

Jetzt führt sie in London das Leben einer modernen, erfolgreichen Frau. Durch das Tanzen entdeckt sie plötzlich übernatürliche Kräfte in sich, die sie zutiefst verstören. Und nicht nur sie. Unerschrocken folgt sie jedoch ihrer Bestimmung und lernt, ihr Potential zu nutzen.
Ein Buch über Glaube, Toleranz und das Potential, das in jedem von uns steckt.

»Eine wunderbare Heldin auf der Suche nach dem Sinn des Lebens.« *Münchner Merkur*

Auch als Diogenes Hörbuch erschienen,
gelesen von Gert Heidenreich

Brida

Roman. Deutsch von
Maralde Meyer-Minnemann

Würden Sie alles aufgeben, um mit dem Mann oder der Frau Ihres Lebens zusammen zu sein?
Der Roman erzählt die Geschichte von Brida, einer schönen jungen, in Dublin lebenden Irin. Auf der Suche nach ihrer Bestimmung begegnen ihr ein weiser Mann, der ihr beibringt, ihre Ängste zu überwinden, und eine reife Frau, die sie lehrt, die Geheimnisse der Welt zu entdecken und sich darauf einzulassen – mit allen fünf Sinnen. Beide erkennen Bridas besondere Gabe, aber lassen sie ihren eigenen Weg finden. Brida muss sich für einen der beiden Wege, für die ihre Lehrer stehen, entscheiden…
Eine Geschichte über die spirituelle Seite der Erotik und die erotische Seite der Spiritualität.

»*Brida* ist ein Märchen, das den Glauben an die große Liebe stärkt. Wie die Heldin die Liebe und sich selbst findet, ist wahrlich schön beschrieben.«
dpa, Hamburg

Auch als Diogenes Hörbuch erschienen,
gelesen von Sven Görtz

Der Sieger bleibt allein

Roman. Deutsch von
Maralde Meyer-Minnemann

In *Der Sieger bleibt allein* nimmt Paulo Coelho das Thema seines Bestsellers *Elf Minuten* wieder auf: die Liebe, die uns ebenso oft zerstört, wie sie uns erlöst. Ein spannender Roman über die dunkle Seite der Liebe.
An der französischen Côte d'Azur kommen die Reichen und Berühmten zusammen, diejenigen, die es bis ganz nach oben geschafft haben. Auch Igor, der aus Russland anreist, ist besessen von Luxus und Erfolg und ebenso von der Liebe – oder was er dafür hält.

»Ein apokalyptisches Bild der Film- und Modewelt, in der Glamour und Ehrgeiz alle wahren Werte verdrängt haben.« *L'Hebdo magazine, Lausanne*

Auch als Diogenes Hörbuch erschienen,
gelesen von Sven Görtz

Schutzengel

Roman. Deutsch von
Maralde Meyer-Minnemann

Den Kampf um eine neue Welt trägt jeder zuerst in sich selbst aus. Bist Du dazu bereit? Nur etwas kann verhindern, dass wir unsere Träume verwirklichen: unsere eigene Angst.
Schutzengel – ein modernes spirituelles Abenteuer, in dem ein Mann mit seinen Zweifeln ringt und seine Ängste überwindet.

»Wir sind verantwortlich für alles, was in der Welt geschieht. Mit der Kraft unserer Liebe und mit unserem Willen können wir unser Schicksal und das vieler anderer verändern.« *Paulo Coelho*

Auch als Diogenes Hörbuch erschienen,
gelesen von Sven Görtz

Aleph

Roman. Deutsch von
Maralde Meyer-Minnemann

In der Transsibirischen Eisenbahn begegnet ein Schriftsteller einer jungen Stargeigerin – und gleichzeitig einer dunklen Seite seines früheren Lebens. Er gerät in ein Paralleluniversum, in dem Zeit und Raum zusammenfallen – das ›Aleph‹. Und er erkennt seine Chance, eine alte Schuld wiedergutzumachen und sein Leben noch einmal neu zu beginnen.

»Ein unglaublich spannendes Buch – und man merkt Paulo Coelho in jeder Zeile eine tiefe, grundsätzliche Liebe an, die sehr tröstlich wirken kann.«
Susanne Neumann/Norddeutscher Rundfunk, Hannover

Auch als Diogenes Hörbuch erschienen,
gelesen von Sven Görtz

Die Schriften von Accra

Roman. Deutsch von
Maralde Meyer-Minnemann

Er ist vor langer Zeit auf der Suche nach Abenteuern und Reichtum in die Welt hinausgegangen und zufällig in Jerusalem gelandet. In einer magischen Nacht, als ein feindliches Heer die Stadt bedroht und alles verloren scheint, antwortet der geheimnisvolle Fremde auf die großen Fragen der Menschen, die über die Jahrtausende immer wieder gestellt werden: Liebe, Sex, Mut, Siegen und Scheitern, Alleinsein können und friedliches Miteinander.
Ein Buch darüber, dass man jeden Augenblick so bewusst leben sollte, als wäre es der letzte, und dass man seine Träume nicht aufschieben soll.

Auch als Diogenes Hörbuch erschienen,
gelesen von Sven Görtz